연마수학
탄탄한 기본기 체계적 연마

KB085107

참 중요한
3·4점

수능에 꼭 나오는 기출 유형 체계적 공략
[3·4점 유형] 고등 수학 I

참 중요한 3·4점 수학

특징

이 책은 빈출 유형의 중요한 문제로 기본기를 탄탄하게 다지고, 문제 해결 능력과 실전 능력을 강화하여 고득점을 할 수 있도록 구성했습니다.

중요한 기출 유형과 개념 이해로 **탄탄한 기본기 강화**

* 교과서 핵심 개념 및 기본 공식, 이전에 배운 내용, 핵심 첨삭 등의 부가 설명으로 기초가 부족해도 쉽게 유형을 정복할 수 있습니다.
* 중요한 기출 유형과 맞춤 해법으로 개념을 확실하게 익힐 수 있습니다.

단계별 Action 전략으로 **문제 해결의 원리와 스킬 터득**

* 기출 유형 체계적 정복을 위한 단계적 Action 전략 제시로 3, 4점짜리 문제를 완벽하게 공략합니다.
* 문제 해결의 원리 터득으로 기본기를 강화합니다.

최신 출제 경향에 딱 맞춘 적중 예상 문제로 **실전 능력 강화**

* 최신 출제 경향에 따른 빈출 문제, 신유형 문제에 대한 적응력을 키울 수 있습니다.
* 중요한 3, 4점 문항들에 대한 해결 능력과 실전 적응 능력을 강화합니다.

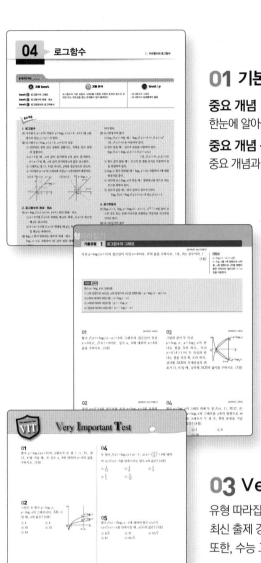

01 기본 학습

중요 개념 빈출 주제와 기출 분석에 따른 학습 대비책, 문제 해결에 필요한 중요 개념을 한눈에 알아볼 수 있도록 정리하였습니다.

중요 개념 문제 출제의도를 쉽게 파악할 수 있는 3, 4점짜리 우수 기출문제를 다루어 중요 개념과 출제의 맥락을 확실하게 이해할 수 있도록 하였습니다.

02 유형 따라잡기

수능 및 학력평가에 출제되었던 3, 4점짜리 문제의 핵심 유형을 선정하고, 해당 유형 해결책을 알려 주는 '해결의 실마리'를 제시하였습니다. 또한, 문제 해결 과정에서 적용해야 할 Action 전략을 제시하여, 문제 풀이의 맥락을 쉽게 알 수 있도록 하였습니다.

03 Very Important Test

유형 따라잡기에서 다루었던 기출문제를 토대로, 최신 출제 경향에 맞추어 출제가 예상되는 문제를 중심으로 출제하였습니다. 또한, 수능 고득점을 위한 1등급 level up 문제를 수록하였습니다.

04 정답과 해설

풀이를 보고도 이해를 하지 못하는 경우가 없도록 자세히 풀이하였습니다. 알찬 해설이 되도록 문제 해결 과정에서 풀이의 맥락을 알려주는 Action 전략, 특별히 보충해야 할 공식과 설명, 수식 계산의 팁 등으로 구성하였습니다.

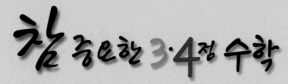

이 책은 중요한 유형의 문제로 기본기를 탄탄하게 다지고
문제해결 능력을 강화하여 수능 및 학교시험의
중요한 문제를 완벽하게 해결할 수 있습니다.

학습방법

중요 개념 익히기

중요 개념, 이전에 배운 내용, 첨삭의 내용을 이해하고 3, 4점짜리 기출 중요 문제를 풀어
개념을 확실히 익힙니다.

기출 유형별 Action 전략 마스터하기

기출 유형으로 제시된 3, 4점짜리 기출 문제와 함께 '해결의 실마리'를 보고 어떻게 문제를 풀 것인지
생각한 후, 단계별 Action 전략을 따라서 풉니다. 동일한 유형의 문제를 통해 앞서 익힌 풀이 전략을
집중 연습하여 문제 해결의 원리를 확실하게 마스터합니다.

최신 출제 경향 문제로 실력 다지기

실전과 같이 해답을 보지 말고 앞에서 익힌 문제 해결의 원리를 적용하여 풀어 봅니다.
틀린 부분이 있다면 유형 따라잡기의 '해결의 실마리' 부분을 다시 한 번 복습합니다.

c o n t e n t s **차 례**

참 중요한학습 point

 기출 best

best **1** 거듭제곱근의 뜻과 성질
best **2** 거듭제곱근을 유리수인 지수로 나타내기
best **3** 지수가 실수인 식의 계산

 기출 분석

주어진 조건을 이용하여 두 수의 관계를 찾아 식의 값을 구하는 유형이나 지수법칙과 거듭제곱근의 성질 $a^{-n}=\dfrac{1}{a^n}$, $a^{\frac{m}{n}}=\sqrt[n]{a^m}$, $a^{\frac{1}{n}}=\sqrt[n]{a}$를 이용하는 이해력 평가 문항들이 자주 출제된다.

level up

- $a^x=k$(k는 상수)의 조건이 주어진 경우 식의 값
- 지수법칙의 실생활에의 활용

 중요개념

1. 거듭제곱

(1) 거듭제곱의 뜻

실수 a를 n번 거듭하여 곱한 것을 a의 n제곱이라 하고, a^n으로 나타낸다. 또 a, a^2, a^3, $\cdots$을 통틀어 a의 거듭제곱이라 하고, a^n에서 a를 거듭제곱의 밑, n을 거듭제곱의 지수라 한다.

(2) 지수법칙 (1)

a, b가 실수이고 m, n이 양의 정수일 때

① $a^m a^n=a^{m+n}$ ② $(a^m)^n=a^{mn}$

③ $(ab)^n=a^n b^n$ ④ $\left(\dfrac{a}{b}\right)^n=\dfrac{a^n}{b^n}$ (단, $b\neq0$)

⑤ $a^m\div a^n=\begin{cases} a^{m-n} & (m>n) \\ 1 & (m=n) \\ \dfrac{1}{a^{n-m}} & (m<n) \end{cases}$

2. 거듭제곱근

(1) 거듭제곱근의 뜻

일반적으로 n이 2 이상인 정수일 때, n제곱하여 실수 a가 되는 수, 즉 $x^n=a$를 만족하는 수 x를 a의 n제곱근이라 한다. 또 a의 제곱근, 세제곱근, 네제곱근, $\cdots$ 을 통틀어 a의 거듭제곱근이라 한다.

(2) n이 2 이상의 정수일 때, a의 n제곱근 중 실수인 것은 다음과 같다.

	$a>0$	$a=0$	$a<0$
n이 홀수	$\sqrt[n]{a}$	0	$\sqrt[n]{a}$
n이 짝수	$\sqrt[n]{a}$, $-\sqrt[n]{a}$	0	없다.

(3) 거듭제곱근의 성질

$a>0$, $b>0$이고 m, n이 2 이상의 정수일 때

① $\sqrt[n]{a}\sqrt[n]{b}=\sqrt[n]{ab}$ ② $\dfrac{\sqrt[n]{a}}{\sqrt[n]{b}}=\sqrt[n]{\dfrac{a}{b}}$

③ $(\sqrt[n]{a})^m=\sqrt[n]{a^m}$ ④ $\sqrt[m]{\sqrt[n]{a}}=\sqrt[mn]{a}$

⑤ $\sqrt[np]{a^{mp}}=\sqrt[n]{a^m}$ (단, p는 양의 정수)

3. 지수의 확장과 지수법칙

(1) 0 또는 음의 정수인 지수

$a\neq0$이고 n이 양의 정수일 때

① $a^0=1$ ② $a^{-n}=\dfrac{1}{a^n}$

(2) 지수법칙 (2)

$a\neq0$, $b\neq0$이고 m, n이 정수일 때

① $a^m a^n=a^{m+n}$ ② $a^m\div a^n=a^{m-n}$

③ $(a^m)^n=a^{mn}$ ④ $(ab)^n=a^n b^n$

(3) 유리수인 지수

$a>0$이고 m, n $(n\geq2)$이 정수일 때

① $a^{\frac{m}{n}}=\sqrt[n]{a^m}$ ② $a^{\frac{1}{n}}=\sqrt[n]{a}$

(4) 지수법칙 (3)

$a>0$, $b>0$이고 r, s가 유리수일 때

① $a^r a^s=a^{r+s}$ ② $a^r\div a^s=a^{r-s}$

③ $(a^r)^s=a^{rs}$ ④ $(ab)^r=a^r b^r$

(5) 지수법칙 (4)

$a>0$, $b>0$이고 x, y가 실수일 때

① $a^x a^y=a^{x+y}$ ② $a^x\div a^y=a^{x-y}$

③ $(a^x)^y=a^{xy}$ ④ $(ab)^x=a^x b^x$

01
[2016학년도 교육청]

100 이하의 자연수 n에 대하여 $\sqrt[3]{4^n}$이 정수가 되도록 하는 n의 개수를 구하시오. [3점]

04
[2017학년도 교육청]

27×3^{-2}의 값은? [2점]

① 1   ② 3   ③ 9
④ 27   ⑤ 81

02
[2016학년도 교육청]

$a=\sqrt{2}$, $b=\sqrt[3]{3}$일 때, $(ab)^6$의 값은? [2점]

① 60   ② 66   ③ 72
④ 78   ⑤ 84

05
[2016학년도 교육청]

두 실수 a, b에 대하여 $12^a=16$, $3^b=2$일 때, $2^{\frac{4}{a}-\frac{1}{b}}$의 값은? [3점]

① 1   ② 2   ③ 3
④ 4   ⑤ 5

03
[2012학년도 교육청]

$a=\sqrt[3]{2}$, $b=\sqrt[4]{3}$일 때, 등식 $6=a^x b^y$이 성립한다. 두 유리수 x, y의 합 $x+y$의 값을 구하시오. [3점]

06
[2012학년도 교육청]

$a^{\frac{1}{2}}+a^{-\frac{1}{2}}=10$을 만족시키는 양수 a에 대하여 $a+a^{-1}$의 값을 구하시오. [3점]

[2016학년도 교육청]

실수 a, b에 대하여 a는 2의 세제곱근이고 $\sqrt{2}$는 b의 네제곱근일 때, $\left(\dfrac{b}{a}\right)^3$의 값은? [3점]

① 2　　　② 4　　　③ 8　　　④ 16　　　⑤ 32

Act①
a의 n제곱근은 $x^n=a$를 만족하는 실수 x임을 이용한다.

해결의 실마리

(1) n이 2 이상의 정수일 때, a의 n제곱근은 $x^n=a$를 만족하는 실수 x이다.

(2) n이 2 이상의 정수일 때, a의 n제곱근 중 실수인 것은 다음과 같다.

	$a>0$	$a=0$	$a<0$
n이 홀수	$\sqrt[n]{a}$	0	$\sqrt[n]{a}$
n이 짝수	$\sqrt[n]{a}$, $-\sqrt[n]{a}$	0	없다.

(3) $a>0$, $b>0$이고 m, n이 2 이상의 정수일 때

① $\sqrt[n]{a}\sqrt[n]{b}=\sqrt[n]{ab}$　② $\dfrac{\sqrt[n]{a}}{\sqrt[n]{b}}=\sqrt[n]{\dfrac{a}{b}}$　③ $(\sqrt[n]{a})^m=\sqrt[n]{a^m}$　④ $\sqrt[m]{\sqrt[n]{a}}=\sqrt[mn]{a}$　⑤ $\sqrt[np]{a^{mp}}=\sqrt[n]{a^m}$ (단, p는 양의 정수)

01
[2015학년도 교육청]

$30\leq a\leq 40$, $150\leq b\leq 294$일 때, $\sqrt{a}+\sqrt[3]{b}$의 값이 자연수가 되도록 하는 두 자연수 a, b에 대하여 $a+b$의 값을 구하시오. [3점]

02
[2016학년도 교육청]

$\sqrt{\dfrac{3}{2}}\times\sqrt[4]{a}$가 자연수가 되도록 하는 자연수 a의 최솟값을 구하시오. [4점]

03
[2014학년도 교육청]

자연수 n $(n\geq 2)$에 대하여 실수 a의 n제곱근 중에서 실수인 것의 개수를 $f_n(a)$라 할 때, $f_2(-3)+f_3(-2)+f_4(5)$의 값은? [3점]

① 1　　　② 2　　　③ 3
④ 4　　　⑤ 5

04
[2018학년도 교육청]

x에 대한 이차방정식 $x^2-\sqrt[3]{81}x+a=0$의 두 근이 $\sqrt[3]{3}$과 b일 때, ab의 값은? (단, a, b는 상수이다.) [4점]

① 6　　　② $3\sqrt[3]{9}$　　　③ $6\sqrt[3]{3}$
④ 12　　　⑤ $6\sqrt[3]{9}$

친절한 해설 2쪽

기출유형 02 거듭제곱근을 유리수인 지수로 나타내기

[2012학년도 교육청]

1이 아닌 양수 a에 대하여 등식 $\sqrt{a}\times\frac{\sqrt[3]{a^2}}{a}=\sqrt[n]{a}$가 성립할 때, 자연수 n의 값은? [3점]

① 3 ② 4 ③ 6 ④ 8 ⑤ 9

Act①
거듭제곱근을 유리수인 지수로 나타낸 후 지수법칙을 이용한다.

해결의 실마리
$a>0$이고 m, n이 2 이상의 정수일 때, 거듭제곱근의 계산은
⇨ $\sqrt[n]{a^m}=a^{\frac{m}{n}}$을 이용하여 거듭제곱근을 유리수인 지수로 나타낸 후 지수법칙을 이용한다.

05

100 이하의 자연수 n에 대하여 $\sqrt[5]{4^n}$이 정수가 되도록 하는 n의 개수를 구하시오. [3점]

06

[2018학년도 교육청]

$(\sqrt{2\sqrt[3]{4}})^n$이 네 자리 자연수가 되도록 하는 자연수 n의 값을 구하시오. [4점]

07

[2017학년도 교육청]

$1<m<n<7$인 두 자연수 m, n에 대하여 m^n의 세제곱근이 자연수가 되도록 하는 모든 순서쌍 (m, n)의 개수를 구하시오. [4점]

08

[2018학년도 교육청]

$\sqrt[5]{8}$이 어떤 자연수 N의 n제곱근이 되도록 하는 두 자리 자연수 n의 개수는? [4점]

① 14 ② 15 ③ 16
④ 17 ⑤ 18

[2015학년도 교육청]

$2^{\frac{1}{3}} \times 4^{\frac{1}{3}}$의 값은? [3점]

① $\sqrt{2}$　　　② 2　　　③ $2\sqrt[3]{2}$　　　④ $2\sqrt{2}$　　　⑤ 4

Act ①
밑을 통일시켜 지수법칙을 이용하여 계산한다.

해결의 실마리

$a>0$, $b>0$이고 x, y가 실수일 때

① $a^x a^y = a^{x+y}$　　② $a^x \div a^y = a^{x-y}$　　③ $(a^x)^y = a^{xy}$　　④ $(ab)^x = a^x b^x$

09　　　[2019학년도 교육청]

10 이하의 자연수 a에 대하여 $\left(a^{\frac{2}{3}}\right)^{\frac{1}{2}}$의 값이 자연수가 되도록 하는 모든 a의 값의 합은? [3점]

① 5　　　② 7　　　③ 9
④ 11　　　⑤ 13

11　　　[2015학년도 수능 모의평가]

$(a^{\sqrt{3}})^{2\sqrt{3}} \div a^3 \times (\sqrt[3]{a})^{36} = a^k$일 때, k의 값을 구하시오.
(단, $a>0$, $a \neq 1$) [3점]

10

$a>0$, $a \neq 1$에 대하여 $(a^{\sqrt{2}})^{2\sqrt{3}} \div a^{3\sqrt{6}} \times (\sqrt[3]{a})^{6\sqrt{6}} = a^k$일 때, 실수 k의 값은? [3점]

① $\sqrt{2}$　　　② $\sqrt{3}$　　　③ 2
④ $\sqrt{5}$　　　⑤ $\sqrt{6}$

12　　　[2009학년도 교육청]

$a>0$, $a \neq 1$에 대하여 $\left\{ \dfrac{\sqrt{a^3}}{\sqrt[3]{a^4}} \times \sqrt{\left(\dfrac{1}{a}\right)^{-4}} \right\}^6 = a^k$일 때, 상수 k의 값을 구하시오. [3점]

기출유형 **04** $a^x=k$ (k는 상수)의 조건이 주어진 경우 식의 값 구하기

두 실수 a, b에 대하여 $20^a=8$, $5^b=2$일 때, $2^{\frac{3}{a}-\frac{1}{b}}$의 값은? [3점]

① 1   ② 2   ③ 3   ④ 4   ⑤ 5

Act ①

조건식의 밑이 다른 경우
$a^x=k \Leftrightarrow a=k^{\frac{1}{x}}$으로 밑을 바꾼 후 지수법칙을 이용한다.

해결의 실마리

(1) 조건식의 밑이 같으면 변끼리 곱해 지수법칙을 이용한다.

(2) 조건식의 밑이 다른 경우 $a^x=k \Leftrightarrow a=k^{\frac{1}{x}}$ (단, $a>0$, $k>0$, $x\neq0$)으로 밑을 바꾼 후 지수법칙을 이용한다.

---

13 [2009학년도 교육청]

실수 a, b에 대하여 $3^a=12^b=6$이 성립할 때, $\frac{1}{a}+\frac{1}{b}$의 값은? [3점]

① 2   ② $\frac{5}{3}$ ③ $\frac{4}{3}$

④ 1   ⑤ $\frac{2}{3}$

15

$a=9^4$, $b=8^3$일 때, $12^{12}=a^m b^n$을 만족시키는 두 유리수 m, n에 대하여 mn의 값을 구하시오. [4점]

14 [2018학년도 교육청]

두 실수 a, b에 대하여 $2^{\frac{4}{a}}=100$, $25^{\frac{2}{b}}=10$이 성립할 때, $2a+b$의 값은? [4점]

① 3   ② $\frac{13}{4}$ ③ $\frac{7}{2}$

④ $\frac{15}{4}$ ⑤ 4

16 [2017학년도 교육청]

두 실수 a, b에 대하여 $5^{2a+b}=32$, $5^{a-b}=2$일 때, $4^{\frac{a+b}{ab}}$의 값을 구하시오. [4점]

[2013학년도 교육청]

$2^{a-1} + 2^{-a} = 3$일 때, $4^{a-1} + 4^{-a}$의 값을 구하시오. [3점]

Act❶
$2^{a-1} + 2^{-a} = 3$의 양변을 제곱하여 식을 변형한다.

해결의 실마리

(1) $a^x + a^{-x}$ 꼴의 식의 값은 ⇨ 곱셈 공식을 이용하여 주어진 식을 변형한다.

① $\left(a^{\frac{1}{2}} \pm a^{-\frac{1}{2}}\right)^2 = a \pm 2 + a^{-1}$ (복호동순)   ② $\left(a^{\frac{1}{3}} \pm a^{-\frac{1}{3}}\right)^3 = a \pm 3\left(a^{\frac{1}{3}} \pm a^{-\frac{1}{3}}\right) \pm a^{-1}$ (복호동순)

(2) 분모, 분자에 a^x, a^{-x} 등을 포함한 식의 값은 ⇨ 분모, 분자에 각각 a^x, a^{-x} 등을 적절히 곱해 a^{2x} 꼴이 나타나도록 식을 변형한다.

17

[2018학년도 교육청]

두 실수 a, b에 대하여 $a + b = 2$, $2^{\frac{a}{2}} - 2^{\frac{b}{2}} = 3$일 때, $2^a + 2^b$의 값은? [3점]

① 9　　　② 10　　　③ 11

④ 12　　　⑤ 13

19

[2010학년도 수능 모의평가]

실수 a가 $\dfrac{2^a + 2^{-a}}{2^a - 2^{-a}} = -2$를 만족시킬 때, $4^a + 4^{-a}$의 값은? [3점]

① $\dfrac{5}{2}$　　　② $\dfrac{10}{3}$　　　③ $\dfrac{17}{4}$

④ $\dfrac{26}{5}$　　　⑤ $\dfrac{37}{6}$

18

[2007학년도 교육청]

$x - y = 2$, $2^x + 2^{-y} = 5$일 때, $8^x + 8^{-y}$의 값은? [3점]

① 61　　　② 62　　　③ 63

④ 64　　　⑤ 65

20

$a^{2x} = 5$일 때, $\dfrac{a^{3x} - a^{-x}}{a^x + a^{-x}}$의 값을 구하시오. (단, $a > 0$)

[3점]

기출유형 06 지수법칙의 실생활에의 활용

[2015학년도 교육청]

어떤 펌프의 흡입구경 $D(\text{mm})$, 단위시간(분) 동안의 유체 배출량 $Q(\text{m}^3/\text{분})$, 흡입구의 유속 $V(\text{m}/\text{분})$ 사이에 다음과 같은 관계가 성립한다고 한다.

$$D = k\left(\frac{Q}{V}\right)^{\frac{1}{2}} \text{ (단, } V > 0, \ k\text{는 양의 상수이다.)}$$

두 펌프 A, B의 흡입구경을 각각 D_A, D_B, 단위시간(분) 동안의 유체 배출량을 각각 Q_A, Q_B, 흡입구의 유속을 각각 V_A, V_B라 하자. Q_A가 Q_B의 $\frac{2}{3}$배, V_A가 V_B의 $\frac{8}{27}$배, $D_A - D_B = 60$일 때, D_B의 값은? [3점]

① 120　　② 125　　③ 130　　④ 135　　⑤ 140

Act ❶
$D_A = k\left(\dfrac{Q_A}{V_A}\right)^{\frac{1}{2}}$을 D_B에 대한 식으로 나타내어 $D_A - D_B = 60$과 연립한다.

해결의 실마리

(1) 식이 주어진 경우 ⇨ 주어진 식에 알맞은 값을 대입한다.

(2) 식을 구해야 하는 경우 ⇨ 조건에 맞도록 식을 세운 후 지수법칙을 이용한다.

21
[2017학년도 교육청]

폭약에 의한 수중 폭발이 일어나면 폭발 지점에서 가스버블이 생긴다. 수면으로부터 폭발 지점까지의 깊이가 $D(\text{m})$인 지점에서 무게가 $W(\text{kg})$인 폭약이 폭발했을 때의 가스버블의 최대반경을 $R(\text{m})$라고 하면 다음과 같은 관계식이 성립한다고 한다.

$$R = k\left(\frac{W}{D+10}\right)^{\frac{1}{3}} \text{ (단, } k\text{는 양의 상수이다.)}$$

수면으로부터 깊이가 $d(\text{m})$인 지점에서 무게가 $160\,\text{kg}$인 폭약이 폭발했을 때의 가스버블의 최대반경을 $R_1(\text{m})$이라 하고, 같은 폭발 지점에서 무게가 $p(\text{kg})$인 폭약이 폭발했을 때의 가스버블의 최대반경을 $R_2(\text{m})$라 하자. $\frac{R_1}{R_2} = 2$일 때, p의 값을 구하시오. (단, 폭약의 종류는 같다.) [4점]

22
[2015학년도 교육청]

비행기가 항력을 이겨서 등속수평비행하는 데 필요한 동력을 필요마력이라 한다. 필요마력 $P(\text{마력})$와 비행기의 항력계수 C, 비행속력 $V(\text{m}/\text{초})$, 날개의 넓이 $S(\text{m}^2)$ 사이에는 다음과 같은 관계식이 성립한다고 한다.

$$P = \frac{1}{150}kCV^3 S \text{ (단, } k\text{는 양의 상수이다.)}$$

날개의 넓이의 비가 $1:3$인 두 비행기 A, B가 동일한 항력계수를 갖고 각각 등속수평비행하고 있을 때, 필요마력의 비는 $1:\sqrt{3}$이고 비행속력은 각각 V_A, V_B이다. $\frac{V_A}{V_B}$의 값은? [3점]

① $3^{\frac{1}{6}}$　　② $3^{\frac{1}{3}}$　　③ $3^{\frac{1}{2}}$
④ $3^{\frac{2}{3}}$　　⑤ $3^{\frac{5}{6}}$

01

$\sqrt[3]{4}$의 제곱근 중 양수인 것을 a, 16의 세제곱근 중 실수인 것을 b라 할 때, $b-a$의 값은? [3점]

① $2\sqrt[3]{2}$　　　② $\sqrt[3]{2}$　　　③ $3\sqrt{2}$

④ $2\sqrt{2}$　　　⑤ $\sqrt{2}$

02

$\sqrt[5]{a}=-81$, $\sqrt[6]{-b}=32$ 일 때, $\sqrt[10]{a}$의 값은? [3점]

① -72　　　② -36　　　③ 6

④ 36　　　⑤ 72

03

$a>0$, $a\neq 1$일 때, $\sqrt{\sqrt[4]{a\sqrt{a}}}=a^k$을 만족시키는 실수 k의 값은? [3점]

① $\dfrac{1}{8}$　　　② $\dfrac{3}{16}$　　　③ $\dfrac{1}{4}$

④ $\dfrac{5}{16}$　　　⑤ $\dfrac{3}{8}$

04

$\left(\dfrac{1}{125}\right)^{\frac{4}{n}}$이 자연수가 되도록 하는 정수 n의 개수는? [3점]

① 2　　　② 4　　　③ 6

④ 8　　　⑤ 10

05

$a>0$, $b>0$일 때, $\sqrt[3]{a^3b^2}\times\sqrt[6]{a^2b}\div\sqrt[3]{ab^3}=a^pb^q$이다. 이때 유리수 p, q에 대하여 $p+q$의 값은? (단, $a\neq 1$, $b\neq 1$)

[3점]

① $\dfrac{1}{6}$　　　② $\dfrac{1}{3}$　　　③ $\dfrac{2}{3}$

④ $\dfrac{5}{6}$　　　⑤ 1

06

이차방정식 $x^2+4x-2=0$의 두 근을 α, β라 할 때, $3^{\frac{1}{\alpha}}\times 3^{\frac{1}{\beta}}$의 값은? [3점]

① $\dfrac{1}{9}$　　　② $\dfrac{1}{3}$　　　③ 1

④ 3　　　⑤ 9

07

$a=2^{\frac{2}{3}}$, $b=3^{\frac{1}{6}}$일 때, $a^m b^n=36$을 만족시키는 두 자연수 m, n의 합 $m+n$의 값은? [4점]

① 11   ② 12   ③ 13
④ 14   ⑤ 15

08

$x=\sqrt{2}-1$일 때, $\left(x^{\frac{1}{4}}+x^{-\frac{1}{4}}\right)\left(x^{\frac{1}{4}}-x^{-\frac{1}{4}}\right)\left(x^{\frac{1}{2}}+x^{-\frac{1}{2}}\right)$의 값은? [3점]

① -4 ② -2 ③ 0
④ 2 ⑤ 4

09

$a>0$이고 $a^{2x}=3$일 때, $\dfrac{a^x-a^{-x}}{a^{3x}+a^{-3x}}$의 값은? [3점]

① $\dfrac{1}{5}$ ② $\dfrac{3}{14}$ ③ $\dfrac{1}{3}$
④ $\dfrac{2}{5}$ ⑤ $\dfrac{5}{14}$

10

양수 x에 대하여 $x^{\frac{1}{2}}+x^{-\frac{1}{2}}=4$일 때, $x^{\frac{3}{2}}+x^{-\frac{3}{2}}$의 값을 구하시오. [3점]

1등 level up

11

$30^x=27$, $10^y=9$일 때, $\dfrac{3}{x}-\dfrac{2}{y}$의 값은? [4점]

① 0 ② 1 ③ 3
④ $\dfrac{10}{3}$ ⑤ 5

12

눈에 보이는 별들을 밝기에 따라 가장 밝은 별(1등성)에서 가장 어두운 별(6등성)까지 6등급으로 분류한다. 1등성인 별의 밝기는 6등성인 별의 밝기의 100배이고, 각 등급 간의 밝기의 비는 일정하다고 한다. 2등성인 별의 밝기는 5등성인 별의 밝기의 몇 배인가? [3점]

① $10^{\frac{3}{2}}$배   ② $10^{\frac{4}{3}}$배   ③ $10^{\frac{5}{4}}$배
④ $10^{\frac{6}{5}}$배   ⑤ $10^{\frac{7}{6}}$배

02 로그

참 중요한학습 point

 기출 best

best **1** 로그의 정의
best **2** 로그의 기본 성질
best **3** 로그의 밑의 변환

 기출 분석

주어진 조건을 이용하여 두 수의 관계를 찾아 로그의 값을 구하는 문항, 밑의 변환이나 로그의 여러 가지 성질을 이용하는 문항들이 자주 출제된다.

level up

• 로그의 정의를 이용하여 식의 값 구하기
• 상용로그의 실생활에의 활용

중요개념

1. 로그의 정의

(1) 로그의 뜻

$a>0$, $a\neq1$일 때, 임의의 양수 N에 대하여 등식 $a^x=N$을 만족하는 실수 x는 오직 하나 존재한다. 이때 x는 a를 밑으로 하는 N의 로그라 하고, 이것을 기호로 $\log_a N$과 같이 나타낸다. 이때 N을 $\log_a N$의 진수라 한다.

(2) 로그의 정의

$a>0$, $a\neq1$, $N>0$일 때
$$a^x=N \Leftrightarrow x=\log_a N$$

참고 $\log_a N$이 정의되기 위한 조건
① 밑의 조건 : 밑은 0이 아닌 양수이어야 한다.
② 진수의 조건 : 진수는 양수이어야 한다.

2. 로그의 성질

$a>0$, $a\neq1$, $M>0$, $N>0$일 때
① $\log_a 1=0$, $\log_a a=1$
② $\log_a MN=\log_a M+\log_a N$
③ $\log_a \dfrac{M}{N}=\log_a M-\log_a N$
④ $\log_a M^k=k\log_a M$ (단, k는 실수)

3. 로그의 밑의 변환

$a>0$, $a\neq1$, $b>0$, $c>0$, $c\neq1$일 때
$$\log_a b=\frac{\log_c b}{\log_c a}$$

4. 상용로그

(1) 10을 밑으로 하는 로그를 상용로그라 하고, 양수 N의 상용로그 $\log_{10} N$은 보통 밑 10을 생략하여 기호로 $\log N$과 같이 나타낸다.

(2) 상용로그표를 이용한 상용로그의 값

상용로그표는 0.01의 간격으로 1.00에서 9.99까지의 수에 대한 상용로그의 값을 반올림하여 소수 넷째 자리까지 나타낸 것이다.

수	0	…	5	…	9
⋮	⋮	⋮	⋮	⋮	⋮
3.0	.4771	⋮	.4843	⋮	.4900
3.1	.4914	⋮	.4983	⋮	.5038
3.2	.5051	⋮	.5119	⋮	.5172
⋮	⋮	⋮	⋮	⋮	⋮

예를 들어 $\log 3.15$의 값은 상용로그표에서 3.1의 행과 5의 열이 만나는 곳에 있는 수인 0.4983이다.
즉 $\log 3.15=0.4983$

5. 상용로그의 값

임의의 양수 N에 대하여 $\log N$의 값은

$\overbrace{\qquad}^{\log N\text{의 정수 부분}}$
$\log N=n+\log a$ (단, n은 정수, $0\leq\log a<1$)
$\underbrace{\qquad}_{\log N\text{의 소수 부분}}$

와 같이 나타낼 수 있다. 이때 $\log a$의 값은 상용로그표에서 찾을 수 있으므로 $\log N$의 값을 구할 수 있다.

6. 상용로그의 정수 부분과 소수 부분의 성질

(1) 정수 부분의 성질
① 정수 부분이 n자리인 양수의 상용로그의 정수 부분은 $n-1$이다.
② 소수점 아래 n째 자리에서 처음으로 0이 아닌 숫자가 나타나는 양수의 상용로그의 정수 부분은 $-n$이다.

(2) 소수 부분의 성질
숫자의 배열이 같고 소수점의 위치만 다른 수들의 상용로그의 소수 부분은 모두 같다.

중요개념문제

01
[2017학년도 교육청]

모든 실수 x에 대하여 $\log_a (x^2+2ax+5a)$가 정의되기 위한 모든 정수 a의 값의 합은? [3점]

① 9   ② 11   ③ 13

④ 15   ⑤ 17

04
$a=\log_7 5$일 때, $(7\sqrt{7})^a$의 값은? [3점]

① 5   ② $5\sqrt{5}$ ③ 10

④ $10\sqrt{5}$ ⑤ 25

02
[2018학년도 수능 모의평가]

$\log_3 \dfrac{9}{2}+\log_3 6$의 값을 구하시오. [3점]

05
[2017학년도 교육청]

$\log_2 5=a$, $\log_5 7=b$ 일 때, $(2^a)^b$의 값은? [3점]

① 7   ② 9   ③ 11

④ 13   ⑤ 15

03
[2018학년도 교육청]

$\dfrac{1}{\log_4 18}+\dfrac{2}{\log_9 18}$의 값은? [3점]

① 1   ② 2   ③ 3

④ 4   ⑤ 5

06
[2007학년도 교육청]

$\log_3 10$의 소수 부분을 α라 할 때, 3^α의 값은? [3점]

① $\dfrac{1}{3}$ ② $\dfrac{10}{9}$ ③ $\dfrac{10}{3}$

④ $\dfrac{100}{9}$ ⑤ $\dfrac{100}{3}$

기출유형 01 로그의 정의

[2018학년도 교육청]

$\log_a(-2a+14)$가 정의되도록 하는 정수 a의 개수는? [3점]

① 1　　　　② 2　　　　③ 3　　　　④ 4　　　　⑤ 5

Act ❶

로그의 정의에서 밑은 1이 아닌 양수이고, 진수는 양수이어야 한다.

해결의 실마리

(1) $a>0$, $a \neq 1$, $N>0$일 때 $a^x=N \Leftrightarrow x=\log_a N$

(2) $\log_a N$이 정의되기 위해서는

　① 밑의 조건 ⇨ $a>0$, $a \neq 1$　　② 진수의 조건 ⇨ $N>0$

01

[2019학년도 수능 모의평가]

양수 a에 대하여 $a^{\frac{1}{2}}=8$일 때, $\log_2 a$의 값을 구하시오. [3점]

03

[2019학년도 교육청]

$\log_x(-x^2+4x+5)$가 정의되기 위한 모든 정수 x의 값의 합을 구하시오. [4점]

02

[2018학년도 교육청]

$\log_2 a=3$일 때, 양수 a의 값을 구하시오. [3점]

04

[2016학년도 교육청]

$\log_{(x+6)}(49-x^2)$이 정의되도록 하는 모든 정수 x의 값의 합을 구하시오. [3점]

기출유형 02 로그의 기본 성질

[2018학년도 교육청]

$\log_5 50 + \log_5 \dfrac{1}{2}$의 값을 구하시오. [3점]

Act ①

밑이 같은 로그의 계산은 로그의 기본 성질을 이용하여 식을 간단히 한다.

해결의 실마리

밑이 같은 로그의 계산은 로그의 기본 성질을 이용하여 식을 간단히 한다.

$a>0$, $a≠0$, $M>0$, $N>0$일 때

① $\log_a 1 = 0$, $\log_a a = 1$

② $\log_a MN = \log_a M + \log_a N$

③ $\log_a \dfrac{M}{N} = \log_a M - \log_a N$

④ $\log_a M^k = k\log_a M$ (단, k는 실수)

05

[2019학년도 교육청]

$\log_2 3 + \log_2 \dfrac{8}{3}$의 값은? [3점]

① 1   ② 2   ③ 3

④ 4   ⑤ 5

07

[2016학년도 교육청]

$\log_2 \dfrac{8}{n}$의 값이 자연수가 되도록 하는 모든 자연수 n의 값의 합은? [3점]

① 5   ② 7   ③ 9

④ 11   ⑤ 13

06

[2016학년도 수능 모의평가]

$\log_2 5 + \log_2 \dfrac{4}{5}$의 값은? [3점]

① 1   ② 2   ③ 3

④ 4   ⑤ 5

08

[2019학년도 수능]

2 이상의 자연수 n에 대하여 $5 \log_n 2$의 값이 자연수가 되도록 하는 모든 n의 값의 합은? [4점]

① 34   ② 38   ③ 42

④ 46   ⑤ 60

[2017학년도 교육청]

$\log_2 3 \times \log_3 32$의 값을 구하시오. [3점]

Act ❶
로그의 밑이 같지 않을 때에는 로그의 밑의 변환 공식을 이용하여 밑을 같게 한 후 식을 간단히 한다.

해결의 실마리

로그의 밑이 같지 않을 때에는 로그의 밑의 변환 공식을 이용하여 밑을 같게 한 후 식을 간단히 한다.
$a>0$, $a \neq 1$, $b>0$일 때

① $\log_a b = \dfrac{\log_c b}{\log_c a}$ (단, $c>0$, $c \neq 1$)   ② $\log_a b = \dfrac{1}{\log_b a}$ (단, $b \neq 1$)

09

[2015학년도 교육청]

$\log_5 27 \times \log_3 5$의 값은? [3점]

① 1   ② 2   ③ 3
④ 4   ⑤ 5

11

[2018학년도 수능 모의평가]

두 실수 a, b가 $ab=\log_3 5$, $b-a=\log_2 5$를 만족시킬 때, $\dfrac{1}{a} - \dfrac{1}{b}$의 값은? [3점]

① $\log_5 2$ ② $\log_3 2$ ③ $\log_3 5$
④ $\log_2 3$ ⑤ $\log_2 5$

10

[2014학년도 교육청]

$\log_a 3 \times \log_9 b=10$일 때, $\log_a b$의 값을 구하시오.
(단, $a>0$, $a \neq 1$, $b>0$) [3점]

12

[2018학년도 교육청]

1보다 큰 두 실수 a, b에 대하여 $\log_a a^2 b^3=3$이 성립할 때, $\log_b a$의 값은? [4점]

① 1   ② $\dfrac{5}{2}$ ③ 3
④ $\dfrac{7}{2}$ ⑤ 4

기출유형 04 로그의 여러 가지 성질

[2018학년도 수능]

1보다 큰 두 실수 a, b에 대하여 $\log_{\sqrt{3}} a = \log_9 ab$가 성립할 때, $\log_a b$의 값은? [4점]

Act①

$\log_{a^m} b^n = \dfrac{n}{m} \log_a b$임을 이용하여 밑을 3으로 통일한다.

① 1   ② 2   ③ 3   ④ 4   ⑤ 5

해결의 실마리

$a > 0$, $a \neq 1$, $b > 0$, $c > 0$, $c \neq 1$일 때

① $\log_{a^m} b^n = \dfrac{n}{m} \log_a b$ (단, $m \neq 0$)

② $a^{\log_c b} = b^{\log_c a}$

③ $a^{\log_a b} = b$

$a^{\log_c b} = k$라 하면

$\log_c k = \log_c a^{\log_c b}$

$\qquad = \log_c a \times \log_c b$

$\qquad = \log_c b^{\log_c a}$

$\therefore a^{\log_c b} = b^{\log_c a}$

13

[2014학년도 교육청]

$3^{\log_2 5} \times \left(\dfrac{4}{5}\right)^{\log_2 3}$의 값은? [3점]

① 3   ② 4   ③ 5
④ 8   ⑤ 9

14

$\left(\log_5 2 + \log_{25} \dfrac{1}{2}\right)\left(\log_2 5 + \log_4 \dfrac{1}{5}\right)$의 값은? [3점]

① $\dfrac{1}{2}$ ② $\dfrac{1}{3}$ ③ $\dfrac{1}{4}$

④ $\dfrac{1}{5}$ ⑤ $\dfrac{1}{6}$

15

[2018학년도 교육청]

2 이상의 세 실수 a, b, c가 다음 조건을 만족시킨다.

(가) $\sqrt[3]{a}$는 ab의 네제곱근이다.

(나) $\log_a bc + \log_b ac = 4$

$a = \left(\dfrac{b}{c}\right)^k$이 되도록 하는 실수 k의 값은? [4점]

① 6   ② $\dfrac{13}{2}$ ③ 7

④ $\dfrac{15}{2}$ ⑤ 8

[2016학년도 교육청]

양수 a에 대하여 $\log_2 \dfrac{a}{4} = b$일 때, $\dfrac{2^b}{a}$의 값은? [3점]

① $\dfrac{1}{16}$ ② $\dfrac{1}{8}$ ③ $\dfrac{1}{4}$ ④ $\dfrac{1}{2}$ ⑤ 1

Act ❶
로그의 정의를 이용하여 관계식을 지수로 나타낸 다음 식에 대입한다.

해결의 실마리

(1) 관계식이 로그 형태로 주어졌을 때, 지수 식의 값 구하기
⇨ 로그의 정의를 이용하여 관계식을 지수로 나타낸 다음 식에 대입한다.

(2) 관계식이 지수 형태로 주어졌을 때, 로그 식의 값 구하기
⇨ 로그의 정의를 이용하여 관계식을 로그로 나타낸 다음 식에 대입한다.

> $a^x = m$, $b^y = n$의 관계식이 주어지면
> ⇨ $x = \log_a m$, $y = \log_b n$으로 나타낸 다음 식에 대입한다.

16

[2019학년도 수능 모의평가]

방정식 $2\log_4(5x+1) = 1$의 실근을 α라 할 때, $\log_5 \dfrac{1}{\alpha}$의 값을 구하시오. [3점]

18

[2019학년도 교육청]

$a = 9^{11}$일 때, $\dfrac{1}{\log_a 3}$의 값을 구하시오. [3점]

17

[2016학년도 교육청]

두 양수 a, b에 대하여 $\log_2 ab = 8$, $\log_2 \dfrac{a}{b} = 2$일 때, $\log_2(a+4b)$의 값은? [3점]

① 3   ② 4   ③ 5
④ 6   ⑤ 7

19

[2014학년도 교육청]

두 실수 x, y가 $2^x = 3^y = 24$를 만족시킬 때, $(x-3)(y-1)$의 값은? [3점]

① 1   ② 2   ③ 3
④ 4   ⑤ 5

기출유형 **06** 상용로그의 값

$\log 2 = 0.3010$, $\log 3 = 0.4771$일 때, $\log 24 + \log 50$의 값은? [3점]

① 2.5664   ② 3.0664   ③ 3.0791   ④ 3.5664   ⑤ 0.6020

Act ❶

$\log 24$, $\log 50$을 $\log 2$, $\log 3$으로 나타낸 후 $\log 2 = 0.3010$, $\log 3 = 0.4771$을 대입한다.

해결의 실마리

(1) 상용로그의 소수 부분의 성질

    숫자의 배열이 같고 소수점의 위치만 다른 수들의 상용로그의 소수 부분은 모두 같다.

(2) 상용로그표에 나와 있지 않은 $\log N$의 값을 구하는 순서

    ① $N = 10^n \times a$ (단, n은 정수, $1 \le a < 10$)의 꼴로 나타낸다.

    ② 로그의 성질을 이용하여 $\log N = n + \log a$의 꼴로 나타낸다.

    ③ 상용로그표에서 $\log a$의 값을 찾은 후 이 값에 n을 더한다.

20

[2019학년도 교육청]

$\log 1.44 = a$일 때, $2\log 12$를 a로 나타낸 것은? [3점]

① $a+1$ ② $a+2$ ③ $a+3$

④ $a+4$ ⑤ $a+5$

22

[2018학년도 교육청]

다음은 상용로그표의 일부이다.

수	...	7	8	9
⋮		⋮	⋮	⋮
5.9	...	.7760	.7767	.7774
6.0	...	.7832	.7839	.7846
6.1	...	.7903	.7910	.7917

이 표를 이용하여 구한 $\log 607 + \log 0.607$의 값은? [4점]

① 1.5664   ② 2.0664   ③ 2.5664

④ 3.0664   ⑤ 3.5664

21

[2016학년도 교육청]

양의 실수 A에 대하여 $\log A = 2.1673$일 때, A의 값을 구하시오. (단, $\log 1.47 = 0.1673$으로 계산한다.) [3점]

$\log 2 = 0.3010$, $\log 3 = 0.4771$일 때, 12^{10}은 몇 자리의 정수인가? [3점]

① 11자리   ② 12자리   ③ 13자리   ④ 14자리   ⑤ 15자리

Act ①
$\log N$의 정수 부분이 n이면 N은 $(n+1)$자리의 수임을 이용한다.

해결의 실마리

(1) 양수 N에 대하여 $\log N$의 정수 부분이 n이면 N은 $(n+1)$자리의 수이다.

$\log A = n.\times\times\times\cdots \Leftrightarrow A$는 정수 부분이 $(n+1)$자리인 수

(2) 양수 N에 대하여 $\log N$의 정수 부분이 $-n$이면 N은 소수점 아래 째 자리에서 처음으로 0이 아닌 숫자가 나타난다.

[주의] $\log N$의 값이 음수일 때는 $0 \le$ (소수 부분) < 1이 되게 한 다음 정수 부분을 결정해야 한다.

$\log B = -n+0.\times\times\times\cdots \Leftrightarrow B$는 소수점 아래 n째 자리에서 처음으로 0이 아닌 숫자가 나타난다.

23

[2015학년도 교육청]

4^m이 8자리의 정수가 되도록 하는 모든 자연수 m의 값의 합을 구하시오. (단, $\log 2 = 0.301$로 계산한다.) [4점]

25

자연수 N에 대하여 N^{30}이 49자리의 정수일 때, N^{12}은 몇 자리의 정수인가? [3점]

① 16자리   ② 17자리   ③ 18자리
④ 19자리   ⑤ 20자리

24

$\log 2 = 0.3010$, $\log 3 = 0.4771$일 때, $\left(\dfrac{2}{3}\right)^{40}$은 소수점 아래 n째 자리에서 처음으로 0이 아닌 숫자가 나타난다. 이때 n의 값은? [3점]

① 5   ② 6   ③ 7
④ 8   ⑤ 9

26

6^{10}은 m자리의 정수이고 $\left(\dfrac{3}{4}\right)^{100}$은 소수점 아래 n째 자리에서 처음으로 0이 아닌 숫자가 나타난다. 이때 $m+n$의 값을 구하시오. (단, $\log 2 = 0.3010$, $\log 3 = 0.4771$) [4점]

기출유형 08 상용로그의 실생활에의 활용

[2016학년도 교육청]

어떤 알고리즘에서 N개의 자료를 처리할 때의 시간복잡도를 T라 하면 다음과 같은 관계식이 성립한다고 한다.

$$\frac{T}{N}=\log N$$

100개의 자료를 처리할 때의 시간복잡도를 T_1, 1000개의 자료를 처리할 때의 시간복잡도를 T_2라 할 때, $\dfrac{T_2}{T_1}$의 값은? [3점]

① 15   ② 20   ③ 25   ④ 30   ⑤ 35

Act ①

식이 주어진 경우 식에 알맞은 문자 또는 값을 대입한 다음 로그의 정의 및 성질을 이용한다

해결의 실마리

(1) 식이 주어진 경우
 ⇨ 식에 알맞은 문자 또는 값을 대입한 다음 로그의 정의 및 성질을 이용한다.

(2) 식을 구해야 하는 경우 ⇨ 조건에 맞도록 식을 세운 후 로그의 정의 및 성질을 이용한다.

27

[2014학년도 교육청]

초원지역에서의 풍속은 지표면으로부터의 높이에 따라 변한다. 어느 초원지역에서 지표면의 거친 정도를 나타내는 값을 $r(\mathrm{m})$, 지형지물의 평균 높이를 $h(\mathrm{m})$, 지표면으로부터의 높이를 $z(\mathrm{m})$라 할 때, 풍속 $U(z)(\mathrm{m}/\text{초})$는 다음 식을 만족시킨다고 한다.

$$U(z)=u\log\left(\frac{z-h}{r}\right) \text{(단, } z-h>r \text{이고 } u\text{는 상수이다.)}$$

지표면의 거친 정도를 나타내는 값이 0.2 m이고 지형지물의 평균 높이가 0.3 m인 어느 초원지역에서 지표면으로부터의 높이가 7.5 m일 때의 풍속을 U_1, 지표면으로부터의 높이가 43.5 m일 때의 풍속을 U_2라 할 때, $\dfrac{U_2}{U_1}$의 값은? [4점]

① $\dfrac{7}{6}$ ② $\dfrac{6}{5}$ ③ $\dfrac{5}{4}$

④ $\dfrac{4}{3}$ ⑤ $\dfrac{3}{2}$

28

[2016학년도 교육청]

우물에서 단위 시간당 끌어올리는 물의 양을 양수량이라 한다. 양수량이 일정하면 우물의 수위는 일정한 높이를 유지하게 된다. 우물의 영향권의 반지름의 길이가 $R(\mathrm{m})$인 어느 지역에 반지름의 길이가 $r(\mathrm{m})$인 우물의 양수량을 $Q(\mathrm{m}^3/\text{분})$, 원지하수의 두께를 $H(\mathrm{m})$, 양수 중 유지되는 우물의 수심을 $h(\mathrm{m})$라고 할 때, 다음 관계식이 성립한다고 한다.

$$Q=\frac{k(H^2-h^2)}{\log\dfrac{R}{r}} \text{(단, } k\text{는 양의 상수이다.)}$$

우물의 영향권의 반지름의 길이가 512 m로 일정한 어느 지역에 두 우물 A, B가 있다. 반지름의 길이가 1 m인 우물 A와 반지름의 길이가 2 m인 우물 B의 양수량을 각각 $Q_A(\mathrm{m}^3/\text{분})$, $Q_B(\mathrm{m}^3/\text{분})$이라 하자. 우물 A, B의 원지하수의 두께가 모두 8 m일 때, 양수 중 두 우물의 수심이 모두 6 m를 유지하였다. $\dfrac{Q_A}{Q_B}$의 값은? [4점]

① $\dfrac{4}{5}$ ② $\dfrac{5}{6}$ ③ $\dfrac{6}{7}$

④ $\dfrac{7}{8}$ ⑤ $\dfrac{8}{9}$

01

$\log_4(-a^2+a+20)$이 정의되기 위한 정수 a의 개수는?
[3점]

① 5   ② 6   ③ 7
④ 8   ⑤ 9

02

$\log_2 10-\log_2 5+\log_2 3\times\log_3 8$의 값을 구하시오. [3점]

03

$\log_2 160-\log_8 125$의 값은? [3점]

① 4   ② 5   ③ 6
④ 7   ⑤ 8

04

$2019^x=100$, $0.2019^y=10$일 때, $\dfrac{2}{x}-\dfrac{1}{y}$의 값은? [3점]

① 0   ② 1   ③ 2
④ 3   ⑤ 4

05

$\log_5 2=a$, $\log_5 3=b$일 때, $\log_6 90$을 a, b의 식으로 나타내면? [3점]

① $a+b$ ② $a-b$ ③ ab
④ $\dfrac{a+2b+1}{a+b}$ ⑤ $\dfrac{2a+b-1}{a+b}$

06

$a=\log_3(2+\sqrt{3})$일 때, $\dfrac{3^a-3^{-a}}{3^a+3^{-a}}$의 값은? [3점]

① $\dfrac{\sqrt{3}}{2}$ ② $\sqrt{3}$ ③ $\dfrac{3\sqrt{3}}{2}$
④ $2\sqrt{3}$ ⑤ $\dfrac{5\sqrt{3}}{2}$

07

$x=\log_2(3+\sqrt{8})$일 때, 2^x+2^{-x}의 값을 구하시오. [3점]

08

100보다 작은 자연수 a에 대하여 $a^{\log_5 2}$의 값이 정수가 되도록 하는 모든 a의 값의 합을 구하시오. [4점]

09

$\log 12$의 정수 부분과 소수 부분을 각각 n, α라 할 때, $(n-2)(\alpha+1)$의 값은? ($0 \le \alpha < 1$) [3점]

① $-\log 12$ ② -1 ③ 0
④ 1 ⑤ $\log 12$

10

이차방정식 $2x^2-7x+4=0$의 두 근이 $\log N$의 정수 부분과 소수 부분일 때, N^2의 값은? [3점]

① $10^{\frac{7}{2}}$ ② 10^4 ③ 10^5
④ 10^6 ⑤ 10^7

11

다음 조건을 만족하는 두 양수 x, y에 대하여 $|x-y|$의 값은? [4점]

(가) $\log_2 x+\log_2 y=1$
(나) $\log_3\left(1+\dfrac{2}{x}\right)+\log_3\left(1+\dfrac{2}{y}\right)=2$

① 2 ② 4 ③ $2\sqrt{7}$
④ 6 ⑤ $4\sqrt{7}$

12

지진의 세기를 나타낼 때에는 '규모'라는 단위를 사용한다 하자. 지진의 최대 진폭이 x마이크로미터($\mu\mathrm{m}$)일 때, 규모를 y라 하면 $y=\log x$의 관계식이 성립한다고 한다. 어느 지역에 규모 4.7인 지진이 발생한 뒤 30분 후에 규모 2.2인 지진이 발생하였다. 규모 4.7인 지진의 최대 진폭은 규모 2.2인 지진의 최대 진폭의 몇 배인가? [4점]

① 10^2배 ② $10^{\frac{5}{2}}$배 ③ 10^3배
④ $10^{\frac{7}{2}}$배 ⑤ 10^4배

03 지수함수

참 중요한학습 point

🖐 기출 best

best 1 지수함수의 그래프

best 2 지수함수의 최대 · 최소

best 3 지수방정식과 지수부등식

📖 기출 분석

지수함수의 기본 성질과 그래프를 이용한 유형의 문제와 함수의 최댓값 또는 최솟값을 묻는 문제들이 많이 출제된다.

🎚 level up

· 지수함수의 그래프
· 지수함수의 실생활에의 활용

중요개념

1. 지수함수

(1) 임의의 실수 x에 대하여 a^x의 값이 하나로 정해지는 함수 $y=a^x$ $(a>0,\ a\neq1)$을 a를 밑으로 하는 지수함수라 한다.

(2) 지수함수 $y=a^x$ $(a>0,\ a\neq1)$의 성질

① 정의역은 실수 전체의 집합이고, 치역은 양의 실수 전체의 집합이다.

② $a>1$일 때, x의 값이 증가하면 y의 값도 증가한다. $0<a<1$일 때, x의 값이 증가하면 y의 값은 감소한다.

③ 그래프는 점 $(0,\ 1)$을 지나고, x축을 점근선으로 갖는다.

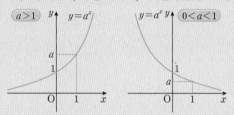

2. 지수함수의 최대 · 최소

정의역이 $\{x\,|\,m\leq x\leq n\}$일 때,

지수함수 $f(x)=a^x$ $(a>0,\ a\neq1)$은

(1) $a>1$이면

$x=m$일 때 최솟값 $f(m)$, $x=n$일 때 최댓값 $f(n)$을 갖는다.

(2) $0<a<1$이면

$x=m$일 때 최댓값 $f(m)$, $x=n$일 때 최솟값 $f(n)$을 갖는다.

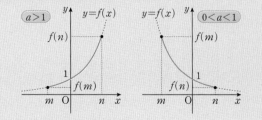

3. 지수방정식

(1) $2^x=8$, $3^{-x}=2^{x+1}$, $4^x-2^x-3=0$과 같이 지수에 미지수가 있는 방정식을 지수방정식이라 한다.

(2) 지수방정식의 풀이

① 항이 2개인 경우

· 밑을 같게 할 수 있을 때 ⇨ 밑을 같게 한 다음 지수를 비교한다.

$$a^{f(x)}=a^{g(x)}\Longleftrightarrow f(x)=g(x)\ (a>0,\ a\neq1)$$

· 지수를 같게 할 수 있을 때 ⇨ 지수를 같게 한 다음 밑을 비교하거나 지수가 0임을 이용한다.

$$a^{f(x)}=b^{f(x)}\Longleftrightarrow a=b\ 또는\ f(x)=0$$
$$(a>0,\ a\neq1,\ b>0,\ b\neq1)$$

· 밑도 지수도 같게 할 수 없을 때

⇨ $a^{f(x)}=b^{g(x)}$ $(a>0,\ a\neq1,\ b>0,\ b\neq1,\ a\neq b)$의 양변에 상용로그를 취하여 $\log a^{f(x)}=\log b^{g(x)}$를 푼다.

② 항이 3개 이상인 경우

$3^{2x}-2\cdot3^x-3=0$과 같이 a^x 꼴이 반복될 때

⇨ $a^x=t$ $(t>0)$로 치환하여 t에 대한 방정식으로 푼다.

4. 지수부등식

(1) $2^x<8$, $3^{-x}\leq2^{x+1}$, $4^x-2^x-3>0$과 같이 지수에 미지수가 있는 부등식을 지수부등식이라 한다.

(2) 지수부등식의 풀이

① 항이 2개인 경우

· 밑을 같게 할 수 있을 때

⇨ 밑을 같게 한 다음 지수를 비교한다.

$a>1$일 때, $a^{f(x)}<a^{g(x)}\Longleftrightarrow f(x)<g(x)$

$0<a<1$일 때, $a^{f(x)}<a^{g(x)}\Longleftrightarrow f(x)>g(x)$

· 밑을 같게 할 수 없을 때

$a^{f(x)}<b^{g(x)}$ $(a>0,\ a\neq1,\ b>0,\ b\neq1,\ a\neq b)$의 양변에 상용로그를 취하여 $\log a^{f(x)}<\log b^{g(x)}$를 푼다.

② 항이 3개 이상인 경우

$2^{2x}-2^x-3>0$과 같이 a^x 꼴이 반복될 때

⇨ $a^x=t$ $(t>0)$로 치환하여 t에 대한 부등식으로 푼다.

중요개념문제

01
[2012학년도 수능]

좌표평면에서 지수함수 $y=a^x$의 그래프를 y축에 대하여 대칭이동시킨 후, x축의 방향으로 3만큼, y축의 방향으로 2만큼 평행이동시킨 그래프가 점 $(1, 4)$를 지난다. 양수 a의 값은? [3점]

① $\sqrt{2}$ ② 2 ③ $2\sqrt{2}$
④ 4 ⑤ $4\sqrt{2}$

02
[2012학년도 교육청]

$a=3$, $b=\sqrt[3]{9}$일 때, 세 실수 a, b, a^b의 대소 관계로 옳은 것은? [4점]

① $a<b<a^b$ ② $a<a^b<b$ ③ $b<a<a^b$
④ $b<a^b<a$ ⑤ $a^b<b<a$

03
[2008학년도 수능]

정의역이 $\{x \mid -1 \leq x \leq 3\}$인 두 지수함수 $f(x)=4^x$, $g(x)=\left(\dfrac{1}{2}\right)^x$에 대하여 $f(x)$의 최댓값을 M, $g(x)$의 최솟값을 m이라 할 때, Mm의 값은? [3점]

① 8 ② 6 ③ 4
④ 2 ⑤ 1

04
[2014학년도 교육청]

지수방정식 $\left(\dfrac{9}{4}\right)^x=\left(\dfrac{2}{3}\right)^{1+x}$의 해는? [3점]

① $-\dfrac{2}{3}$ ② $-\dfrac{1}{3}$ ③ 0
④ $\dfrac{1}{3}$ ⑤ $\dfrac{2}{3}$

05
[2013학년도 교육청]

방정식 $2^{2x+1}-9 \cdot 2^x+4=0$의 모든 실근의 곱은? [3점]

① -2 ② -1 ③ 0
④ 1 ⑤ 2

06
[2014학년도 교육청]

부등식 $\left(\dfrac{1}{2}\right)^{2x+1} \leq \left(\dfrac{1}{8}\right)^{x-1}$을 만족시키는 모든 자연수 x의 값의 합은? [3점]

① 8 ② 9 ③ 10
④ 11 ⑤ 12

그림과 같이 두 곡선 $y=2^x$과 $y=\left(\dfrac{1}{2}\right)^{x-3}$ 이 만나는 점을 P라 하고,

직선 $x=\dfrac{5}{2}$가 두 곡선 $y=2^x$, $y=\left(\dfrac{1}{2}\right)^{x-3}$과 만나는 점을 각각 A, B

라 하자. 선분 AB의 길이는? [3점]

[2014학년도 교육청]

Act 1
두 곡선의 식에 $x=\dfrac{5}{2}$를 대입하여 A, B의 좌표를 구한다.

① $\dfrac{3\sqrt{2}}{2}$ ② $2\sqrt{2}$ ③ $\dfrac{5\sqrt{2}}{2}$

④ $3\sqrt{2}$ ⑤ $\dfrac{7\sqrt{2}}{2}$

해결의 실마리

(1) 지수함수 $y=a^{-x}$의 그래프는 ⇨ $y=a^x$의 그래프를 y축에 대하여 대칭이동한 것이다.

(2) 지수함수 $y=a^{x-m}+n$의 그래프는 ⇨ $y=a^x$의 그래프를 x축의 방향으로 m만큼, y축의 방향으로 n만큼 평행이동한 것이다.

01

[2015학년도 교육청]

실수 a, b에 대하여 좌표평면에서 함수 $y=a\times 2^x$의 그래프가 두 점 $(0, 4)$, $(b, 16)$을 지날 때, $a+b$의 값은?

[3점]

① 6   ② 7   ③ 8
④ 9   ⑤ 10

03

[2014학년도 교육청]

그림과 같이 두 곡선 $y=\left(\dfrac{1}{2}\right)^x$, $y=\left(\dfrac{1}{2}\right)^{x-3}+6$과 두 직선 $y=2x+1$, $y=2x+9$로 둘러싸인 도형의 넓이를 구하시오. [4점]

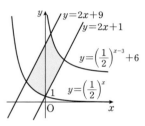

02

[2018학년도 교육청]

그림과 같이 두 함수 $f(x)=2^x+1$, $g(x)=-2^{x-1}+7$의 그래프가 y축과 만나는 점을 각각 A, B라 하고, 곡선 $y=f(x)$와 곡선 $y=g(x)$가 만나는 점을 C라 할 때, 삼각형 ACB의 넓이는? [3점]

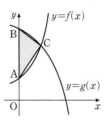

① $\dfrac{5}{2}$ ② 3   ③ $\dfrac{7}{2}$

④ 4   ⑤ $\dfrac{9}{2}$

04

[2014학년도 교육청]

그림과 같이 직선 $y=-x+p$ $(p>1)$이 x축, y축, 곡선 $y=2^x$과 만나는 점을 각각 A, B, C라 하고, 점 C에서 y축에 내린 수선의 발을 D라 하자. 삼각형 BDC의 넓이가 8일 때, 삼각형 OAC의 넓이는? (단, O는 원점이다.) [4점]

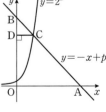

① 120   ② 130   ③ 140
④ 150   ⑤ 160

기출유형 02 지수함수를 이용한 수의 대소 비교

[2014학년도 교육청]

세 수 $A=2^{\sqrt{3}}$, $B=\sqrt[3]{81}$, $C=\sqrt[4]{256}$의 대소 관계로 옳은 것은? [3점]

① $A<B<C$　　② $A<C<B$　　③ $B<A<C$　　④ $C<A<B$　　⑤ $C<B<A$

Act ❶

밑을 같게 할 수 있으면 밑을 같게 한 후 지수함수의 성질을 이용하여 대소를 비교하고, 밑을 같게 할 수 없으면 주어진 수를 거듭제곱하여 대소를 비교한다.

해결의 실마리

지수를 포함한 수의 대소 비교

(1) 밑을 같게 할 수 있으면 ⇨ 밑을 같게 한 후 지수함수의 성질을 이용하여 대소를 비교한다.

> 지수함수 $y=a^x$ $(a>0,\ a\neq1)$의 성질
> $a>1$일 때, x의 값이 증가하면 y의 값도 증가한다.
> $0<a<1$일 때, x의 값이 증가하면 y의 값은 감소한다.

(2) 밑을 같게 할 수 없으면 ⇨ 주어진 수를 거듭제곱하여 대소를 비교한다.

05

세 수 $A=\left(\dfrac{1}{3}\right)^{-2}$, $B=9^{0.75}$, $C=\sqrt[4]{27}$의 대소 관계로 옳은 것은? [3점]

① $A<B<C$　　② $A<C<B$　　③ $B<A<C$
④ $C<A<B$　　⑤ $C<B<A$

06

세 수 $\sqrt[3]{5}$, $25^{-\frac{1}{3}}$, $\sqrt{\sqrt[3]{125}}$ 중에서 가장 큰 수를 M, 가장 작은 수를 m이라 하면 $\dfrac{M}{m}=5^k$ (k는 실수)이다. 이때 k의 값은? [3점]

① $\dfrac{2}{3}$　　② $\dfrac{5}{6}$　　③ 1

④ $\dfrac{7}{6}$　　⑤ $\dfrac{4}{3}$

07

n이 자연수일 때, 세 수
$$A={}^{n+1}\!\sqrt{a^n},\ B={}^{n+2}\!\sqrt{a^{n+1}},\ C={}^{n+3}\!\sqrt{a^{n+2}}$$
의 대소 관계에 대한 [보기]의 설명 중 옳은 것만을 있는 대로 고른 것은? [4점]

> **보기**
> ㄱ. $a=1$이면 $A=B=C$
> ㄴ. $0<a<1$이면 $A>B>C$
> ㄷ. $a>1$이면 $A<B<C$

① ㄱ　　　② ㄴ　　　③ ㄱ, ㄴ
④ ㄴ, ㄷ　　⑤ ㄱ, ㄴ, ㄷ

정의역이 $\{x \mid -1 \le x \le 2\}$인 함수 $y = \left(\dfrac{1}{4}\right)^{2-x}$의 최댓값을 M, 최솟값을 m이라 할 때, $\dfrac{M}{m}$의 값은? [3점]

① $\dfrac{1}{64}$　　② $\dfrac{1}{16}$　　③ 1　　④ 16　　⑤ 64

> **Act ①**
> $y = a^{f(x)}$에서 $a > 1$이면 $f(x)$가 최대일 때 y도 최대, $f(x)$가 최소일 때 y도 최소임을 이용한다.

해결의 실마리

(1) $y = a^{f(x)}$ ($a > 0$, $a \ne 1$) 꼴의 최대·최소

　① $a > 1$이면 ⇨ $f(x)$가 최대일 때 y도 최대, $f(x)$가 최소일 때 y도 최소

　② $0 < a < 1$이면 ⇨ $f(x)$가 최대일 때 y는 최소, $f(x)$가 최소일 때 y는 최대

(2) a^x 꼴이 반복되는 함수의 최대·최소

　$a^x = t$ $(t > 0)$로 치환하여 t의 값의 범위 내에서 최대·최소를 구한다.

---

08   [2013학년도 교육청]

정의역이 $\{x \mid -2 \le x \le 1\}$인 함수 $y = \left(\dfrac{1}{2}\right)^x - 3$의 최댓값을 M, 최솟값을 m이라 할 때, $M - m$의 값은? [3점]

① $\dfrac{7}{2}$　　② 4　　③ $\dfrac{9}{2}$

④ 5　　⑤ $\dfrac{11}{2}$

---

09   [2014학년도 교육청]

정의역이 $\{x \mid -1 \le x \le 4\}$인 함수 $y = 5^{x^2 - 4x - 2}$의 최댓값을 구하시오. [3점]

---

10   [2007학년도 교육청]

$-2 \le x \le 4$일 때, 지수함수 $y = 3^{x^2 - 4x - 3}$의 최댓값과 최솟값의 곱을 구하시오. [3점]

---

11   [2011학년도 교육청]

함수 $y = \dfrac{3^{2x} + 3^x + 9}{3^x}$의 최솟값은? [3점]

① 3　　② 4　　③ 5
④ 6　　⑤ 7

기출유형 04 지수방정식

[2017학년도 교육청]

방정식 $\left(\dfrac{1}{8}\right)^{2-x}=2^{x+4}$을 만족시키는 실수 x의 값은? [3점]

Act①
밑을 같게 한 다음 지수를 비교한다.

① 1   ② 2   ③ 3   ④ 4   ⑤ 5

해결의 실마리

(1) 밑을 같게 할 수 있을 때 ⇨ 밑을 같게 한 다음 지수를 비교한다.
$$a^{f(x)}=a^{g(x)} \Longleftrightarrow f(x)=g(x)\ (a>0,\ a\neq1)$$

(2) 지수를 같게 할 수 있을 때 ⇨ 지수를 같게 한 다음 밑을 비교하거나 지수가 0임을 이용한다.
$$a^{f(x)}=b^{f(x)} \Longleftrightarrow a=b\ \text{또는}\ f(x)=0\ (a>0,\ a\neq1,\ b>0,\ b\neq1)$$

(3) a^x 꼴이 반복될 때 ⇨ $a^x=t\ (t>0)$로 치환하여 t에 대한 방정식으로 푼다.

---

12 [2017학년도 수능 모의평가]

방정식 $3^{-x+2}=\dfrac{1}{9}$을 만족시키는 실수 x의 값을 구하시오.

[3점]

14 [2014학년도 교육청]

지수방정식 $2^{2x+1}+8=17\times2^x$의 모든 실근의 합을 구하시오. [3점]

---

13 [2015학년도 교육청]

지수방정식 $4^x+2^{x+3}-128=0$을 만족시키는 실수 x의 값을 구하시오. [3점]

15 [2013학년도 교육청]

지수방정식 $16^x-6\times4^x+8=0$의 두 실근을 α, β라 할 때, $\alpha+\beta$의 값은? [3점]

① 1   ② $\dfrac{3}{2}$ ③ 2

④ $\dfrac{5}{2}$ ⑤ 3

[2017학년도 교육청]

부등식 $3^{x-4} \leq \dfrac{1}{9}$을 만족시키는 모든 자연수 x의 값의 합을 구하시오. [3점]

Act ❶
밑을 같게 한 다음 지수를 비교한다.

해결의 실마리

(1) 밑을 같게 할 수 있을 때 ⇨ 밑을 같게 한 다음 지수를 비교한다.

　$a > 1$일 때, $a^{f(x)} < a^{g(x)} \Longleftrightarrow f(x) < g(x)$

　$0 < a < 1$일 때, $a^{f(x)} < a^{g(x)} \Longleftrightarrow f(x) > g(x)$

(2) a^x 꼴이 반복될 때 ⇨ $a^x = t \ (t > 0)$로 치환하여 t에 대한 부등식으로 푼다.

16

[2019학년도 수능 모의평가]

부등식 $\dfrac{27}{9^x} \geq 3^{x-9}$을 만족시키는 모든 자연수 x의 개수는?

[3점]

① 1　　　　② 2　　　　③ 3
④ 4　　　　⑤ 5

18

[2017학년도 수능]

부등식 $\left(\dfrac{1}{2}\right)^{x-5} \geq 4$를 만족시키는 모든 자연수 x의 값의 합을 구하시오. [3점]

17

부등식 $3^{-5+2x^2} \leq 27^x$을 만족시키는 정수 x의 개수는?

[3점]

① 1　　　　② 2　　　　③ 3
④ 4　　　　⑤ 5

19

[2018학년도 교육청]

부등식 $4^x - 10 \times 2^x + 16 \leq 0$을 만족시키는 모든 자연수 x의 값의 합을 구하시오. [3점]

기출유형 06 **지수함수의 실생활에의 활용**

[2018학년도 교육청]

최대 충전 용량이 Q_0 ($Q_0 > 0$)인 어떤 배터리를 완전히 방전시킨 후 t시간 동안 충전한 배터리의 충전 용량을 $Q(t)$라 할 때, 다음 식이 성립한다고 한다.

$$Q(t) = Q_0\left(1 - 2^{-\frac{t}{a}}\right)$$ (단, a는 양의 상수이다.)

$\dfrac{Q(4)}{Q(2)} = \dfrac{3}{2}$일 때, a의 값은? (단, 배터리의 충전 용량의 단위는 mAh이다.) [3점]

① $\dfrac{3}{2}$　　② 2　　③ $\dfrac{5}{2}$　　④ 3　　⑤ $\dfrac{7}{2}$

Act①
식이 주어진 경우에는 주어진 식에 알맞은 값을 대입한다.

해결의 실마리

(1) 식이 주어진 경우 ⇨ 주어진 식에 알맞은 값을 대입한다.
(2) 식을 구해야 하는 경우 ⇨ 조건에 맞도록 식을 세운 후 지수법칙을 이용한다.

20　　[2016학년도 교육청]

지진의 세기를 나타내는 수정머칼리진도가 x이고 km당 매설관 파괴 발생률을 n이라 하면 다음과 같은 관계식이 성립한다고 한다.

$$n = C_d C_g 10^{\frac{4}{5}(x-9)}$$

(단, C_d는 매설관의 지름에 따른 상수이고, C_g는 지반 조건에 따른 상수이다.)

C_g가 2인 어느 지역에 C_d가 $\dfrac{1}{4}$인 매설관이 묻혀 있다. 이 지역에 수정머칼리진도가 a인 지진이 일어났을 때, km당 매설관 파괴 발생률이 $\dfrac{1}{200}$이었다. a의 값은? [3점]

① 5　　② $\dfrac{11}{2}$　　③ 6

④ $\dfrac{13}{2}$　　⑤ 7

21　　[2016학년도 수능]

어느 금융상품에 초기자산 W_0을 투자하고 t년이 지난 시점에서의 기대자산 W가 다음과 같이 주어진다고 한다.

$$W = \frac{W_0}{2} 10^{at}(1 + 10^{at})$$

(단, $W_0 > 0$, $t \geq 0$이고, a는 상수이다.)

이 금융상품에 초기자산 w_0을 투자하고 15년이 지난 시점에서의 기대자산은 초기자산의 3배이다. 이 금융상품에 초기자산 w_0을 투자하고 30년이 지난 시점에서의 기대자산이 초기자산의 k배일 때, 실수 k의 값은? (단, $w_0 > 0$) [4점]

① 9　　② 10　　③ 11
④ 12　　⑤ 13

Very Important Test

01

함수 $y=6^{x-1}$의 그래프가 두 점 $(a, 36)$, $(1, b)$를 지날 때, $a+b$의 값은? [3점]

① 1   ② 2   ③ 3

④ 4   ⑤ 5

02

함수 $y=\dfrac{1}{9}\cdot 3^{x}+1$의 그래프는 함수 $y=3^{x}$의 그래프를 x축의 방향으로 m만큼, y축의 방향으로 n만큼 평행이동한 것이다. 두 상수 m, n의 합 $m+n$의 값은? [3점]

① 1   ② 2   ③ 3

④ 4   ⑤ 5

03

$0\leq x\leq 2$일 때, 함수 $y=2^{2x-1}\cdot 5^{-x+1}$의 최댓값과 최솟값의 차는? [3점]

① $\dfrac{1}{2}$ ② $\dfrac{7}{10}$ ③ $\dfrac{9}{10}$

④ 1   ⑤ $\dfrac{11}{10}$

04

정의역이 $\{x\,|-2\leq x\leq 3\}$인 두 함수

$$f(x)=3^{x}, \ g(x)=\left(\dfrac{1}{2}\right)^{x}-1$$

에 대하여 함수 $f(x)$의 최댓값과 함수 $g(x)$의 최댓값의 곱을 구하시오. [3점]

05

함수 $y=-9\cdot\left(\dfrac{1}{3}\right)^{x}+k$의 그래프가 제2사분면을 지나지 않도록 하는 정수 k의 최댓값은? [3점]

① 8   ② 9   ③ 10

④ 11   ⑤ 12

06

방정식 $9^{x}-10\times 3^{x}+9=0$의 모든 근의 합은? [3점]

① 1   ② 2   ③ 3

④ 4   ⑤ 5

07

방정식 $2 \cdot 9^x - 3^{x+2} + 5 = 0$의 두 근을 α, β라 할 때, $3^{2\alpha} + 3^{2\beta}$의 값은? [3점]

① $\dfrac{29}{2}$ ② $\dfrac{61}{4}$ ③ 16

④ $\dfrac{67}{4}$ ⑤ $\dfrac{35}{2}$

08

x에 대한 방정식 $3^{x^2 - 10x} = 27^{-2x+a}$의 한 근이 -2일 때, 다른 한 근을 구하시오. [3점]

09

부등식 $4^x - a \times 2^{x+1} + 1 \geq 0$이 모든 실수 x에 대하여 성립하도록 하는 실수 a의 값의 범위는? [3점]

① $a < 0$ ② $-1 \leq a < 1$ ③ $a \leq 1$
④ $a \geq 1$ ⑤ $a > 1$

10

부등식 $125^{-x^2} > \left(\dfrac{1}{5}\right)^{ax}$을 만족시키는 정수 x가 5개 존재하도록 하는 모든 자연수 a의 값의 합은? [3점]

① 45 ② 48 ③ 51
④ 54 ⑤ 57

11

두 함수 $y = f(x)$와 $y = g(x)$의 그래프가 오른쪽 그림과 같다. 부등식 $x^2 + ax + b < 0$의 해와 부등식 $\left(\dfrac{1}{2}\right)^{f(x)} > \left(\dfrac{1}{2}\right)^{g(x)}$의 해가 같을 때, 두 상수 a, b의 합 $a+b$의 값은? [3점]

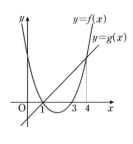

① -5 ② -4 ③ -3
④ -2 ⑤ -1

12

육안으로 본 별의 밝기를 겉보기 등급이라 하고, 별이 10 pc의 거리에 있다고 가정했을 때의 별의 밝기를 절대 등급이라고 한다. 어떤 별이 지구로부터 r pc만큼 떨어져 있을 때의 겉보기 등급 m과 절대 등급 M에 대하여 $\left(\dfrac{r}{10}\right)^2 = 100^{\frac{1}{5}(m-M)}$이 성립한다고 한다. 지구로부터 $10^{4.7}$ pc만큼 떨어져 있는 A별의 겉보기 등급이 3.3일 때, A별의 절대 등급은? [3점]

① -16 ② -15.2 ③ -15
④ -14.3 ⑤ -14

참 중요한학습 **point**

 기출 best

best 1 로그함수의 그래프
best 2 로그함수의 최대·최소
best 3 로그방정식과 로그부등식

 기출 분석

로그함수의 기본 성질과 그래프를 이용한 유형의 문제와 함수의 최
댓값 또는 최솟값을 묻는 문제들이 많이 출제된다.

 level up

· 로그함수의 그래프
· 로그함수의 실생활에의 활용

✓ 중요개념

1. 로그함수

(1) 지수함수 $y=a^x$의 역함수 $y=\log_a x\,(a>0,\,a\neq1)$를 a를
밑으로 하는 로그함수라 한다.

(2) 로그함수 $y=\log_a x\,(a>0,\,a\neq1)$의 성질

① 정의역은 양의 실수 전체의 집합이고, 치역은 실수 전체
의 집합이다.

② $a>1$일 때, x의 값이 증가하면 y의 값도 증가한다.
$0<a<1$일 때, x의 값이 증가하면 y의 값은 감소한다.

③ 그래프는 점 $(1,\,0)$을 지나고, y축을 점근선으로 갖는다.

④ 지수함수 $y=a^x$의 그래프와 직선 $y=x$에 대하여 대칭이다.

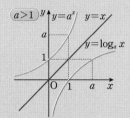 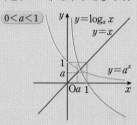

2. 로그함수의 최대·최소

(1) $y=\log_a f(x)\,(a>0,\,a\neq1)$ 꼴의 최대·최소

① $a>1$이면 $f(x)$가 최대일 때 y도 최대, $f(x)$가 최소일
때 y도 최소이다.

② $0<a<1$이면 $f(x)$가 최대일 때 y는 최소, $f(x)$가 최소
일 때 y는 최대이다.

(2) $\log_a x$ 꼴이 반복되는 함수의 최대·최소

$\log_a x=t$로 치환하여 t의 값의 범위 내에서 최대·최소를
구한다.

3. 로그방정식

(1) $\log_3 x=2$, $x^{\log x}=x^2$, $(\log_2 x)^2-\log_2 x=0$과 같이 로그
의 진수 또는 밑에 미지수를 포함하는 방정식을 로그방정식

이라 한다.

(2) 로그방정식의 풀이

① $\log_a f(x)=b$일 때 : $\log_a f(x)=b \Leftrightarrow f(x)=a^b$
(단, $f(x)>0$)을 이용하여 푼다.

② 밑이 같을 때 : 진수가 같음을 이용하여 푼다.
$\log_a f(x)=\log_a g(x) \Leftrightarrow f(x)=g(x)$
(단, $f(x)>0,\,g(x)>0$)

③ 밑이 같지 않을 때 : 로그의 밑 변환 공식을 이용하여 밑
을 통일하여 푼다.

④ $\log_a x$ 꼴이 반복될 때 : $\log_a x=t$로 치환하여 t에 대한
방정식을 푼다.

⑤ 지수에 로그 $\log_a x$가 있을 때 : 양변에 a를 밑으로 하는
로그를 취하여 푼다.

⑥ 진수가 같을 때 : 밑이 같거나 진수가 1이다.
$\log_a f(x)=\log_b f(x) \Leftrightarrow a=b$ 또는 $f(x)=1$

4. 로그부등식

(1) $\log_3 x>1$, $\log_6 x+\log_6(5-x)<1$, $x^{\log_a x}>4$와 같이 로
그의 진수 또는 밑에 미지수를 포함하는 부등식을 로그부등
식이라 한다.

(2) 로그부등식의 풀이

① 밑이 같을 때 : 진수를 비교한다.

$\begin{cases} (밑)>1이면\ 진수의\ 부등호\ 방향은\ 그대로 \\ 0<(밑)<1이면\ 진수의\ 부등호\ 방향은\ 반대로 \end{cases}$

② 밑이 같지 않을 때 : 로그의 밑 변환 공식을 이용하여 밑
을 통일하여 푼다.

③ $\log_a x$ 꼴이 반복될 때 : $\log_a x=t$로 치환하여 t에 대한
부등식을 푼다.

④ 지수에 $\log_a x$가 있을 때 : 양변에 a를 밑으로 하는 로그
를 취하여 푼다.

01

[2012학년도 교육청]

함수 $y=\log_3\left(\dfrac{x}{9}-1\right)$의 그래프는 함수 $y=\log_3 x$의 그래프를 x축의 방향으로 m만큼, y축의 방향으로 n만큼 평행이동시킨 것이라 할 때, $10(m+n)$의 값을 구하시오.

[3점]

02

[2009학년도 수능]

지수함수 $f(x)=a^{x-m}$의 그래프와 그 역함수의 그래프가 두 점에서 만나고, 두 교점의 x좌표가 1과 3일 때, $a+m$의 값은? [3점]

① $2-\sqrt{3}$　　　　② 2　　　　③ $1+\sqrt{3}$

④ 3　　　　⑤ $2+\sqrt{3}$

03

[2014학년도 교육청]

함수 $y=\log_{\frac{1}{3}}(x^2+2x+10)$의 최댓값은? [3점]

① -3　　　　② -2　　　　③ -1

④ 0　　　　⑤ 1

04

[2013학년도 교육청]

로그방정식 $2\log_2(x+3)=\log_2(3x+13)$의 해는? [3점]

① -2　　　　② -1　　　　③ 0

④ 1　　　　⑤ 2

05

[2016학년도 수능]

x에 대한 로그부등식 $\log_5(x-1)\leq\log_5\left(\dfrac{1}{2}x+k\right)$를 만족시키는 모든 정수 x의 개수가 3일 때, 자연수 k의 값은?

[3점]

① 1　　　　② 2　　　　③ 3

④ 4　　　　⑤ 5

06

[2008학년도 교육청]

지진의 규모 R과 지진이 일어났을 때 방출되는 에너지 E 사이에는 다음과 같은 관계가 있다고 한다.

$$R=0.67\log(0.37E)+1.46$$

지진의 규모가 6.15일 때 방출되는 에너지를 E_1, 지진의 규모가 5.48일 때 방출되는 에너지를 E_2라 할 때, $\dfrac{E_1}{E_2}$의 값을 구하시오. [3점]

[2017학년도 수능 모의평가]

곡선 $y=\log_2(x+5)$의 점근선이 직선 $x=k$이다. k^2의 값을 구하시오. (단, k는 상수이다.)

[3점]

Act ❶

$y=\log_a(x-m)+n$은 $y=\log_a x$를 x축 방향으로 m만큼, y축 방향으로 n만큼 평행이동한 것이므로 점근선은 $x=m$임을 이용한다.

해결의 실마리

함수 $y=\log_a x$의 그래프를

① x축 방향으로 m만큼, y축 방향으로 n만큼 평행이동 : $y=\log_a(x-m)+n$

② y축에 대하여 대칭이동 : $y=\log_a(-x)$

③ x축에 대하여 대칭이동 : $y=-\log_a x$

④ 원점에 대하여 대칭이동 : $y=-\log_a(-x)$

01

[2017학년도 교육청]

함수 $f(x)=\log_6(x-a)+b$의 그래프의 점근선이 직선 $x=5$이고, $f(11)=9$이다. 상수 a, b에 대하여 $a+b$의 값을 구하시오. [3점]

03

[2018학년도 교육청]

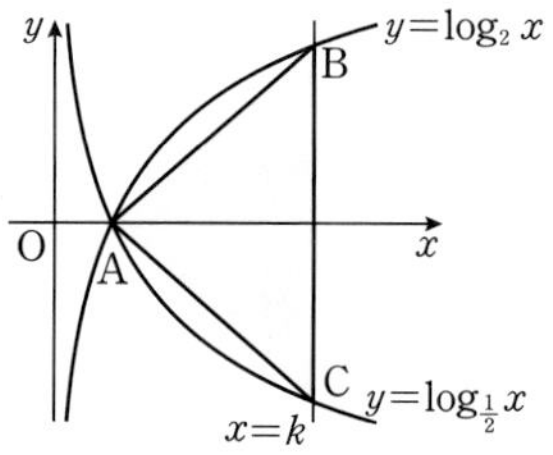

그림과 같이 두 곡선 $y=\log_2 x$, $y=\log_{\frac{1}{2}} x$가 만나는 점을 A라 하고, 직선 $x=k\ (k>1)$이 두 곡선과 만나는 점을 각각 B, C라 하자. 삼각형 ACB의 무게중심의 좌표가 (3, 0)일 때, 삼각형 ACB의 넓이를 구하시오. [3점]

02

[2018학년도 수능 모의평가]

곡선 $y=2^x+5$의 점근선과 곡선 $y=\log_3 x+3$의 교점의 x좌표는? [3점]

① 3   ② 6   ③ 9

④ 12   ⑤ 15

04

[2018학년도 교육청]

함수 $y=\log_3 x$의 그래프 위에 두 점 A$(a, 1)$, B$(27, b)$가 있다. 함수 $y=\log_3 x$의 그래프를 x축의 방향으로 m만큼 평행이동한 그래프가 두 점 A, B의 중점을 지날 때, 상수 m의 값은? [4점]

① 6   ② 7   ③ 8

④ 9   ⑤ 10

기출유형 02 지수함수와 로그함수

[2014학년도 교육청]

지수함수 $y=3^{\frac{x-1}{2}}-4$의 역함수가 $y=a\log_3(x+b)+c$일 때, 세 상수 a, b, c의 합 $a+b+c$의 값은? [3점]

① 3 ② 4 ③ 5 ④ 6 ⑤ 7

Act ①
지수함수 $y=a^x$의 역함수는 양변에 밑이 a인 로그를 취한 후 x, y를 바꾸어 구한다.

해결의 실마리

(1) 지수함수 $y=a^x$의 역함수는 로그함수 $y=\log_a x$이다.

(2) 로그함수 $y=\log_a x$의 그래프와 지수함수 $y=a^x$의 그래프는 직선 $y=x$에 대하여 대칭이다.

05
[2017학년도 교육청]

좌표평면에서 곡선 $y=a^x$을 직선 $y=x$에 대하여 대칭이동한 곡선이 점 $(2, 3)$을 지날 때, 양수 a의 값은? [3점]

① $\sqrt{3}$ ② $\log_2 3$ ③ $\sqrt[4]{3}$
④ $\sqrt[3]{2}$ ⑤ $\log_3 2$

07
[2019학년도 수능]

함수 $y=2^x+2$의 그래프를 x축의 방향으로 m만큼 평행이동한 그래프가 함수 $y=\log_2 8x$의 그래프를 x축의 방향으로 2만큼 평행이동한 그래프와 직선 $y=x$에 대하여 대칭일 때, 상수 m의 값은? [3점]

① 1 ② 2 ③ 3
④ 4 ⑤ 5

06
[2013학년도 교육청]

로그함수 $f(x)=\log_2 x+1$의 역함수를 $g(x)$라 할 때, $g(5)$의 값은? [3점]

① 12 ② 13 ③ 14
④ 15 ⑤ 16

08
[2016학년도 수능 모의평가]

함수 $y=\log_3 x$의 그래프를 x축의 방향으로 a만큼, y축의 방향으로 2만큼 평행이동한 그래프를 나타내는 함수를 $y=f(x)$라 하자. 함수 $f(x)$의 역함수가 $f^{-1}(x)=3^{x-2}+4$일 때, 상수 a의 값은? [4점]

① 1 ② 2 ③ 3
④ 4 ⑤ 5

$2 \leq x \leq 4$에서 정의된 함수 $y = \log_3(x^2 - 2x + 1)$의 최댓값을 M, 최솟값을 m이라 할 때, $M + m$의 값을 구하시오. [3점]

Act①
$y = \log_a f(x)$에서 $a > 1$이면 $f(x)$가 최대일 때 y도 최대, $f(x)$가 최소일 때 y도 최소임을 이용한다.

해결의 실마리

(1) $y = \log_a f(x)$ $(a > 0,\ a \neq 1)$꼴의 최대 · 최소

① $a > 1$이면 $f(x)$가 최대일 때 y도 최대, $f(x)$가 최소일 때 y도 최소이다.

② $0 < a < 1$이면 $f(x)$가 최대일 때 y는 최소, $f(x)$가 최소일 때 y는 최대이다.

(2) $\log_a x$ 꼴이 반복되는 함수의 최대 · 최소

$\log_a x = t$로 치환하여 t의 값의 범위 내에서 최대 · 최소를 구한다.

09
[2015학년도 교육청]

$2 \leq x \leq 8$에서 정의된 함수 $y = \log_{\frac{1}{2}} 4x$의 최댓값은? [3점]

① -1 ② -2 ③ -3
④ -4 ⑤ -5

11

$\frac{1}{2} \leq x \leq 4$에서 정의된 함수 $y = \left(\log_{\frac{1}{2}} x\right)^2 + 2\log_{\frac{1}{2}} x + 3$의 최댓값을 M, 최솟값을 m이라 할 때, $M + m$의 값은?

[3점]

① 5   ② 6   ③ 7
④ 8   ⑤ 9

10
[2014학년도 교육청]

정의역이 $\{x \mid -1 \leq x \leq 2\}$인 함수 $y = \log_{\frac{1}{2}} (x^2 - 2x + 3)$의 최솟값은? [3점]

① $-\log_2 7$ ② $-\log_2 6$ ③ $-\log_2 5$
④ -2 ⑤ $-\log_2 3$

12

$1 \leq x \leq 16$에서 정의된 함수 $y = \left(\log_2 4x\right)\left(\log_2 \dfrac{16}{x}\right)$의 최댓값을 M, 최솟값을 m이라 할 때, $M + m$의 값을 구하시오. [3점]

기출유형 **04** 로그방정식

로그방정식 $\log_2(x-1)+\log_4 x=\dfrac{1}{2}$을 만족시키는 모든 실수 x의 값의 합은? [3점]

Act❶
주어진 방정식의 밑을 2로 같게 한 후 로그의 성질을 이용한다.

① 1　　　② 2　　　③ 3　　　④ 4　　　⑤ 5

해결의 실마리

① $\log_a f(x)=b$일 때 ⇨ $\log_a f(x)=b \Leftrightarrow f(x)=a^b$ (단, $f(x)>0$)을 이용하여 푼다.

② 밑이 같을 때 ⇨ 진수가 같음을 이용하여 푼다.

　$\log_a f(x)=\log_a g(x) \Leftrightarrow f(x)=g(x)$ (단, $f(x)>0$, $g(x)>0$)

③ 밑이 같지 않을 때 ⇨ 로그의 밑 변환 공식을 이용하여 밑을 통일하여 푼다.

④ $\log_a x$ 꼴이 반복될 때 ⇨ $\log_a x=t$로 치환하여 t에 대한 방정식을 푼다.

⑤ 지수에 $\log_a x$가 있을 때 ⇨ 양변에 a를 밑으로 하는 로그를 취하여 푼다.

13

[2016학년도 수능 모의평가]

로그방정식 $\log_2(4+x)+\log_2(4-x)=3$을 만족시키는 모든 실수 x의 값의 곱은? [3점]

① -10　　　② -8　　　③ -6

④ -4　　　⑤ -2

14

[2015학년도 교육청]

방정식 $(\log_3 x)^2+4\log_9 x-3=0$의 모든 실근의 곱은?
[3점]

① $\dfrac{1}{9}$　　　② $\dfrac{1}{3}$　　　③ $\dfrac{5}{9}$

④ $\dfrac{7}{9}$　　　⑤ 1

15

[2020학년도 수능]

지수함수 $y=a^x$ $(a>1)$의 그래프와 직선 $y=\sqrt{3}$이 만나는 점을 A라 하자. 점 B$(4, 0)$에 대하여 직선 OA와 직선 AB가 서로 수직이 되도록 하는 모든 a의 값의 곱은? (단, O는 원점이다.) [4점]

① $3^{\frac{1}{3}}$　　　② $3^{\frac{2}{3}}$　　　③ 3

④ $3^{\frac{4}{3}}$　　　⑤ $3^{\frac{5}{3}}$

16

[2014학년도 교육청]

$x>1$, $y>1$일 때, 연립방정식 $\begin{cases} x^2=y^3 \\ x^y=y^x \end{cases}$의 해를 $x=\alpha$, $y=\beta$라 할 때, $16(\alpha+\beta)$의 값을 구하시오. [4점]

[2018학년도 교육청]

부등식 $2-\log_{\frac{1}{2}}(x-2)<\log_2(3x+4)$를 만족시키는 정수 x의 개수는? [3점]

① 6   ② 7   ③ 8   ④ 9   ⑤ 10

Act ❶
주어진 부등식의 밑을 2로 같게 한 후 로그의 성질을 이용한다.

해결의 실마리

① 밑이 같을 때 ⇨ 진수를 비교한다.
$$\begin{cases} (밑)>1이면\ 진수의\ 부등호\ 방향은\ 그대로 \\ 0<(밑)<1이면\ 진수의\ 부등호\ 방향은\ 반대로 \end{cases}$$
② 밑이 같지 않을 때 ⇨ 로그의 밑 변환 공식을 이용하여 밑을 통일하여 푼다.
③ $\log_a x$ 꼴이 반복될 때 ⇨ $\log_a x=t$로 치환하여 t에 대한 부등식을 푼다.
④ 지수에 $\log_a x$가 있을 때 ⇨ 양변에 a를 밑으로 하는 로그를 취하여 푼다.

17

[2017학년도 교육청]

부등식 $1+\log_2 x\leq \log_2(x+5)$를 만족시키는 모든 정수 x의 값의 합은? [3점]

① 15   ② 16   ③ 17
④ 18   ⑤ 19

18

[2016학년도 교육청]

부등식 $\log_3(2x+1)\geq 1+\log_3(x-2)$를 만족시키는 모든 자연수 x의 값의 합은? [3점]

① 10   ② 15   ③ 20
④ 25   ⑤ 30

19

[2018학년도 수능 모의평가]

부등식 $2\log_2|x-1|\leq 1-\log_2\dfrac{1}{2}$을 만족시키는 모든 정수 x의 개수는? [3점]

① 2   ② 4   ③ 6
④ 8   ⑤ 10

20

[2014학년도 교육청]

연립부등식 $\begin{cases} 3^{5(1-x)}\leq \left(\dfrac{1}{3}\right)^{x^2-1} \\ (\log_2 x)^2-4\log_2 x+3<0 \end{cases}$ 을 만족시키는 모든 자연수 x의 값의 곱을 구하시오. [4점]

기출유형 06 로그함수의 실생활에의 활용

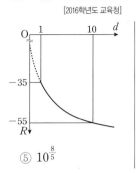

[2016학년도 교육청]

Wi−Fi 네트워크의 신호 전송 범위 d와 수신 신호 강도 R 사이에는 다음과 같은 관계식이 성립한다고 한다.

$R = k - 10\log d^n$ (단, 두 상수 k, n은 환경에 따라 결정된다.)

어떤 환경에서 신호 전송 범위 d와 수신 신호 강도 R 사이의 관계를 나타낸 그래프가 오른쪽과 같다. 이 환경에서 수신 신호 강도가 −65 일 때, 신호 전송 범위는? [3점]

① $10^{\frac{6}{5}}$ ② $10^{\frac{13}{10}}$ ③ $10^{\frac{7}{5}}$ ④ $10^{\frac{3}{2}}$ ⑤ $10^{\frac{8}{5}}$

 Act ❶
먼저 그래프 위의 점 $(1, -35)$, $(10, -55)$를 주어진 관계식에 대입하여 상수 k, n의 값을 구한다.

해결의 실마리

(1) 식이 주어진 경우 ⇨ 주어진 식에 알맞은 값을 대입한다.

(2) 식을 구해야 하는 경우 ⇨ 조건에 맞도록 식을 세운 후 로그의 성질을 이용한다.

21
[2008학년도 교육청]

박테리아의 수가 두 배로 늘어나는 데 걸리는 시간을 '배증 시간'이라 한다. 어느 박테리아의 배증 시간은 냉장 보관할 경우 12시간이라고 한다. 냉장 보관된 이 박테리아의 수가 최초 박테리아 수의 20,000배 이상 되려면 적어도 며칠이 경과해야 하는가? (단, $\log 2 = 0.3$) [3점]

① 6 ② 8 ③ 10
④ 12 ⑤ 14

22
[2015학년도 교육청]

어떤 약물을 사람의 정맥에 일정한 속도로 주입하기 시작한 지 t분 후 정맥에서의 약물 농도가 $C(\text{ng/mL})$일 때, 다음 식이 성립한다고 한다.

$\log(10 - C) = 1 - kt$

(단, $C < 10$이고, k는 양의 상수이다.)

이 약물을 사람의 정맥에 일정한 속도로 주입하기 시작한 지 30분 후 정맥에서의 약물 농도는 2ng/mL이고, 주입하기 시작한 지 60분 후 정맥에서의 약물 농도가 $a(\text{ng/mL})$일 때, a의 값은? [4점]

① 3 ② 3.2 ③ 3.4
④ 3.6 ⑤ 3.8

01
함수 $y=\log_2(ax+b)$의 그래프가 두 점 $(-1,\ 0)$, 점 $(2,\ 4)$를 지날 때, 두 상수 a, b에 대하여 $a+b$의 값을 구하시오. [3점]

02
그림은 두 함수 $y=\log_2 x$, $y=\log_4 x$의 그래프이다. $\overline{\mathrm{AB}}=3$ 일 때, a의 값은? [3점]

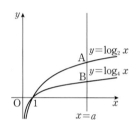

① 4   ② 8
③ 16   ④ 32
⑤ 64

03
함수 $y=\log_2 x$의 그래프를 x축의 방향으로 a만큼 평행이동한 그래프가 함수 $y=\log_b x-a$의 그래프와 점 $(3,\ 2)$에서 만날 때, $a+b$의 값은? [3점]

① 1   ② 2   ③ 3
④ 4   ⑤ 5

04
두 함수 $f(x)=\log_3(x+a)-1$, $g(x)=\left(\dfrac{1}{2}\right)^x+1$에 대하여 $(g\circ f)(a)=5$를 만족시키는 양수 a의 값은? [3점]

① $\dfrac{1}{12}$ ② $\dfrac{1}{6}$ ③ $\dfrac{1}{4}$
④ $\dfrac{1}{3}$ ⑤ $\dfrac{5}{12}$

05
함수 $f(x)=2\log_3 x-1$에 대하여 함수 $g(x)$가 $(g\circ f)(x)=x$를 만족시킬 때, $g(5)$의 값은? [3점]

① $9\sqrt{3}$ ② 27   ③ $27\sqrt{3}$
④ 81   ⑤ $81\sqrt{3}$

06
$3\le x\le 10$에서 함수 $y=\log_3(x-a)+2$의 최솟값이 4일 때, 상수 a의 값은? [3점]

① -6 ② -5 ③ -4
④ -3 ⑤ -2

07

함수 $y=2\log_7(x^2-4x+11)-1$의 최솟값은? [3점]

① -1
② 0
③ 1
④ 2
⑤ 3

08

방정식 $(\log_2 x)^2-2\log_2 x-5=0$의 두 근을 α, β라 할 때, $\alpha\beta$의 값은? [3점]

① 2
② 4
③ 6
④ 8
⑤ 10

09

부등식 $\log_5(x-3)\leq 2$를 만족시키는 모든 자연수 x의 개수를 구하시오. [3점]

10

연립부등식 $\begin{cases} \log_2|x-3|<2 \\ \log_3 x+\log_3(x-2)\geq 3\log_3 2 \end{cases}$ 를 만족시키는 모든 정수 x의 합을 구하시오. [4점]

 level up

11

그림과 같이 함수 $y=\log_3(x+2)$의 그래프와 직선 $y=x$가 만나는 점을 A라 하고, 함수 $y=3^{x-2}$의 그래프와 직선 $y=x$가 만나는 점을 B라 하자. 선분 AB의 길이는? (단, 점 A의 x좌표는 양수이고, 점 B의 x좌표보다 작다.) [4점]

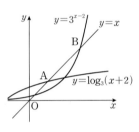

① $\sqrt{6}$
② $2\sqrt{2}$
③ $\sqrt{10}$
④ $2\sqrt{3}$
⑤ $\sqrt{14}$

12

어떤 벽을 투과하기 전의 전파의 세기를 A라 하고, 그 벽을 투과하여 나온 전파의 세기를 B라 할 때, 이 벽의 전파 감쇄비 F를

$$F=10\log\frac{B}{A}$$

라 하자. 어떤 벽을 투과하기 전의 전파의 세기가 투과하여 나온 전파의 세기의 5배일 때, 이 벽의 전파 감쇄비는? (단, $\log 2=0.3$으로 계산한다.) [4점]

① -8
② -7
③ -6
④ -5
⑤ -4

05 삼각함수

중요개념

1. 일반각

(1) 시초선과 동경

점 O를 중심으로 반직선 OP가 회전하여 ∠XOP를 결정할 때, 반직선 OX를 시초선, 반직선 OP를 동경이라 한다.

(2) 일반각

시초선 OX에 대하여 동경 OP가 나타내는 ∠XOP의 크기 중 하나를 $a°$라 할 때, 동경 OP가 나타내는 일반각의 크기는
$$360° \times n + a° \ (n은 \ 정수)$$

(3) 사분면의 각

좌표평면 위의 원점 O에서 x축의 양의 방향을 시초선으로 잡았을 때, 동경 OP가 제1사분면, 제2사분면, 제3사분면, 제4사분면에 있으면 동경 OP가 나타내는 각을 차례대로 제1사분면, 제2사분면, 제3사분면, 제4사분면의 각이라 한다.

2. 호도법

(1) $\dfrac{180°}{\pi}$를 1라디안(radian)이라 하고, 이것을 단위로 각의 크기를 나타내는 방법을 호도법이라 한다.

(2) 호도법과 육십분법의 관계

① 1라디안 $= \dfrac{180°}{\pi}$ ② $1° = \dfrac{\pi}{180}$ 라디안

3. 부채꼴의 호의 길이와 넓이

반지름의 길이가 r, 중심각의 크기가 θ(라디안)인 부채꼴의 호의 길이를 l, 넓이를 S라 하면

① $l = r\theta$ ② $S = \dfrac{1}{2}rl = \dfrac{1}{2}r^2\theta$

4. 삼각함수의 정의

오른쪽 그림과 같이 $\overline{OP} = r$인 점 $P(x, y)$에 대하여 동경 OP가 x축의 양의 방향과 이루는 일반각의 크기를 θ라 할 때

$$\sin\theta = \dfrac{y}{r}, \ \cos\theta = \dfrac{x}{r},$$

$$\tan\theta = \dfrac{y}{x} \ (x \neq 0)$$

를 차례대로 θ의 사인함수, 코사인함수, 탄젠트함수라 하고, 이들 함수를 통틀어 θ에 대한 삼각함수라 한다.

5. 삼각함수의 값의 부호

삼각함수의 값의 부호는 동경과 원이 만나는 점의 x좌표와 y좌표에 의하여 결정되므로 각 θ의 동경이 위치한 사분면에 따라 다음과 같이 정해진다.

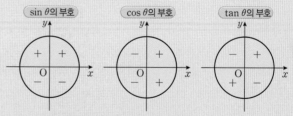

참고 각 사분면에서 양의 값을 갖는 삼각함수

6. 삼각함수 사이의 관계

① $\tan\theta = \dfrac{\sin\theta}{\cos\theta}$ ② $\sin^2\theta + \cos^2\theta = 1$

01

다음 각을 호도법은 육십분법으로, 육십분법은 호도법으로 나타낸 것 중 옳지 <u>않은</u> 것은? [2점]

① $75° = \dfrac{5}{12}\pi$ ② $135° = \dfrac{3}{5}\pi$ ③ $300° = \dfrac{5}{3}\pi$

④ $\dfrac{1}{12}\pi = 15°$ ⑤ $\dfrac{10}{3}\pi = 600°$

02

각 θ를 나타내는 동경과 각 9θ를 나타내는 동경이 서로 일치할 때, 이를 만족하는 각 θ의 값은?

$$\left(단,\ \pi < \theta < \dfrac{3}{2}\pi\right)\ [3점]$$

① $\dfrac{5}{4}\pi$ ② $\dfrac{6}{5}\pi$ ③ $\dfrac{7}{6}\pi$

④ $\dfrac{8}{7}\pi$ ⑤ $\dfrac{9}{8}\pi$

03

반지름의 길이가 4이고, 넓이가 24인 부채꼴의 호의 길이를 a, 중심각의 크기를 b(라디안)라 할 때, $a+b$의 값은?

[3점]

① 9   ② 12   ③ 15
④ 18   ⑤ 21

04

원점 O와 점 $P(-6,\ -8)$을 잇는 선분 OP를 동경으로 하는 각을 θ라 할 때, $\cos\theta + \sin\theta$의 값은? [3점]

① $-\dfrac{7}{5}$ ② $-\dfrac{5}{7}$ ③ $-\dfrac{3}{4}$

④ $\dfrac{5}{7}$ ⑤ $\dfrac{7}{5}$

05

[2002학년도 수능]

$\left(2 + 2\sin\dfrac{\pi}{3}\right)\left(2 - \tan\dfrac{\pi}{3}\right)$의 값은? [3점]

① 1   ② $\dfrac{1}{2}$ ③ $\dfrac{1}{3}$

④ $\dfrac{1}{4}$ ⑤ $\dfrac{1}{5}$

06

[2004학년도 수능]

$\cos\theta = -\dfrac{1}{3}$일 때, $\sin\theta \cdot \tan\theta$의 값은? [2점]

① $-\dfrac{10}{3}$ ② $-\dfrac{8}{3}$ ③ $-\dfrac{5}{3}$

④ $\dfrac{5}{3}$ ⑤ $\dfrac{8}{3}$

기출유형 01   일반각과 호도법

오른쪽 그림에서 동경 OP가 나타내는 일반각의 크기를 θ라 할 때, 다음 중 θ가 될 수 <u>없는</u> 것은? [3점]

① $790°$ ② $430°$ ③ $-300°$

④ $-650°$ ⑤ $-1010°$

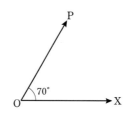

Act ①
각 θ를 일반각으로 나타내었을 때 $\theta=360°\times n+70°$가 아닌 것을 찾는다.

해결의 실마리

(1) 동경의 위치

$\theta=360°\times n+a°$ (n은 정수, $0°\leq a°<360°$)이면 각 $a°$를 나타내는 동경과 각 θ를 나타내는 동경이 일치한다.

(2) 사분면의 각

① θ가 제1사분면의 각 ⇨ $360°\times n<\theta<360°\times n+90°$ ② θ가 제2사분면의 각 ⇨ $360°\times n+90°<\theta<360°\times n+180°$

③ θ가 제3사분면의 각 ⇨ $360°\times n+180°<\theta<360°\times n+270°$ ④ θ가 제4사분면의 각 ⇨ $360°\times n+270°<\theta<360°\times n+360°$

(3) 육십분법과 호도법

① 1라디안$=\dfrac{180°}{\pi}$ ② $1°=\dfrac{\pi}{180}$라디안

01

θ가 제3사분면의 각일 때, $\dfrac{\theta}{2}$를 나타내는 동경이 존재할 수 있는 사분면을 모두 구하면? [3점]

① 제1사분면   ② 제2사분면

③ 제4사분면

④ 제2사분면 또는 제4사분면

⑤ 제3사분면 또는 제4사분면

03

다음 [보기]에서 옳은 것만을 있는 대로 고른 것은? [3점]

보기

ㄱ. $150°=\dfrac{2}{3}\pi$ ㄴ. $\dfrac{30°}{\pi}=\dfrac{1}{6}$

ㄷ. $\pi=360°$ ㄹ. $\dfrac{7}{6}\pi=210°$

① ㄱ, ㄴ   ② ㄱ, ㄷ   ③ ㄴ, ㄹ

④ ㄷ, ㄹ   ⑤ ㄱ, ㄴ, ㄹ

02

θ가 제1사분면의 각일 때, $\dfrac{\theta}{3}$의 크기가 될 수 <u>없는</u> 것은? [3점]

① $20°$ ② $135°$ ③ $140°$

④ $210°$ ⑤ $255°$

04

다음 중 옳지 <u>않은</u> 것은? [3점]

① $30°=\dfrac{\pi}{6}$ ② $-135°=-\dfrac{3}{4}\pi$

③ $150°=\dfrac{5}{6}\pi$ ④ $\dfrac{5}{3}\pi=330°$

⑤ $\dfrac{3}{2}\pi=270°$

기출유형 02   두 동경의 위치 관계

$0<\theta<\pi$이고 각 θ를 나타내는 동경과 각 7θ를 나타내는 동경이 일치할 때, 각 θ의 값을 모두 더하면? [3점]

① $\dfrac{2}{3}\pi$ ② π ③ $\dfrac{4}{3}\pi$ ④ $\dfrac{5}{3}\pi$ ⑤ 2π

Act①
두 각 α, β를 나타내는 동경이 일치하면 $\beta-\alpha=2n\pi$ (n은 정수)임을 이용한다.

해결의 실마리

두 동경이 나타내는 각의 크기가 각각 α, β일 때

두 동경의 위치	일치	일직선상에 있고 방향이 반대	x축에 대하여 대칭	y축에 대하여 대칭
두 동경의 위치에 따른 그래프				
α, β의 관계식	$\beta-\alpha=2n\pi$	$\beta-\alpha=2n\pi+\pi$	$\beta+\alpha=2n\pi$	$\beta+\alpha=2n\pi+\pi$

05

$\dfrac{\pi}{2}<\theta<\pi$이고 각 8θ를 나타내는 동경과 각 5θ를 나타내는 동경이 일치할 때, 각 θ의 값은? [3점]

① $\dfrac{2}{3}\pi$ ② $\dfrac{3}{4}\pi$ ③ $\dfrac{4}{5}\pi$

④ $\dfrac{5}{6}\pi$ ⑤ $\dfrac{6}{7}\pi$

07

θ가 제2사분면의 각이고 각 θ를 나타내는 동경과 각 4θ를 나타내는 동경이 x축에 대하여 대칭일 때, 각 θ의 값은? [3점]

① $\dfrac{2}{3}\pi$ ② $\dfrac{3}{4}\pi$ ③ $\dfrac{4}{5}\pi$

④ $\dfrac{5}{6}\pi$ ⑤ $\dfrac{6}{7}\pi$

06

각 θ를 나타내는 동경과 각 7θ를 나타내는 동경이 일직선 위에 있고 방향이 반대일 때, 각 θ의 값은?

$\left(\text{단}, 0<\theta<\dfrac{\pi}{2}\right)$ [3점]

① $\dfrac{\pi}{6}$ ② $\dfrac{\pi}{3}$ ③ $\dfrac{\pi}{2}$

④ $\dfrac{2}{3}\pi$ ⑤ $\dfrac{5}{6}\pi$

08

각 2θ를 나타내는 동경과 각 3θ를 나타내는 동경이 y축에 대하여 대칭일 때, 각 θ의 값은? $\left(\text{단}, \dfrac{\pi}{2}<\theta<\pi\right)$ [3점]

① $\dfrac{3}{5}\pi$ ② $\dfrac{2}{3}\pi$ ③ $\dfrac{5}{7}\pi$

④ $\dfrac{3}{4}\pi$ ⑤ $\dfrac{7}{9}\pi$

반지름의 길이가 4이고, 호의 길이가 12인 부채꼴의 중심각의 크기를 a(라디안), 넓이를 b라 할 때, $a+b$의 값은? [3점]

① 25   ② 26   ③ 27   ④ 28   ⑤ 29

Act ①
반지름의 길이가 r, 중심각의 크기가 θ(라디안)인 부채꼴의 호의 길이를 l, 넓이를 S라 하면 $l=r\theta$, $S=\frac{1}{2}rl=\frac{1}{2}r^2\theta$임을 이용한다.

해결의 실마리

반지름의 길이가 r, 중심각의 크기가 θ(라디안)인 부채꼴의 호의 길이를 l, 넓이를 S라 하면

① $l=r\theta$ ② $S=\frac{1}{2}rl=\frac{1}{2}r^2\theta$

09
[2015학년도 교육청]

중심각의 크기가 2(라디안)이고 넓이가 36인 부채꼴의 호의 길이는? [3점]

① 6   ② 8   ③ 10
④ 12   ⑤ 14

11
[2017학년도 교육청]

그림과 같이 길이가 12인 선분 AB를 지름으로 하는 반원이 있다. 반원 위에서 호 BC의 길이가 4π인 점 C를 잡고 점 C에서 선분 AB에 내린 수선의 발을 H라 하자. $\overline{\text{CH}}^2$의 값을 구하시오. [3점]

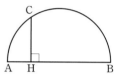

10

중심각의 크기가 2이고 넓이가 25인 부채꼴의 반지름의 길이를 r, 둘레의 길이를 d라 할 때, $r+d$의 값을 구하시오. [3점]

12

그림과 같이 중심각의 크기가 60°인 부채꼴의 넓이를 S_1, 이 부채꼴에 내접하는 원의 넓이를 S_2라 할 때, $\dfrac{S_2}{S_1}$의 값은? [3점]

① $\dfrac{1}{2}$ ② $\dfrac{7}{12}$

③ $\dfrac{2}{3}$ ④ $\dfrac{3}{4}$ ⑤ $\dfrac{5}{6}$

기출유형 **04** 삼각함수의 정의와 값의 부호

점 $P(3, 4)$를 y축에 대하여 대칭이동한 점을 P_1, 직선 $y=x$에 대하여 대칭이동한 점을 P_2라 할 때, 동경 OP, OP_1, OP_2가 나타내는 각의 크기를 각각 α, β, γ라 하자. 이때 $\sin\alpha+\cos\beta+\tan\gamma$의 값은? [3점]

① $\dfrac{15}{16}$　② $\dfrac{16}{17}$　③ $\dfrac{17}{18}$　④ $\dfrac{18}{19}$　⑤ $\dfrac{19}{20}$

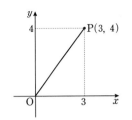

Act①

$\sin\theta=\dfrac{y}{OP}$, $\cos\theta=\dfrac{x}{OP}$,

$\tan\theta=\dfrac{y}{x}$임을 이용한다.

해결의 실마리

(1) 각 θ를 나타내는 동경과 원점 O를 중심으로 하고 반지름의 길이가 r인 원의 교점의 좌표를 (x, y)라 하면

$\Rightarrow \sin\theta=\dfrac{y}{r}$, $\cos\theta=\dfrac{x}{r}$, $\tan\theta=\dfrac{y}{x}$ $(x\neq0)$

(2) 각 사분면에서 양의 값을 갖는 삼각함수 $\Rightarrow$

(싸)	(올)
$\sin\theta$	$\sin\theta$ $\cos\theta$ $\tan\theta$
(탄)	(코)
$\tan\theta$	$\cos\theta$

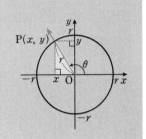

13

원점과 점 $P(5, -12)$를 이은 선분을 동경으로 하는 각의 크기를 θ라 할 때, $13(\sin\theta-\cos\theta)-10\tan\theta$의 값을 구하시오. [3점]

15

θ가 제2사분면의 각일 때,
$\sqrt{\sin^2\theta}+\sqrt{\cos^2\theta}-|\cos\theta+\tan\theta|-|\sin\theta-\tan\theta|$를 간단히 하면? [3점]

① 0　　② $2\sin\theta$　　③ $2\cos\theta$
④ $2\tan\theta$　　⑤ $2(\sin\theta+\cos\theta)$

14

$\sin\theta\cos\theta<0$, $\cos\theta\tan\theta>0$을 동시에 만족시키는 각 θ가 존재하는 사분면은? [3점]

① 제2사분면　　② 제3사분면　　③ 제4사분면
④ 제2, 3사분면　　⑤ 제2, 4사분면

16
[1997학년도 수능]

이차방정식 $x^2-2\sqrt{3}x+2=0$의 두 근을 α, β $(\alpha>\beta)$라 할 때, $\tan\theta=\dfrac{\alpha-\beta}{\alpha+\beta}$를 만족하는 θ는? $\left(\text{단, } -\dfrac{\pi}{2}<\theta<\dfrac{\pi}{2}\right)$ [3점]

① $\dfrac{\pi}{6}$　　② $\dfrac{\pi}{4}$　　③ $\dfrac{\pi}{3}$
④ $-\dfrac{\pi}{4}$　　⑤ $-\dfrac{\pi}{3}$

[1999학년도 수능]

$\sin x + \cos x = \sqrt{2}$일 때, $\sin x \cos x$의 값은? [3점]

① 1   ② $\sqrt{2}$ ③ $-\sqrt{2}$ ④ $\dfrac{1}{2}$ ⑤ $-\dfrac{1}{2}$

Act ❶
주어진 식의 양변을 제곱하고 $\sin^2\theta + \cos^2\theta = 1$임을 이용한다.

해결의 실마리

$\sin\theta$, $\cos\theta$, $\tan\theta$의 값 중 어느 하나를 알고 나머지 삼각함수의 값을 구할 때는 삼각함수 사이의 관계식을 이용한다.

① $\tan\theta = \dfrac{\sin\theta}{\cos\theta}$ ② $\sin^2\theta + \cos^2\theta = 1$

17

[2008학년도 교육청]

$\sin\theta - \cos\theta = \dfrac{1}{2}$일 때, $\dfrac{1}{\sin\theta} \times \dfrac{1}{\cos\theta}$의 값은? [3점]

① $\dfrac{8}{5}$ ② 2   ③ $\dfrac{8}{3}$

④ 4   ⑤ 8

19

[2014학년도 교육청]

$\sin\theta + \cos\theta = \dfrac{2}{3}$일 때, $\sin^3\theta + \cos^3\theta$의 값은? [3점]

① $\dfrac{19}{27}$ ② $\dfrac{20}{27}$ ③ $\dfrac{7}{9}$

④ $\dfrac{22}{27}$ ⑤ $\dfrac{23}{27}$

18

[2012학년도 교육청]

$\sin\theta + \cos\theta = \sin\theta \cos\theta$일 때, $\sin\theta \cos\theta$의 값은 $a + b\sqrt{2}$이다. $10a - b$의 값을 구하시오. (단, a, b는 유리수이다.) [3점]

20

제2사분면의 각 θ에 대하여 $\sin\theta + \cos\theta = -\dfrac{1}{3}$일 때, $\sin^2\theta - \cos^2\theta$의 값은? [3점]

① $-\dfrac{\sqrt{17}}{9}$ ② $-\dfrac{4}{9}$ ③ $-\dfrac{1}{3}$

④ $\dfrac{\sqrt{17}}{3}$ ⑤ $\dfrac{17}{9}$

Very Important Test

01
다음 중 육십분법과 호도법으로 나타낸 각의 동경이 서로 일치하는 것은? [2점]

① $30°$, $\dfrac{\pi}{3}$ 　　② $80°$, $\dfrac{3}{5}\pi$ 　　③ $200°$, $\dfrac{5}{4}\pi$

④ $-270°$, $\dfrac{\pi}{2}$ 　　⑤ $-390°$, $\dfrac{13}{6}\pi$

02
각 3θ를 나타내는 동경과 각 5θ를 나타내는 동경이 x축에 대하여 대칭일 때, 모든 θ의 값의 합은 (단, $0<\theta<\pi$) [3점]

① $\dfrac{\pi}{2}$ 　　② π 　　③ $\dfrac{3}{2}\pi$

④ 2π 　　⑤ $\dfrac{5}{2}\pi$

03
θ의 동경과 6θ의 동경이 일직선 위에 있고 방향이 반대일 때, $\cos\left(\theta+\dfrac{2}{15}\pi\right)$의 값은? $\left(\text{단}, 0<\theta<\dfrac{\pi}{2}\right)$ [3점]

① 0 　　② $\dfrac{1}{2}$ 　　③ $\dfrac{\sqrt{2}}{2}$

④ $\dfrac{\sqrt{3}}{2}$ 　　⑤ 1

04
반지름의 길이가 10, 호의 길이가 $\dfrac{4}{3}\pi$인 부채꼴의 중심각의 크기를 $a\pi$, 넓이를 $b\pi$라 할 때, $a\times b$의 값은? [3점]

① $\dfrac{4}{3}$ 　　② $\dfrac{5}{3}$ 　　③ 2

④ $\dfrac{7}{3}$ 　　⑤ $\dfrac{8}{9}$

05
둘레의 길이가 80인 부채꼴 중에서 넓이가 최대인 부채꼴의 반지름의 길이 r와 중심각의 크기 θ에 대하여 $r+\theta$의 값을 구하시오. [3점]

06
호의 길이가 6π이고 넓이가 30π인 부채꼴로 원뿔을 만들 때, 이 원뿔의 부피는? [3점]

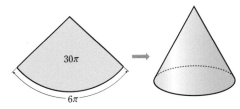

① $2\sqrt{91}\pi$ 　　② $3\sqrt{91}\pi$ 　　③ $4\sqrt{91}\pi$

④ $5\sqrt{91}\pi$ 　　⑤ $6\sqrt{91}\pi$

07

그림과 같이 반지름의 길이가 r인 반원에서 $\overset{\frown}{AP}=\overset{\frown}{BQ}=r$일 때, 부채꼴 POQ의 중심각의 크기는? [3점]

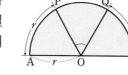

① $\pi-1$　　　② $\pi-2$　　　③ $2\pi-3$
④ $2\pi-4$　　　⑤ $3\pi-5$

08

θ가 제3사분면의 각일 때,
$|\sin\theta+\sqrt{\cos^2\theta}+\sqrt{(\cos\theta+\sin\theta)^2}|$을 간단히 하면?

[3점]

① $-2\cos\theta$　　② $-2\sin\theta$　　③ $\sin\theta\cos\theta$
④ $2\cos\theta$　　⑤ $2\sin\theta$

09

$\tan\theta=-\dfrac{4}{3}$일 때, $\dfrac{5\sin\theta+2}{15\cos\theta-6}$의 값은?

$\left($단, $\dfrac{3}{2}\pi<\theta<2\pi\right)$ [3점]

① $-\dfrac{2}{3}$　　　② $-\dfrac{3}{5}$　　　③ $\dfrac{1}{6}$
④ $\dfrac{3}{5}$　　　⑤ $\dfrac{2}{3}$

10

θ가 제2사분면의 각이고 $\sin\theta=\dfrac{3}{5}$일 때, $5\cos\theta+4\tan\theta$의 값은? [3점]

① -7　　　② -4　　　③ 0
④ 4　　　⑤ 7

11

직선 $x+3y=2$가 x축의 양의 방향과 이루는 각의 크기를 θ라 할 때, $\dfrac{1}{\sin\theta\cos\theta\tan\theta}$의 값을 구하시오. [3점]

12

제4사분면의 각 θ에 대하여 $\sin\theta=-\dfrac{4}{5}$일 때, $15\cos\theta+15\tan\theta$의 값은? [3점]

① -11　　　② -6　　　③ -1
④ 4　　　⑤ 9

13

$0<\theta<\dfrac{\pi}{4}$이고 $\sin\theta\cos\theta=\dfrac{1}{3}$일 때,

$\sin^3\theta-\cos^3\theta$의 값은? [3점]

① $-\dfrac{4\sqrt{3}}{3}$ ② $-\dfrac{4\sqrt{3}}{9}$ ③ $\dfrac{4\sqrt{3}}{15}$

④ $\dfrac{4\sqrt{3}}{9}$ ⑤ $\dfrac{4\sqrt{3}}{3}$

14

$\sin\theta+\cos\theta=\dfrac{1}{3}$일 때, $\tan\theta+\dfrac{1}{\tan\theta}$의 값은? [3점]

① $-\dfrac{11}{4}$ ② $-\dfrac{5}{2}$ ③ $-\dfrac{9}{4}$

④ -2 ⑤ $-\dfrac{7}{4}$

15

x에 대한 이차방정식 $x^2-3ax-a^2=0$의 두 근이 $\sin\theta$, $\cos\theta$일 때, 양수 a의 값은? [3점]

① $\dfrac{\sqrt{7}}{7}$ ② $\dfrac{\sqrt{2}}{4}$ ③ $\dfrac{1}{3}$

④ $\dfrac{\sqrt{10}}{10}$ ⑤ $\dfrac{\sqrt{11}}{11}$

친절한 해설 26쪽

① level up

16

각 θ를 나타내는 동경과 각 5θ를 나타내는 동경이 이루는 각의 크기가 $\dfrac{\pi}{3}$일 때, 모든 실수 θ의 값의 합은?

$\left(\text{단, }\dfrac{\pi}{2}<\theta<\pi\right)$ [4점]

① $\dfrac{7}{6}\pi$ ② $\dfrac{4}{3}\pi$ ③ $\dfrac{3}{2}\pi$

④ $\dfrac{5}{3}\pi$ ⑤ $\dfrac{11}{6}\pi$

17

직선 $y=mx$가 원 $(x-1)^2+y^2=1$을 나눌 때, 잘려진 두 원호의 비가 $1:2$가 되기 위한 양수 m의 값을 정하면 $\dfrac{q}{\sqrt{p}}$이다. $p+q$의 값을 구하시오. (단, p, q는 서로소인 자연수이다.) [3점]

18

이차방정식 $2x^2+ax+1=0$의 두 근이 $\sin\theta$, $\cos\theta$일 때, $\dfrac{1}{\sin\theta}$, $\dfrac{1}{\cos\theta}$을 두 근으로 하는 이차방정식은 $2x^2+bx+c=0$이다. 이때 상수 a, b, c의 곱 abc의 값을 구하시오. (단, $a>0$) [4점]

참 중요한학습 **point**

 기출 best

best **1** 삼각함수의 주기와 그래프

best **2** 일반각에 대한 삼각함수의 성질

best **3** 삼각함수를 포함한 방정식

 기출 분석

예전에는 자연계 교과에만 포함되어 있던 내용이다. 삼각함수의 그래프와 미정계수의 결정, 일반각에 대한 삼각함수의 성질, 이차식 꼴의 삼각함수의 최대·최소, 삼각함수를 포함한 방정식과 부등식에 대한 문제가 출제될 것으로 예상된다.

 level up

• 삼각함수의 주기와 그래프
• 방정식의 실근의 개수

중요개념

1. 주기함수

함수 $f(x)$에서 정의역에 속하는 모든 x에 대하여
$$f(x+p)=f(x)$$
를 만족하는 0이 아닌 상수 p가 존재할 때, 함수 f를 주기함수라 하고 p의 값 중에서 최소인 양수를 함수 f의 주기라 한다.

2. 함수 $y=\sin x$의 그래프와 성질

(1) 정의역은 실수 전체의 집합이고, 치역은 $\{y\,|-1\leq y\leq 1\}$이다.

(2) 그래프는 원점에 대하여 대칭이다.
$$\Rightarrow \sin(-x)=-\sin x$$

(3) 주기가 2π인 주기함수이다.
$$\Rightarrow \sin(x+2n\pi)=\sin x \,(n\text{은 정수})$$

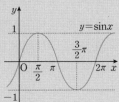

3. 함수 $y=\cos x$의 그래프와 성질

(1) 정의역은 실수 전체의 집합이고, 치역은 $\{y\,|-1\leq y\leq 1\}$이다.

(2) 그래프는 y축에 대하여 대칭이다.
$$\Rightarrow \cos(-x)=\cos x$$

(3) 주기가 2π인 주기함수이다.
$$\Rightarrow \cos(x+2n\pi)=\cos x \,(n\text{은 정수})$$

4. 함수 $y=\tan x$의 그래프와 성질

(1) 정의역은 $n\pi+\dfrac{\pi}{2}$ $(n\text{은 정수})$를 제외한 실수 전체의 집합이고, 치역은 실수 전체의 집합이다.

(2) 그래프는 원점에 대하여 대칭이다.
$$\Rightarrow \tan(-x)=-\tan x$$

(3) 주기가 π인 주기함수이다.

$$\Rightarrow \tan(x+n\pi)=\tan x \,(n\text{은 정수})$$

(4) 그래프의 점근선은 직선 $x=n\pi+\dfrac{\pi}{2}$ $(n\text{은 정수})$이다.

5. 일반각에 대한 삼각함수의 성질

(1) $2n\pi+x$의 삼각함수 (단, n은 정수)
$$\sin(2n\pi+x)=\sin x,\ \cos(2n\pi+x)=\cos x,$$
$$\tan(2n\pi+x)=\tan x$$

(2) $-x$의 삼각함수
$$\sin(-x)=-\sin x,\ \cos(-x)=\cos x,$$
$$\tan(-x)=-\tan x$$

(3) $\pi\pm x$의 삼각함수
$$\sin(\pi\pm x)=\mp\sin x,\ \cos(\pi\pm x)=-\cos x,$$
$$\tan(\pi\pm x)=\pm\tan x \ (\text{복부호 동순})$$

(4) $\dfrac{\pi}{2}\pm x$의 삼각함수
$$\sin\left(\dfrac{\pi}{2}\pm x\right)=\cos x,\ \cos\left(\dfrac{\pi}{2}\pm x\right)=\mp\sin x,$$
$$\tan\left(\dfrac{\pi}{2}\pm x\right)=\mp\dfrac{1}{\tan x} \ (\text{복부호 동순})$$

6. 삼각함수가 포함된 방정식과 부등식의 풀이

(1) 삼각함수가 포함된 방정식의 풀이
  ① 주어진 방정식을 $\sin x=k$(또는 $\cos x=k$, $\tan x=k$)의 꼴로 변형한다.
  ② 함수 $y=\sin x$(또는 $\cos x=k$, $\tan x=k$)의 그래프와 $y=k$의 교점의 x좌표를 구한다.

(2) 삼각함수가 포함된 부등식의 풀이
  ① 부등호를 등호로 바꾸어 삼각함수가 포함된 방정식을 푼다.
  ② 삼각함수의 그래프를 이용하여 주어진 부등식을 만족하는 x의 값 또는 범위를 구한다.

01

다음 함수 중 모든 실수 x에 대하여 $f(x+1)=f(x)$를 만족하는 것은? [3점]

① $f(x)=\sin \pi x$ ② $f(x)=\cos 3x$

③ $f(x)=\tan \dfrac{\pi}{2}x$ ④ $f(x)=\sin \dfrac{\pi}{2}x$

⑤ $f(x)=\tan \pi x$

02

그림은 함수 $y=a\cos b(x-c)$의 그래프이다. 상수 a, b, c에 대하여 $a+b+c$의 값은? (단, $a>0$, $b>0$, $0\leq c<2\pi$) [3점]

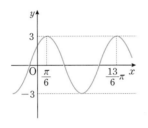

① $2+\dfrac{13}{6}\pi$ ② $3+\dfrac{\pi}{6}$

③ $3+\dfrac{11}{6}\pi$ ④ $4+\dfrac{\pi}{6}$

⑤ $4+\dfrac{13}{6}\pi$

03

임의의 각 θ에 대하여

$\sin\left(\dfrac{\pi}{2}+\theta\right)+\cos(\pi+\theta)+\cos\left(\dfrac{3}{2}\pi-\theta\right)-\sin(-\theta)$

를 간단히 하면? [3점]

① $\sin \theta$ ② $\cos \theta$ ③ 0

④ $-\cos \theta$ ⑤ $-\sin \theta$

04

함수 $y=-4\cos^2 x+4\sin x+3$의 최댓값을 M, 최솟값을 m이라 할 때, $M+m$의 값은? [3점]

① 1   ② 2   ③ 3

④ 4   ⑤ 5

05

방정식 $\sqrt{2}\sin x-1=0$의 해가 $x=\alpha$ 또는 $x=\beta$일 때, $\alpha+\beta$의 값은? (단, $0\leq x<2\pi$) [3점]

① $\dfrac{1}{4}\pi$ ② $\dfrac{1}{2}\pi$ ③ $\dfrac{3}{4}\pi$

④ π ⑤ $\dfrac{5}{4}\pi$

06

부등식 $\sin x>\cos x$를 만족하는 x의 값의 범위가 $\alpha<x<\beta$일 때, $\dfrac{2}{\pi}(\alpha+\beta)$의 값을 구하시오.

(단, $0\leq x<2\pi$) [3점]

기출유형 01   삼각함수의 주기와 그래프의 성질

함수 $y=-4\cos\left(-2\pi x+\dfrac{1}{3}\right)+5$의 최댓값을 M, 최솟값을 m, 주기를 p라 할 때, $M+m+p$의 값은? [3점]

Act ①
$y=a\cos(bx+c)+d$의
최댓값은 $|a|+d$,
최솟값은 $-|a|+d$,
주기는 $\dfrac{2\pi}{|b|}$ 임을 이용한다.

① 7   ② 8   ③ 9   ④ 10   ⑤ 11

해결의 실마리

(1) 삼각함수의 최대 · 최소와 주기

삼각함수	최댓값	최솟값	주기
$y=a\sin(bx+c)+d$	$\|a\|+d$	$-\|a\|+d$	$\dfrac{2\pi}{\|b\|}$
$y=a\cos(bx+c)+d$	$\|a\|+d$	$-\|a\|+d$	$\dfrac{2\pi}{\|b\|}$
$y=a\tan(bx+c)+d$	없다.	없다.	$\dfrac{\pi}{\|b\|}$

(2) 삼각함수의 평행이동

함수 $y=a\sin(bx+c)+d$, $y=a\cos(bx+c)+d$, $y=a\tan(bx+c)+d$의 그래프는 각각 함수 $y=a\sin bx$, $y=a\cos bx$, $y=a\tan bx$의 그래프를 x축의 방향으로 $-\dfrac{c}{b}$만큼, y축의 방향으로 d만큼 평행이동한 것과 같다.

01

다음 중 $f(x+2)=f(x)$를 만족하지 않는 함수는? [3점]

① $f(x)=\sin \pi x$ ② $f(x)=\cos \pi x$

③ $f(x)=\tan \dfrac{\pi}{2}x$ ④ $f(x)=\sin \pi x+\tan \pi x$

⑤ $f(x)=\sin \dfrac{\pi}{2}x+\cos \pi x$

03

양수 a에 대하여 주기가 $\dfrac{\pi}{4}$인 함수 $y=3\cos(2ax-1)+4$의 최댓값을 M, 최솟값을 m이라 할 때, $M+m+a$의 값을 구하시오. [3점]

02

[2017학년도 교육청]

함수 $y=a\sin \dfrac{\pi}{2b}x$의 최댓값이 2이고 주기는 2이다. 두 양수 a, b의 합 $a+b$의 값은? [3점]

① 2   ② $\dfrac{17}{8}$ ③ $\dfrac{9}{4}$

④ $\dfrac{19}{8}$ ⑤ $\dfrac{5}{2}$

04

[2018학년도 교육청]

좌표평면에서 곡선 $y=4\sin\left(\dfrac{\pi}{2}x\right)$ $(0\le x\le 2)$ 위의 점 중 y좌표가 정수인 점의 개수를 구하시오. [3점]

기출유형 **02** 삼각함수의 그래프와 미정계수의 결정

두 양수 a, b에 대하여 삼각함수 $y=a \sin bx$의 그래프가 그림과 같을 때, ab의 값을 구하시오. [3점]

[2013학년도 교육청]

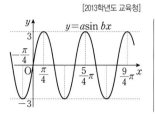

Act ①
주어진 삼각함수의 그래프에서 최댓값과 최솟값, 주기를 생각한다.

해결의 실마리

삼각함수의 그래프가 주어지면

⇨ 최댓값과 최솟값, 주기, 그래프가 지나는 점의 좌표를 생각한다.

05

[2018학년도 교육청]

그림은 함수

$f(x)=a \cos \dfrac{\pi}{2b}x+1$의 그래프

이다. 두 양수 a, b에 대하여 $a+b$의 값은? [3점]

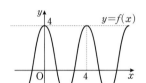

① $\dfrac{7}{2}$ ② 4   ③ $\dfrac{9}{2}$

④ 5   ⑤ $\dfrac{11}{2}$

07

그림은 함수 $y=a \sin (bx-c)$의 그래프이다. 상수 a, b, c에 대하여 abc의 값은? (단, $a>0$, $b>0$, $0<c<\pi$) [3점]

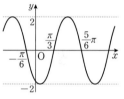

① $\dfrac{4}{3}\pi$ ② $\dfrac{5}{3}\pi$ ③ 2π

④ $\dfrac{7}{3}\pi$ ⑤ $\dfrac{8}{3}\pi$

06

그림은 함수 $y=a \sin bx+c$의 그래프이다. $a+b+c$의 값을 구하시오. (단, a, b, c는 양의 상수이다.) [3점]

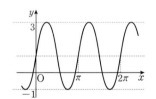

08

[2014학년도 교육청]

그림은 함수 $y=\cos a(x+b)+1$의 그래프이다. 상수 a, b에 대하여 ab의 값은? (단, $a>0$, $0<b<\pi$이고, O는 원점이다.) [3점]

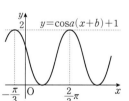

① $\dfrac{2}{3}\pi$ ② π ③ $\dfrac{4}{3}\pi$

④ $\dfrac{5}{3}\pi$ ⑤ 2π

$\sin(4\pi - \theta) + \cos\left(\dfrac{3}{2}\pi + \theta\right) - \sin\left(\dfrac{\pi}{2} + \theta\right) - \cos(\theta - \pi)$의 값은? [3점]

① 0   ② 1   ③ $\dfrac{1}{2}$ ④ -1 ⑤ $-\dfrac{\sqrt{3}}{2}$

Act❶

각이 $\dfrac{n}{2}\pi \pm \theta$ 또는 $90° \times n \pm \theta$ (n은 정수) 꼴일 때, 각 삼각함수는 n이 짝수이면 그대로, n이 홀수이면 $\sin \to \cos$, $\cos \to \sin$, $\tan \to \dfrac{1}{\tan}$로 바꾼다.

해결의 실마리

각이 $\dfrac{n\pi}{2} \pm \theta$ (n은 정수) 꼴일 때, 각 삼각함수는 n이 짝수이면 그대로, n이 홀수이면 $\sin \to \cos$, $\cos \to \sin$, $\tan \to \dfrac{1}{\tan}$로 바꾸고 θ를 예각으로 생각하여 $\dfrac{n\pi}{2} \pm \theta$를 나타내는 동경이 존재하는 사분면에서의 원래 삼각함수의 값의 부호를 조사한다.

09
[2002학년도 교육청]

$\cos 20° \cos 40° \cos 60° + \sin 210° \sin 230° \sin 250°$의 값은? [3점]

① 0   ② 1   ③ $\dfrac{1}{2}$

④ -1 ⑤ $-\dfrac{\sqrt{3}}{2}$

11
[2008학년도 교육청]

$y = -\dfrac{4}{3}x$ 위의 점 $P(a,\ b)$ $(a<0)$에 대하여 선분 OP가 x축의 양의 방향과 이루는 각의 크기를 θ라 할 때, $\sin(\pi - \theta) + \cos(\pi + \theta)$의 값은? (단, O는 원점이다.) [4점]

① $\dfrac{7}{5}$ ② $\dfrac{1}{5}$ ③ 0

④ $-\dfrac{1}{5}$ ⑤ $-\dfrac{7}{5}$

10

직선 $2x - y - 5 = 0$이 x축의 양의 방향과 이루는 각의 크기를 θ라 할 때, $\dfrac{\cos\left(\dfrac{\pi}{2} + \theta\right)}{1 + \cos\theta} + \dfrac{\sin(\pi - \theta)}{1 + \cos(\pi + \theta)}$의 값은? $\left(\text{단, } 0 < \theta < \dfrac{\pi}{2}\right)$ [3점]

① $\dfrac{1}{2}$ ② $\dfrac{3}{4}$ ③ 1

④ $\dfrac{5}{4}$ ⑤ $\dfrac{3}{2}$

12
[2001학년도 수능]

그림과 같이 직사각형 ABCD가 중심이 원점이고 반지름의 길이가 1인 원에 내접해 있다. x축과 선분 OA가 이루는 각을 θ라 할 때, $\cos(\pi - \theta)$와 같은 것은? $\left(\text{단, } 0 < \theta < \dfrac{\pi}{4}\text{이다.}\right)$ [3점]

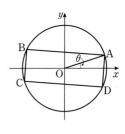

① A의 x좌표   ② B의 y좌표   ③ C의 x좌표
④ C의 y좌표   ⑤ D의 x좌표

기출유형 **04** 이차식 꼴의 삼각함수의 최대·최소

함수 $y=-2\sin^2 x+2\cos x+3$의 최댓값을 M, 최솟값을 m이라 할 때, $M+m$의 값은? [3점]

① $\dfrac{7}{2}$ ② 4   ③ $\dfrac{9}{2}$ ④ 5   ⑤ $\dfrac{11}{2}$

Act ❶

$\sin^2 x+\cos^2 x=1$임을 이용하여 주어진 식을 한 종류의 삼각함수의 식으로 정리한다.

해결의 실마리

이차식 꼴의 삼각함수의 최대·최소 ──────

① 주어진 식을 한 종류의 삼각함수의 식으로 정리한다.

② 삼각함수를 t로 치환하고 t의 값의 범위를 구한다.

③ 이차함수의 그래프를 이용하여 t의 범위에서 최댓값과 최솟값을 구한다.

예 $y=a\sin^2 x+b\sin x+c$ (a, b, c는 상수) 꼴의 최대, 최소

⇨ $\sin x=t$로 치환하여 이차함수의 최대, 최소를 구한다.

이때 t의 값의 범위가 $-1\le t\le 1$임에 유의한다.

13

[2007학년도 교육청]

함수 $y=-4\cos^2 x+4\sin x+3$의 최댓값을 M, 최솟값을 m이라 할 때, $M+m$의 값은? [3점]

① 1   ② 2   ③ 3

④ 4   ⑤ 5

15

$f(x)=\cos^2\left(x+\dfrac{3}{2}\pi\right)-3\cos^2(\pi-x)-4\sin(x+2\pi)$의 최댓값을 M, 최솟값을 m이라 할 때, $M+m$의 값을 구하시오. (단, $0\le x<2\pi$) [4점]

14

[2018학년도 교육청]

함수 $f(x)=\sin^2 x+\sin\left(x+\dfrac{\pi}{2}\right)+1$의 최댓값을 M이라 할 때, $4M$의 값을 구하시오. [4점]

16

함수 $y=\sin^2 x+4\cos x+a$의 최댓값이 5일 때, 상수 a의 값을 구하시오. [4점]

[2016학년도 교육청]

$0 \leq x \leq 4\pi$일 때, 방정식 $2\sin x = \sqrt{2}$의 모든 실근의 합은 $k\pi$이다. 실수 k의 값을 구하시오.

[3점]

Act①
주어진 방정식을 $\sin x = k$ 꼴로 변형하여 $y = \sin x$의 그래프와 $y = k$의 교점의 x좌표를 구한다.

해결의 실마리

(1) 삼각함수를 포함한 방정식의 풀이
  ① 일차식 꼴
    (i) 주어진 방정식을 $\sin x = k$(또는 $\cos x = k$, $\tan x = k$) 꼴로 변형한다.
    (ii) 함수 $y = \sin x$(또는 $\cos x = k$, $\tan x = k$)의 그래프와 $y = k$의 교점의 x좌표를 구한다.
  ② 이차식 꼴 : $\sin^2 x + \cos^2 x = 1$임을 이용하여 한 종류의 삼각함수에 대한 방정식으로 고쳐서 해를 구한다.
(2) 삼각함수를 포함한 방정식의 실근의 개수
  방정식 $f(x) = g(x)$의 서로 다른 실근의 개수는 ⇨ 두 함수 $y = f(x)$와 $y = g(x)$의 그래프의 서로 다른 교점의 개수와 같다.

17

[2018학년도 수능 모의평가]

$0 \leq x \leq \pi$일 때, 방정식 $1 + \sqrt{2}\sin 2x = 0$의 모든 해의 합은? [3점]

① π 　　　② $\dfrac{5\pi}{4}$ 　　　③ $\dfrac{3\pi}{2}$

④ $\dfrac{7\pi}{4}$ 　　　⑤ 2π

19

[2017학년도 수능]

$0 < x < 2\pi$일 때, 방정식 $\cos^2 x - \sin x = 1$의 모든 실근의 합은 $\dfrac{q}{p}\pi$이다. $p + q$의 값을 구하시오.

(단, p, q는 서로소인 자연수이다.) [3점]

18

[2018학년도 수능]

$0 \leq x < 2\pi$일 때, 방정식 $\cos^2 x = \sin^2 x - \sin x$의 모든 해의 합은? [3점]

① 2π 　　　② $\dfrac{5}{2}\pi$ 　　　③ 3π

④ $\dfrac{7}{2}\pi$ 　　　⑤ 4π

20

방정식 $\sin \pi x = \dfrac{3}{10}x$의 실근의 개수를 구하시오. [3점]

기출유형 06 삼각함수를 포함한 부등식의 풀이

[2018학년도 교육청]

$0 \leq x < 2\pi$에서 부등식 $2\sin x + 1 < 0$의 해가 $\alpha < x < \beta$일 때, $\cos(\beta - \alpha)$의 값은? [3점]

① $-\dfrac{\sqrt{3}}{2}$ ② $-\dfrac{1}{2}$ ③ 0 ④ $\dfrac{1}{2}$ ⑤ $\dfrac{\sqrt{3}}{2}$

Act ①
부등호를 등호로 바꾸어 방정식을 풀고, 그래프를 이용하여 주어진 부등식을 만족하는 미지수의 값의 범위를 구한다.

해결의 실마리

삼각함수를 포함한 부등식의 풀이

(ⅰ) 부등호를 등호로 바꾸어 방정식을 푼다.

(ⅱ) 삼각함수의 그래프를 이용하여 주어진 부등식을 만족하는 미지수의 값의 범위를 구한다.

21

$0 \leq x < 2\pi$에서 부등식 $2\cos^2 x + 5\sin x - 4 > 0$의 해가 $\alpha < x < \beta$일 때, $\cos(\beta - \alpha)$의 값은? [3점]

① $-\dfrac{\sqrt{3}}{2}$ ② $-\dfrac{1}{2}$ ③ 0

④ $\dfrac{1}{2}$ ⑤ $\dfrac{\sqrt{3}}{2}$

23

[2001학년도 수능]

부등식 $\cos^2 \theta - 3\cos \theta - a + 9 \geq 0$이 모든 θ에 대하여 항상 성립하는 실수 a의 값의 범위는? [3점]

① $-1 \leq a \leq 9$ ② $a \geq 0$ ③ $a \geq 5$
④ $a \leq 7$ ⑤ $a \leq 9$

22

$0 \leq x \leq 2\pi$에서 부등식 $2\sin^2 x + 5\cos x < 4$의 해가 $\alpha < x < \beta$일 때, $\sin(\alpha + \beta)$의 값은? [3점]

① $-\dfrac{\sqrt{3}}{2}$ ② $-\dfrac{1}{2}$ ③ 0

④ $\dfrac{1}{2}$ ⑤ $\dfrac{\sqrt{3}}{2}$

24

부등식 $\cos^2 x + (a+2)\sin x - 2a > 0$이 모든 실수 x에 대하여 항상 성립할 때, 정수 a의 최댓값은? [3점]

① -2 ② -1 ③ 0
④ 1 ⑤ 2

01

다음 중 함수 $y=-2\tan\left(\dfrac{x}{3}+\pi\right)+3$과 주기가 같은 함수는? [3점]

① $y=2\cos\dfrac{x}{3}$
② $y=-\sin\left(\dfrac{2}{3}x-\pi\right)$
③ $y=-2\tan x+3$
④ $y=\sin \pi x+3$
⑤ $y=-\cos\dfrac{\pi}{2}x+1$

02

함수 $y=-3\sin\left(2x+\dfrac{\pi}{6}\right)+2$의 최댓값을 M, 주기를 p라 할 때, Mp의 값은? [3점]

① π
② 2π
③ 3π
④ 4π
⑤ 5π

03

함수 $f(x)=a\cos\left(x+\dfrac{\pi}{3}\right)+k$의 최댓값은 2이고, $f\left(\dfrac{\pi}{6}\right)=\dfrac{1}{2}$일 때, $f(x)$의 최솟값은? (단, $a>0$, k는 상수이다.) [3점]

① -1
② $-\dfrac{5}{6}$
③ $-\dfrac{2}{3}$
④ $-\dfrac{1}{2}$
⑤ $-\dfrac{1}{3}$

04

그림은 함수 $y=a\cos bx+c$의 그래프이다. 상수 a, b, c에 대하여 abc의 값은?

(단, $a>0$, $b>0$) [3점]

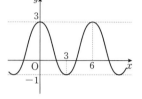

① $\dfrac{\pi}{6}$
② $\dfrac{\pi}{3}$
③ $\dfrac{\pi}{2}$
④ $\dfrac{2}{3}\pi$
⑤ $\dfrac{5}{6}\pi$

05

다음 [보기]에서 옳은 것만을 있는 대로 고른 것은? [3점]

┤보기├
ㄱ. $\cos\left(\dfrac{\pi}{2}+\dfrac{\pi}{6}\right)=\sin\left(\pi+\dfrac{\pi}{3}\right)$
ㄴ. $\sin\left(\dfrac{\pi}{2}-\theta\right)=\cos(2\pi-\theta)$
ㄷ. $\tan\theta\cdot\dfrac{1}{\tan\left(\dfrac{3}{2}\pi+\theta\right)}=1$

① ㄱ
② ㄴ
③ ㄷ
④ ㄱ, ㄴ
⑤ ㄴ, ㄷ

06

$\sin^2 10°+\sin^2 20°+\sin^2 30°+\cdots+\sin^2 80°$의 값을 구하시오. [3점]

07

직선 $x-2y+3=0$이 x축의 양의 방향과 이루는 각의 크기를 θ라 할 때,

$$\cos(\pi+\theta)+\sin\left(\frac{\pi}{2}-\theta\right)+\cos\left(\frac{\pi}{2}+\theta\right)\tan(-\theta)$$

의 값은? $\left(\text{단, } 0<\theta<\frac{\pi}{2}\right)$ [3점]

① $\dfrac{\sqrt{5}}{10}$ ② $\dfrac{\sqrt{3}}{8}$ ③ $\dfrac{\sqrt{5}}{8}$

④ $\dfrac{\sqrt{3}}{6}$ ⑤ $\dfrac{\sqrt{5}}{6}$

08

함수 $y=4\sin x+\cos^2 x\ (0\le x\le\pi)$의 최댓값, 최솟값을 각각 M, m이라 할 때, $M+m$의 값을 구하시오. [3점]

09

$0\le x<2\pi$에서 방정식 $2\cos^2 x-3\sin x=0$의 모든 실근의 합은? [3점]

① $\dfrac{2}{3}\pi$ ② $\dfrac{5}{6}\pi$ ③ π

④ $\dfrac{7}{6}\pi$ ⑤ $\dfrac{4}{3}\pi$

10

모든 실수 x에 대하여 부등식 $2\cos^2 x-3\sin x+7-a\ge0$이 성립하도록 하는 모든 자연수 a의 값의 합을 구하시오. [3점]

 level up

11

함수 $f(x)=\sin 2kx$에 대하여 $y=f(x)$의 그래프가 오른쪽 그림과 같을 때, $f(\alpha+\beta+\gamma+\delta)$의 값을 구하시오. (단, $k>0$이고 점선은 x축 또는 y축과 평행하다.) [3점]

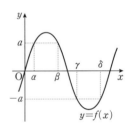

12

두 함수 $f(x)=\sqrt{1-\sin^2\pi x}$, $g(x)=x^2$에 대하여 방정식 $f(x)=g(x)$의 실근의 개수를 구하시오. [3점]

참 중요한학습 **point**

 기출 best

best **1** 사인법칙

best **2** 코사인법칙

best **3** 삼각형의 넓이

 기출 분석

2015 교육과정에서 다시 포함된 내용이다. 사인법칙, 코사인법칙을 이용한 변의 길이, 삼각형의 넓이는 매우 중요한 내용이므로 수능에서 출제 확률이 높을 것으로 예상된다.

level up

• 사인법칙의 실생활 활용
• 사각형의 넓이

중요개념

1. 사인법칙

(1) 사인법칙

△ABC의 외접원의 반지름의 길이를 R라 하면

$$\frac{a}{\sin A}=\frac{b}{\sin B}=\frac{c}{\sin C}=2R$$

(2) 사인법칙의 변형

① $a=2R\sin A$, $b=2R\sin B$, $c=2R\sin C$

② $\sin A=\dfrac{a}{2R}$, $\sin B=\dfrac{b}{2R}$, $\sin C=\dfrac{c}{2R}$

③ $a:b:c=\sin A:\sin B:\sin C$

참고 • 사인법칙
　　⇨ 두 각의 크기와 한 변의 길이를 알 때 나머지 변의 길이를 구할 때 이용
　　• 사인법칙의 변형
　　⇨ 삼각형의 세 변의 길이는 그 대각의 사인 값에 비례한다는 것을 의미한다.

2. 코사인법칙

(1) 코사인법칙

삼각형 ABC에서

$a^2=b^2+c^2-2bc\cos A$,
$b^2=c^2+a^2-2ca\cos B$,
$c^2=a^2+b^2-2ab\cos C$

(2) 코사인법칙의 변형

$\cos A=\dfrac{b^2+c^2-a^2}{2bc}$, $\cos B=\dfrac{c^2+a^2-b^2}{2ca}$,

$\cos C=\dfrac{a^2+b^2-c^2}{2ab}$

참고 • 코사인법칙
　　⇨ 두 변의 길이와 그 끼인각의 크기를 알고 다른 한 변의 길이를 구할 때 이용
　　• 코사인법칙의 변형
　　⇨ 세 변의 길이를 알고 한 각의 크기를 구할 때 이용

3. 삼각형의 넓이

삼각형 ABC의 넓이를 S라 하면

(1) 두 변의 길이와 그 끼인각의 크기를 알 때

$$S=\frac{1}{2}ab\sin C=\frac{1}{2}bc\sin A=\frac{1}{2}ca\sin B$$

(2) 세 변의 길이 a, b, c를 알 때

$$S=\sqrt{s(s-a)(s-b)(s-c)}\left(단,\ s=\frac{a+b+c}{2}\right) \leftarrow 헤론의 공식$$

(3) 내접원의 반지름의 길이 r를 알 때

$$S=\frac{1}{2}r(a+b+c)$$

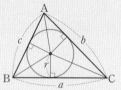

(4) 외접원의 반지름의 길이 R를 알 때

$$S=\frac{abc}{4R}=2R^2\sin A\sin B\sin C$$

4. 사각형의 넓이

(1) 평행사변형의 넓이

이웃하는 두 변의 길이가 a, b이고 그 끼인각의 크기가 θ인 평행사변형의 넓이 S는

$$S=ab\sin\theta$$

(2) 사각형의 넓이

두 대각선의 길이가 a, b이고 그 끼인각의 크기가 θ인 사각형의 넓이 S는

$$S=\frac{1}{2}ab\sin\theta$$

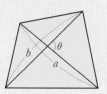

01

△ABC에서 $\overline{AC}=4\,cm$, $A=75°$, $B=45°$일 때, $\overline{AB}$의 길이는?

[3점]

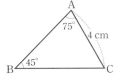

① $2\sqrt{6}\,cm$　　② $6\,cm$

③ $3\,cm$　　④ $5\,cm$　　⑤ $6\sqrt{2}\,cm$

02

△ABC에서 $a=4$, $A=30°$일 때, 외접원의 반지름의 길이 R를 구하시오.

[3점]

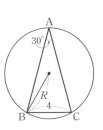

03

△ABC에서 $A:B:C=1:2:3$일 때, $a:b:c$는? [3점]

① $1:\sqrt{2}:3$　　② $1:\sqrt{3}:2$　　③ $2:\sqrt{2}:3$

④ $2:\sqrt{3}:1$　　⑤ $\sqrt{2}:\sqrt{3}:1$

04

△ABC에서 $b=8$, $c=7$, $A=120°$일 때, a의 값을 구하시오. [3점]

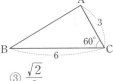

05

△ABC에서 $\overline{AC}=3$, $\overline{BC}=6$, $C=60°$일 때, $\cos A$의 값은?

[3점]

① 0　　② $\dfrac{1}{2}$　　③ $\dfrac{\sqrt{2}}{2}$

④ $\dfrac{\sqrt{3}}{2}$　　⑤ 1

06

그림과 같이 $A=120°$, $\overline{AB}=2$, $\overline{BC}=\sqrt{19}$인 △ABC의 넓이는?

[3점]

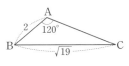

① $\dfrac{3\sqrt{3}}{2}$　　② $2\sqrt{5}$

③ $\dfrac{3\sqrt{6}}{2}$　　④ $2\sqrt{6}$　　⑤ $\dfrac{3\sqrt{5}}{2}$

기출유형 01 사인법칙─각과 변의 관계

그림과 같은 삼각형 ABC에서 선분 AC의 길이는? [3점]

① $\dfrac{49\sqrt{6}}{2}$ ② $\dfrac{50\sqrt{6}}{3}$ ③ $\dfrac{51\sqrt{6}}{4}$

④ $\dfrac{52\sqrt{6}}{5}$ ⑤ $\dfrac{53\sqrt{6}}{6}$

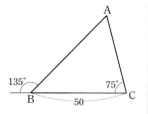

Act ①
삼각형의 내각의 합에서 A를 구한 다음 사인법칙을 이용한다.

해결의 실마리

삼각형 ABC에서

$$\frac{a}{\sin A}=\frac{b}{\sin B}=\frac{c}{\sin C}$$

> 사인법칙은 두 각의 크기와 한 변의 길이를 알 때 나머지 변의 길이를 구할 때 이용한다.

01

그림과 같이 두 지점 A, B에서 C지점을 바라본 각을 측정하였더니 각각 $\angle CAB=75°$, $\angle CBA=45°$이었다. 두 지점 A, B 사이의 거리가 6 m일 때, 두 지점 A, C 사이의 거리는? [3점]

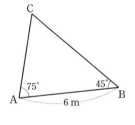

① $2\sqrt{3}\,\text{m}$ ② $2\sqrt{5}\,\text{m}$ ③ $2\sqrt{6}\,\text{m}$
④ $3\sqrt{3}\,\text{m}$ ⑤ $4\sqrt{2}\,\text{m}$

02

그림과 같은 예각삼각형 ABC에서 $b=2$, $c=\sqrt{3}$, $C=45°$일 때, a의 값은? [3점]

① $1+\sqrt{2}$ ② $1+\sqrt{3}$
③ $2\sqrt{3}$ ④ $2+\sqrt{2}$
⑤ $2+\sqrt{3}$

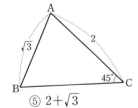

03

그림과 같은 직각삼각형 ABC에서 $\overline{AC}$의 길이는? [3점]

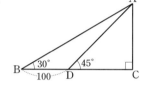

① $40(\sqrt{3}+1)$
② $45(\sqrt{3}+1)$
③ $50(\sqrt{3}+1)$
④ $55(\sqrt{3}+1)$
⑤ $60(\sqrt{3}+1)$

04

그림과 같은 직각삼각형 ABC에서 $\overline{BC}$의 길이를 구하시오. (단, $\sin 10°=0.17$, $\sin 20°=0.34$로 계산한다.) [3점]

기출유형 02 사인법칙 - 외접원과의 관계

그림과 같이 반지름의 길이가 3인 원 O가 있다. 호 AB에 대한 원주각의 크기가 60°일 때, 선분 AB의 길이는? [3점]

① $\sqrt{3}$ ② 2   ③ 3

④ $2\sqrt{3}$ ⑤ $3\sqrt{3}$

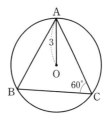

Act ❶
△ABC의 외접원의 반지름의 길이를 R라 할 때, $\dfrac{c}{\sin C} = 2R$임을 이용한다.

해결의 실마리

오른쪽 그림에서 삼각형 ABC의 외접원의 반지름의 길이를 R라 하면 원주각의 성질에 의하여 $A = A'$이므로

$$\sin A = \frac{a}{2R},\ \sin B = \frac{b}{2R},\ \sin C = \frac{c}{2R} \Rightarrow \frac{a}{\sin A} = \frac{b}{\sin B} = \frac{c}{\sin C} = 2R$$

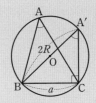

05

삼각형 ABC에서 $A = 30°$, $a = 3$일 때, 외접원의 반지름의 길이는? [2점]

① 1   ② 2   ③ 3

④ 4   ⑤ 5

07

그림과 같이 $B = 60°$이고 $\overline{AC} = 6$인 삼각형 ABC의 꼭짓점 A에서 $\overline{BC}$에 내린 수선이 삼각형 ABC의 외접원과 만나는 점을 D라 할 때, $\overline{BD}$의 길이는? [3점]

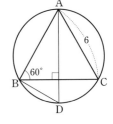

① $\sqrt{3}$ ② 2

③ 3   ④ $2\sqrt{3}$ ⑤ $3\sqrt{3}$

06

그림과 같이 반지름의 길이가 9인 원 O에 내접하는 삼각형 ABC에 대하여 $\overline{BC} = 9\sqrt{3}$일 때, $\sin(B+C)$의 값은? [3점]

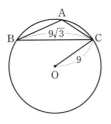

① $\dfrac{1}{2}$ ② $\dfrac{\sqrt{2}}{2}$

③ $\dfrac{\sqrt{3}}{2}$ ④ $\dfrac{\sqrt{2}}{3}$ ⑤ $\dfrac{\sqrt{3}}{3}$

08

[2013학년도 교육청]

그림과 같이 넓이가 100π이고 중심이 O인 원 위의 두 점 A, B에 대하여 호 AB의 길이는 반지름의 길이의 2배이다. 선분 AB의 길이는? (단, 호 AB에 대한 중심각의 크기는 $0 < \theta < \pi$이다.) [4점]

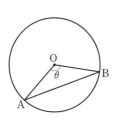

① 18sin 1   ② 20sin 1   ③ 22sin 1

④ 18sin 2   ⑤ 20sin 2

삼각형 ABC에서 $(a+b):(b+c):(c+a)=6:7:5$일 때, $\sin A:\sin B:\sin C$는? [3점]

① $1:3:2$ ② $1:4:2$ ③ $2:4:3$ ④ $2:5:4$ ⑤ $3:6:4$

Act ①

$\sin A:\sin B:\sin C$는 △ABC의 세 변의 길이의 비 $a:b:c$와 같음을 이용한다.

해결의 실마리

삼각형 ABC에서

$a:b:c=2R\sin A:2R\sin B:2R\sin C$ ← $\sin A=\dfrac{a}{2R}$, $\sin B=\dfrac{b}{2R}$, $\sin C=\dfrac{c}{2R}$

$\qquad\quad=\sin A:\sin B:\sin C$

[주의] $a:b:c\neq A:B:C$

사인법칙의 변형은 삼각형의 세 변의 길이는 그 대각의 사인 값에 비례한다는 것을 의미한다.

09

삼각형 ABC에서 $\dfrac{a+b}{4}=\dfrac{b+c}{5}=\dfrac{c+a}{3}$일 때,

$\sin A:\sin B:\sin C$는? [3점]

① $1:3:2$ ② $1:4:2$ ③ $2:4:1$
④ $2:4:3$ ⑤ $4:1:2$

11

삼각형 ABC에서

$\sin(A+B):\sin(B+C):\sin(C+A)=5:4:7$일 때, $a:b:c$는? [3점]

① $4:2:3$ ② $4:3:2$ ③ $4:5:7$
④ $4:7:5$ ⑤ $5:4:7$

10

삼각형 ABC의 세 변의 길이 a, b, c가 $a-2b+c=0$, $a+b-2c=0$을 만족시킬 때, $\sin A:\sin B:\sin C$는? [3점]

① $1:1:1$ ② $1:1:2$ ③ $1:2:1$
④ $2:1:1$ ⑤ $2:1:2$

12

삼각형 ABC에서 $A:B:C=1:1:2$일 때 $a:b:c$는? [3점]

① $1:1:\sqrt{2}$ ② $\sqrt{2}:\sqrt{2}:1$ ③ $1:1:\sqrt{3}$
④ $\sqrt{3}:\sqrt{3}:1$ ⑤ $1:1:\sqrt{6}$

기출유형 **04** 코사인법칙

그림에서 $\overline{AB}=6$, $\overline{AC}=8$, $A=60°$일 때, 삼각형 ABC의 외접원의 반지름의 길이는? [3점]

① $\dfrac{2\sqrt{39}}{3}$ ② $\dfrac{3\sqrt{39}}{4}$ ③ $\dfrac{4\sqrt{39}}{5}$

④ $\dfrac{5\sqrt{39}}{6}$ ⑤ $\dfrac{6\sqrt{39}}{7}$

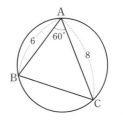

Act ①

코사인법칙을 이용하여 나머지 한 변의 길이를 구하고 사인법칙을 이용하여 외접원의 반지름의 길이를 구한다.

해결의 실마리

삼각형 ABC에서

$a^2=b^2+c^2-2bc\cos A$, $b^2=c^2+a^2-2ca\cos B$, $c^2=a^2+b^2-2ab\cos C$

코사인법칙은 두 변의 길이와 그 끼인각의 크기를 알고 다른 한 변의 길이를 구할 때 이용한다.

13

그림과 같이 C지점에서 나무 A, B까지의 거리는 각각 10 m, 12 m이고 $\angle$ACB$=60°$이다. A, B 사이의 거리는? [3점]

① $2\sqrt{31}$ m   ② $3\sqrt{29}$ m

③ $4\sqrt{23}$ m   ④ $5\sqrt{19}$ m

⑤ $6\sqrt{13}$ m

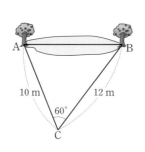

15

[2007학년도 교육청]

그림과 같이 반지름의 길이가 R인 원 O에 내접하는 삼각형 ABC가 있다. $\overline{AB}=5$, $\overline{AC}=6$, $\cos A=\dfrac{3}{5}$일 때, $16R$의 값을 구하시오.

[4점]

14

[2008학년도 교육청]

원 모양의 호수의 넓이를 구하기 위해 호수의 가장자리의 세 지점 A, B, C에서 거리와 각을 측정한 결과가 $\overline{AB}=80$ m, $\overline{AC}=100$ m, $\angle$CAB$=60°$이었다. 이때 이 호수의 넓이는? [4점]

① 2400π m^2 ② 2500π m^2 ③ 2600π m^2

④ 2700π m^2 ⑤ 2800π m^2

16

[2014학년도 교육청]

그림과 같이 원에 내접하는 사각형 ABCD가 $\overline{AB}=10$, $\overline{AD}=2$, $\cos(\angle BCD)=\dfrac{3}{5}$을 만족시킨다. 이 원의 넓이가 $a\pi$일 때, a의 값을 구하시오. [4점]

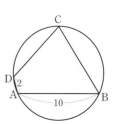

그림과 같은 삼각형 ABC에서 $\overline{AC}$의 길이는? [3점]

① $2\sqrt{10}$　　② $2\sqrt{11}$　　③ $4\sqrt{3}$

④ $2\sqrt{13}$　　⑤ $2\sqrt{14}$

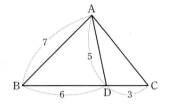

Act ❶

코사인법칙을 이용하여 $\triangle ABD$에서 $\cos B$의 값을 구한 다음, $\triangle ABC$에서 $\overline{AC}$의 길이를 구한다.

해결의 실마리

코사인법칙의 변형 : 코사인법칙에서

$$\cos A = \frac{b^2+c^2-a^2}{2bc}, \ \cos B = \frac{c^2+a^2-b^2}{2ca}, \ \cos C = \frac{a^2+b^2-c^2}{2ab}$$

코사인법칙의 변형은 세 변의 길이를 알고 한 각의 크기를 구할 때 이용한다.

17

그림과 같은 삼각형 ABC에서 $\overline{AD}$의 길이의 제곱의 값은? [3점]

① $\dfrac{67}{3}$　　② $\dfrac{69}{5}$

③ $\dfrac{71}{7}$　　④ $\dfrac{73}{9}$

⑤ $\dfrac{75}{11}$

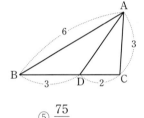

19

삼각형 ABC에서 $\sin A : \sin B : \sin C = 5:6:7$일 때, $\cos A \cos C$의 값은? [3점]

① $\dfrac{1}{7}$　　② $\dfrac{1}{6}$　　③ $\dfrac{1}{5}$

④ $\dfrac{19}{35}$　　⑤ $\dfrac{32}{35}$

18

삼각형 ABC에서 세 변 a, b, c의 길이의 비가 $a:b:c=2:3:4$일 때, $\cos C$의 값은? [3점]

① $-\dfrac{1}{2}$　　② $-\dfrac{1}{4}$　　③ 0

④ $\dfrac{1}{4}$　　⑤ $\dfrac{1}{2}$

20

[2001학년도 수능]

$\triangle ABC$에서 $6\sin A = 2\sqrt{3}\sin B = 3\sin C$가 성립할 때, $\angle A$의 크기는? [3점]

① $120°$　　② $90°$　　③ $60°$

④ $45°$　　⑤ $30°$

기출유형 06 | 삼각형의 모양 결정

삼각형 ABC에서 $\sin^2 A + \sin^2 B = \sin^2 C$일 때, 이 삼각형은 어떤 삼각형인가? [3점]

① 정삼각형
② $a=b$인 이등변삼각형
③ $c=a$인 이등변삼각형
④ $B=90°$인 직각삼각형
⑤ $C=90°$인 직각삼각형

Act ❶
삼각형의 모양을 알아볼 때에는 사인법칙과 코사인법칙을 이용하여 세 변의 길이에 대한 관계식을 구해 모양을 판별한다.

해결의 실마리

삼각형 ABC의 모양을 알아볼 때에는 세 변의 길이에 대한 관계식을 알아본다.

① (i) 사인에 대한 식은 ⇨ $\sin A = \dfrac{a}{2R}$, $\sin B = \dfrac{b}{2R}$, $\sin C = \dfrac{c}{2R}$를 관계식에 대입한다.

  (ii) 코사인에 대한 식은 ⇨ 코사인법칙의 변형을 이용하여 a, b, c에 대한 식으로 나타낸다.

② a, b, c에 대한 식을 정리하여 삼각형의 모양을 판단한다.

21

삼각형 ABC에서 $a \sin^2 A = b \sin^2 B$일 때, 이 삼각형은 어떤 삼각형인가? [3점]

① 정삼각형
② $a=b$인 이등변삼각형
③ $b=c$인 이등변삼각형
④ $A=90°$인 직각삼각형
⑤ $B=90°$인 직각삼각형

23

삼각형 ABC에서 $2\cos B \sin C = \sin A$일 때, 이 삼각형은 어떤 삼각형인가? [3점]

① 정삼각형
② $a=b$인 이등변삼각형
③ $b=c$인 이등변삼각형
④ $A=90°$인 직각삼각형
⑤ $B=90°$인 직각삼각형

22

삼각형 ABC에서 $a \cos C - c \cos A = b$일 때, 이 삼각형은 어떤 삼각형인가? [3점]

① $A=90°$인 직각삼각형
② $B=90°$인 직각삼각형
③ $C=90°$인 직각삼각형
④ $a=b$인 이등변삼각형
⑤ $a=c$인 이등변삼각형

24

삼각형 ABC에서 $\sin A = \sin B \cos C$일 때, 이 삼각형은 어떤 삼각형인가? [3점]

① $A=90°$인 직각삼각형
② $B=90°$인 직각삼각형
③ $C=90°$인 직각삼각형
④ $a=b$인 이등변삼각형
⑤ $a=c$인 이등변삼각형

삼각형 ABC에서 $A=120°$, $B=30°$이고 외접원의 반지름의 길이가 4일 때, 삼각형 ABC의 넓이는? [3점]

Act❶
사인법칙을 이용하여 a, b의 값을 구한 다음
$\triangle ABC = \frac{1}{2}ab\sin C$임을 이용한다.

① $2\sqrt{10}$ ② $2\sqrt{11}$ ③ $4\sqrt{3}$ ④ $2\sqrt{13}$ ⑤ $2\sqrt{14}$

해결의 실마리

삼각형 ABC의 넓이를 S라 하면

(1) 두 변의 길이와 그 끼인각의 크기를 알 때 ⇨ $S=\frac{1}{2}ab\sin C=\frac{1}{2}bc\sin A=\frac{1}{2}ca\sin B$

(2) 세 변의 길이 a, b, c를 알 때 ⇨ $S=\sqrt{s(s-a)(s-b)(s-c)}$ $\left(\text{단, } s=\frac{a+b+c}{2}\right)$ ← 헤론의 공식

(3) 내접원의 반지름의 길이 r를 알 때 ⇨ $S=\frac{1}{2}r(a+b+c)$ **(4)** 외접원의 반지름의 길이 R를 알 때 ⇨ $S=\frac{abc}{4R}=2R^2\sin A\sin B\sin C$

25
$a=5$, $b=3\sqrt{2}$, $A=45°$인 삼각형 ABC의 넓이는? [3점]

① $\dfrac{17}{2}$ ② 9 ③ $\dfrac{19}{2}$

④ 10 ⑤ $\dfrac{21}{2}$

27
삼각형 ABC에서 두 변의 길이가 2, 4이고 그 끼인각의 크기가 60°일 때, 이 삼각형의 내접원의 반지름의 길이는? [3점]

① $\sqrt{3}$ ② $\sqrt{2}-1$ ③ $\sqrt{3}-1$

④ $2\sqrt{2}-2$ ⑤ $2\sqrt{3}-2$

26
[2002학년도 교육청]

△ABC에서 $\overline{AB}=2\sqrt{2}$, $\overline{BC}=16$이고 그 넓이가 16일 때, 이 삼각형의 외접원의 반지름의 길이를 구하시오. (단, $A>90°$) [3점]

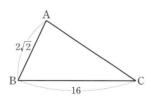

28
세 변의 길이가 9, 10, 11인 삼각형 ABC에서 내접원의 반지름의 길이는? [3점]

① $\sqrt{2}$ ② $\sqrt{3}$ ③ $\sqrt{6}$

④ $2\sqrt{2}$ ⑤ $2\sqrt{3}$

기출유형 **08** 사각형의 넓이

[2019학년도 교육청]

그림과 같이 $\overline{AP}=2$, $\overline{BP}=4$, $\overline{CP}=6$, $\overline{DP}=3$, $\overline{AB}=4$일 때, 사각형 ABCD의 넓이는? [3점]

① $3\sqrt{23}$ ② $4\sqrt{21}$ ③ $5\sqrt{19}$
④ $6\sqrt{17}$ ⑤ $7\sqrt{15}$

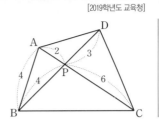

Act ①

두 대각선의 길이가 a, b이고 그 끼인각의 크기가 θ인 사각형의 넓이 S는 $S=\dfrac{1}{2}ab\sin\theta$임을 이용한다.

해결의 실마리

(1) 이웃하는 두 변의 길이가 a, b이고 그 끼인각의 크기가 θ인 평행사변형의 넓이 S는 $\Rightarrow S=ab\sin\theta$

(2) 두 대각선의 길이가 a, b이고 그 끼인각의 크기가 θ인 사각형의 넓이 S는 $\Rightarrow S=\dfrac{1}{2}ab\sin\theta$

(3) 일반 사각형의 넓이는 $\Rightarrow$ 사각형을 여러 개의 삼각형으로 나누어 각각의 넓이를 구하여 더한다.

29

그림과 같이 $\overline{AB}=\sqrt{3}$, $\overline{AC}=\sqrt{7}$, $B=30°$인 평행사변형 ABCD의 넓이는? [3점]

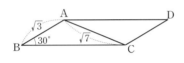

① $\sqrt{2}$ ② $\sqrt{3}$ ③ $\sqrt{6}$
④ $2\sqrt{2}$ ⑤ $2\sqrt{3}$

31

그림과 같이 원 O에 내접하는 사각형 ABCD에서 $\overline{AB}=6$, $\overline{BC}=10$, $\overline{CD}=5$, $\overline{DA}=4$, $\angle ABC=45°$일 때, 이 사각형의 넓이는? [3점]

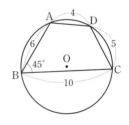

① $16\sqrt{2}$ ② $17\sqrt{2}$
③ $18\sqrt{2}$ ④ $19\sqrt{2}$
⑤ $20\sqrt{2}$

30

그림과 같이 $\angle APB=30°$인 등변사다리꼴 ABCD의 넓이가 64일 때, 선분 AC의 길이를 구하시오. [3점]

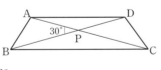

32

그림과 같이 $\overline{AB}=5$, $\overline{BC}=8$, $\overline{CD}=\overline{DA}=3$이고, $A=120°$인 사각형 ABCD의 넓이는? [3점]

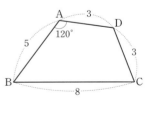

① $\dfrac{39\sqrt{3}}{3}$ ② $\dfrac{39\sqrt{3}}{4}$
③ $\dfrac{39\sqrt{3}}{5}$ ④ $\dfrac{39\sqrt{3}}{6}$ ⑤ $\dfrac{39\sqrt{3}}{7}$

01

삼각형 ABC에서 $b=4$, $A=75°$, $B=45°$일 때, c의 값은? [3점]

① $2\sqrt{2}$ ② $2\sqrt{3}$ ③ $2\sqrt{6}$
④ $3\sqrt{2}$ ⑤ $3\sqrt{3}$

02

삼각형 ABC에서 $A=60°$, $a=9$일 때, 원 O의 반지름의 길이는? [3점]

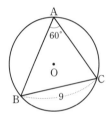

① $2\sqrt{2}$ ② $2\sqrt{3}$
③ $2\sqrt{6}$ ④ $3\sqrt{2}$
⑤ $3\sqrt{3}$

03

반지름의 길이가 6인 원에 내접하는 정삼각형의 한 변의 길이는? [3점]

① $5\sqrt{3}$ ② $\dfrac{11\sqrt{3}}{2}$ ③ $6\sqrt{3}$
④ $\dfrac{13\sqrt{3}}{2}$ ⑤ $7\sqrt{3}$

04

삼각형 ABC에서 $\sin A : \sin B : \sin C = 2:5:3$일 때, $a:b:c$는? [2점]

① $1:3:2$ ② $1:4:3$ ③ $2:4:3$
④ $2:5:3$ ⑤ $3:6:5$

05

삼각형 ABC의 세 변의 길이 a, b, c가 $a-2b+c=0$, $3a+b-2c=0$을 만족시킬 때, $\sin A : \sin B : \sin C$는? [3점]

① $3:5:7$ ② $3:7:5$ ③ $5:3:7$
④ $5:7:3$ ⑤ $7:3:5$

06

삼각형 ABC에서 $b=6$, $c=4$, $A=120°$일 때, a^2의 값은? [3점]

① 72 ② 73 ③ 74
④ 75 ⑤ 76

07

삼각형 ABC에서 $3\sin A = 4\sin B = 6\sin C$가 성립할 때, $\cos B$의 값은? [3점]

① $\dfrac{11}{16}$ 　　② $\dfrac{3}{4}$ 　　③ $\dfrac{13}{16}$

④ $\dfrac{7}{8}$ 　　⑤ $\dfrac{15}{16}$

08

삼각형 ABC에서 $\cos^2 A - \cos^2 B - \cos^2 C = -1$이 성립할 때, 이 삼각형은 어떤 삼각형인가? [3점]

① 정삼각형
② 둔각삼각형
③ $a=b$인 이등변삼각형
④ $A=90°$인 직각삼각형
⑤ $B=90°$인 직각삼각형

09

삼각형 ABC에서 $a=6$, $b+c=8$, $A=60°$일 때, 이 삼각형의 넓이는? [3점]

① $\dfrac{5\sqrt{2}}{2}$ 　　② $\dfrac{7\sqrt{2}}{2}$ 　　③ $\dfrac{5\sqrt{3}}{3}$

④ $\dfrac{7\sqrt{3}}{3}$ 　　⑤ $\dfrac{2\sqrt{5}}{5}$

10

그림과 같이 $\overline{AB}=7$, $\overline{BC}=4$, $\overline{CD}=3$, $\overline{DA}=4$, $C=90°$일 때, 삼각형 ABD의 넓이는? [3점]

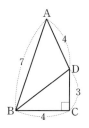

① $2\sqrt{6}$ 　　② $3\sqrt{6}$

③ $4\sqrt{6}$ 　　④ $5\sqrt{6}$

⑤ $6\sqrt{6}$

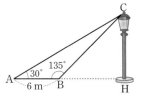

11

등대의 높이를 알아보기 위해 6 m 간격으로 떨어져 있는 일직선 위의 두 지점 A, B에서 등대의 꼭대기를 올려본 각의 크기가 30°, 135°이었다. 이 등대의 높이는? [3점]

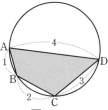

① $2+2\sqrt{3}$ m 　　② $3+3\sqrt{3}$ m 　　③ $4+4\sqrt{3}$ m

④ $5+5\sqrt{3}$ m 　　⑤ $6+6\sqrt{3}$ m

12

그림과 같이 원에 내접하는 사각형 ABCD에서 $\overline{AB}=1$, $\overline{BC}=2$, $\overline{CD}=3$, $\overline{DA}=4$일 때, 이 사각형의 넓이는? [3점]

① $2\sqrt{6}$ 　　② $3\sqrt{6}$

③ $4\sqrt{6}$ 　　④ $5\sqrt{6}$

⑤ $6\sqrt{6}$

08 등차수열과 등비수열

참 중요한학습 point

 기출 best

best **1** 등차수열

best **2** 등비수열

best **3** 수열의 합과 일반항 사이의 관계

 기출 분석

등차수열 또는 등비수열에 관한 기본적인 문제는 매년 꼭 1문항 이상이 출제되며, 수열의 합과 일반항 사이의 관계도 자주 출제된다. 기본기만 잘 다지면 쉽게 점수를 얻을 수 있는 유형이다.

level up

• 등차수열의 합과 최대 · 최소
• 등비수열의 활용

중요개념

1. 수열의 뜻

(1) 차례로 늘어놓은 수의 열을 수열이라 하고, 수열을 이루고 있는 각각의 수를 그 수열의 항이라 한다. 이때 앞에서부터 차례로 제1항, 제2항, 제3항, $\cdots$, 제n항, $\cdots$이라 한다.

(2) 일반적으로 수열을 나타낼 때에는 각 항에 번호를 붙여 a_1, a_2, a_3, $\cdots$, a_n, $\cdots$과 같이 나타낸다. 이때 n에 대한 식으로 나타낸 제n항 a_n을 그 수열의 일반항이라 하고, 일반항이 a_n인 수열을 간단히 기호로 $\{a_n\}$과 같이 나타낸다.

2. 등차수열

(1) 등차수열

① 수열의 첫째항에 차례로 일정한 수를 더하여 각 항이 얻어질 때, 이 수열을 등차수열이라 하고 그 일정한 수를 공차라 한다.
$$a_1, a_2, a_3, a_4, \cdots \quad +d \ +d \ +d \leftarrow 공차$$

② 등차수열의 일반항
첫째항이 a, 공차가 d인 등차수열 $\{a_n\}$의 일반항은
$a_n=a+(n-1)d \ (n=1, 2, 3, \cdots)$

(2) 등차중항
세 수 a, b, c가 이 순서로 등차수열을 이룰 때, b를 a와 c의 등차중항이라 한다.
이때 $b-a=c-b$이므로 $b=\dfrac{a+c}{2}$가 성립한다.

(3) 등차수열의 합
등차수열의 첫째항부터 제n항까지의 합 S_n은

① 첫째항이 a, 제n항이 l일 때, $S_n=\dfrac{n(a+l)}{2}$

② 첫째항이 a, 공차가 d일 때, $S_n=\dfrac{n\{2a+(n-1)d\}}{2}$

3. 수열의 합과 일반항 사이의 관계

수열 $\{a_n\}$의 첫째항부터 제n항까지의 합을 S_n이라 하면
$$\overbrace{a_1+a_2+\cdots+\underbrace{a_{n-1}+a_n}}^{S_n}$$
$$\quad \quad \quad \quad S_{n-1}$$
$a_1=S_1$,
$a_n=S_n-S_{n-1} \ (n=2, 3, 4, \cdots)$

4. 등비수열

(1) 등비수열

① 수열의 첫째항에 차례로 일정한 수를 곱하여 각 항이 얻어질 때, 이 수열을 등비수열이라 하고 그 일정한 수를 공비라 한다.
$$a_1, a_2, a_3, a_4, \cdots \quad \times r \ \times r \ \times r \leftarrow 공비$$

② 등비수열의 일반항
첫째항이 a, 공비가 r인 등비수열 $\{a_n\}$의 일반항은
$a_n=ar^{n-1} \ (n=1, 2, 3, \cdots)$

(2) 등비중항
0이 아닌 세 수 a, b, c가 이 순서로 등비수열을 이룰 때, b를 a와 c의 등비중항이라 한다.
이때 $\dfrac{b}{a}=\dfrac{c}{b}$이므로 $b^2=ac$가 성립한다.

(3) 등비수열의 합
첫째항이 a, 공비가 r인 등비수열의 첫째항부터 제n항까지의 합 S_n은

① $r \neq 1$일 때, $S_n=\dfrac{a(1-r^n)}{1-r}=\dfrac{a(r^n-1)}{r-1}$

② $r=1$일 때, $S_n=na$

중요개념문제

01
[2019학년도 수능 모의평가]

등차수열 $\{a_n\}$에 대하여 $a_5=5$, $a_{15}=25$일 때, a_{20}의 값을 구하시오. [3점]

02
[2008학년도 교육청]

세 수 $1-a$, 10, $2+2a$가 이 순서로 등차수열을 이룰 때, a의 값을 구하시오. [3점]

03
[2017학년도 교육청]

첫째항이 3이고 공차가 2인 등차수열 $\{a_n\}$의 첫째항부터 제10항까지의 합은? [3점]

① 80   ② 90   ③ 100
④ 110   ⑤ 120

04
[2017학년도 수능 모의평가]

첫째항이 1이고 공비가 양수인 등비수열 $\{a_n\}$에 대하여 $\dfrac{a_7}{a_5}=4$일 때, a_4의 값은? [3점]

① 6   ② 8   ③ 10
④ 12   ⑤ 14

05
[2017학년도 수능]

세 수 $\dfrac{9}{4}$, a, 4가 이 순서대로 등비수열을 이룰 때, 양수 a의 값은? [3점]

① $\dfrac{8}{3}$ ② 3   ③ $\dfrac{10}{3}$
④ $\dfrac{11}{3}$ ⑤ 4

06
[2017학년도 교육청]

등비수열 $\{a_n\}$의 첫째항부터 제n항까지의 합 S_n에 대하여 $S_3=21$, $S_6=189$일 때, a_5의 값은? [3점]

① 45   ② 48   ③ 51
④ 54   ⑤ 57

기출유형 01 등차수열

[2018학년도 교육청]

등차수열 $\{a_n\}$에 대하여 $a_6-a_2=a_4$, $a_1+a_3=20$일 때, a_{10}의 값은? [4점]

① 30   ② 35   ③ 40   ④ 45   ⑤ 50

Act ❶

항 사이의 관계가 주어진 등차수열의 일반항은 항의 관계를 첫째항 a와 공차 d에 대한 식으로 나타낸 후 두 식을 연립하여 일반항을 구한다.

해결의 실마리

(1) 첫째항이 a, 공차가 d인 등차수열의 일반항은 ⇨ $a_n=a+(n-1)d$ $(n=1, 2, 3, \cdots)$

(2) 항 사이의 관계가 주어진 등차수열의 일반항은 ⇨ 주어진 항 또는 항의 관계를 첫째항 a와 공차 d에 대한 식으로 나타낸 후 두 식을 연립하여 일반항을 구한다.

01

[2016학년도 수능 모의평가]

첫째항이 2인 등차수열 $\{a_n\}$이 $a_7+a_{11}=20$을 만족시킬 때, a_{10}의 값을 구하시오. [3점]

03

[2018학년도 수능 모의평가]

첫째항과 공차가 같은 등차수열 $\{a_n\}$이 $a_2+a_4=24$를 만족시킬 때, a_5의 값을 구하시오. [3점]

02

[2016학년도 수능]

첫째항이 2인 등차수열 $\{a_n\}$에 대하여 $2(a_2+a_3)=a_9$일 때, 수열 $\{a_n\}$의 공차를 구하시오. [3점]

04

[2017학년도 수능]

공차가 양수인 등차수열 $\{a_n\}$이 다음 조건을 만족시킬 때, a_2의 값은? [4점]

(가) $a_6+a_8=0$	(나) $\lvert a_6 \rvert = \lvert a_7 \rvert +3$

① -15 ② -13 ③ -11

④ -9 ⑤ -7

기출유형 02 등차중항

두 실수 x, y에 대하여 3, x, 12, y, 21, …이 이 순서대로 등차수열을 이룰 때, $x+y$의 값은?
[3점]

Act①
x는 3과 12의 등차중항이고 y는 12와 21의 등차중항임을 이용한다.

① 20   ② 21   ③ 22   ④ 23   ⑤ 24

해결의 실마리

세 수 a, b, c가 이 순서대로 등차수열을 이룰 때, b는 a와 c의 등차중항

⇨ $b = \dfrac{a+c}{2}$

05

다섯 개의 수 1, a, b, c, 15가 이 순서대로 등차수열을 이룰 때, $a+b+c$의 값을 구하시오. [3점]

07

[2015학년도 교육청]

양의 실수 x에 대하여 $f(x)=\log x$이고 세 실수 $f(3)$, $f(3^t+3)$, $f(12)$가 이 순서대로 등차수열을 이룰 때, 실수 t의 값은? [3점]

① $\dfrac{1}{4}$ ② $\dfrac{1}{2}$ ③ $\dfrac{3}{4}$

④ 1   ⑤ $\dfrac{5}{4}$

06

등차수열 $\left\{\dfrac{1}{a_n}\right\}$에 대하여 a_7과 a_9가 이차방정식 $8x^2-6x+1=0$의 두 근일 때, a_8의 값은? [3점]

① $-\dfrac{2}{3}$ ② $-\dfrac{1}{3}$ ③ $-\dfrac{1}{2}$

④ $\dfrac{1}{3}$ ⑤ $\dfrac{2}{3}$

08

[2017학년도 교육청]

1보다 큰 세 자연수 a, b, c에 대하여 세 수 $\log a$, $\log b$, $\log c$가 이 순서대로 공차가 자연수인 등차수열을 이룬다. $\log abc = 15$일 때, $\log \dfrac{ac^2}{b}$의 최댓값은? [4점]

① 11   ② 12   ③ 13

④ 14   ⑤ 15

등차수열 $\{a_n\}$에 대하여 $a_3+a_5=14$, $a_4+a_6=18$일 때, 수열 $\{a_n\}$의 첫째항부터 제10항까지의 합을 구하시오. [3점]

Act ❶
항 사이의 관계에서 첫째항과 공차를 구해 등차수열의 합 공식에 대입한다.

해결의 실마리

첫째항이 a, 제n항이 l, 공차가 d인 등차수열의 첫째항부터 제n항까지의 합을 S_n이라 할 때

① 첫째항과 제n항이 주어지면 ⇨ $S_n=\dfrac{n(a+l)}{2}$

② 첫째항과 공차가 주어지면 ⇨ $S_n=\dfrac{n\{2a+(n-1)d\}}{2}$

09
[2014학년도 교육청]

등차수열 $\{a_n\}$에 대하여 $a_1=2$, $a_{100}-a_{98}=6$일 때, $a_1+a_2+a_3+\cdots+a_{10}$의 값은? [3점]

① 155   ② 158   ③ 161

④ 164   ⑤ 167

11
[2014학년도 교육청]

등차수열 $\{a_n\}$에 대하여 $a_3=26$, $a_9=8$일 때, 첫째항부터 제n항까지의 합이 최대가 되도록 하는 자연수 n의 값은? [3점]

① 11   ② 12   ③ 13

④ 14   ⑤ 15

10
[2013학년도 교육청]

첫째항이 1인 등차수열 $\{a_n\}$이 다음 조건을 만족시킨다.

> (가) $a_2+a_6+a_{10}=8$
> (나) $a_1+a_2+a_3+\cdots+a_n=25$

이때 n의 값을 구하시오. [4점]

12

등차수열 $\{a_n\}$에 대하여 $a_2+a_4+a_6=24$, $a_3+a_6+a_9=12$이다. 첫째항부터 제n항까지의 합을 S_n이라 할 때, S_n의 최댓값은? [3점]

① 36   ② 48   ③ 56

④ 64   ⑤ 72

기출유형 04 등비수열

[2017학년도 수능 모의평가]

모든 항이 양수인 등비수열 $\{a_n\}$에 대하여 $a_1=3$, $\dfrac{a_4 a_5}{a_2 a_3}=16$일 때, a_6의 값을 구하시오. [3점]

Act ①
항 사이의 관계에서 주어진 등비수열의 공비를 구한다.

해결의 실마리

(1) 첫째항이 a, 공비가 r인 등비수열의 일반항은 ⇨ $a_n=ar^{n-1}$ $(n=1, 2, 3, \cdots)$

(2) 항 사이의 관계가 주어진 등비수열의 일반항은 ⇨ 주어진 항 또는 항의 관계를 첫째항 a와 공비 r에 대한 식으로 나타낸 후 두 식을 연립하여 일반항을 구한다.

13

[2020학년도 수능]

모든 항이 양수인 등비수열 $\{a_n\}$에 대하여 $\dfrac{a_{16}}{a_{14}}+\dfrac{a_8}{a_7}=12$

일 때, $\dfrac{a_3}{a_1}+\dfrac{a_6}{a_3}$의 값을 구하시오. [3점]

15

[2015학년도 교육청]

모든 항이 양수인 등비수열 $\{a_n\}$에 대하여 $a_1 \times a_9=8$일 때, $a_2 \times a_5 \times a_8$의 값은? [3점]

① $10\sqrt{2}$ ② $12\sqrt{2}$ ③ $14\sqrt{2}$

④ $16\sqrt{2}$ ⑤ $18\sqrt{2}$

14

[2016학년도 수능 모의평가]

공비가 0이 아닌 등비수열 $\{a_n\}$에 대하여 $a_1=4$, $3a_5=a_7$일 때, a_3의 값을 구하시오. [3점]

16

5와 80 사이에 세 개의 양수를 넣어 다섯 개의 수 전체가 등비수열이 되도록 할 때, 이 세 수의 합은? [3점]

① 60   ② 70   ③ 80

④ 90   ⑤ 100

[2016학년도 교육청]

세 수 $a+10$, a, 5가 이 순서대로 등비수열을 이루도록 하는 양수 a의 값을 구하시오. [3점]

Act ①

a는 $a+10$과 5의 등비중항임을 이용한다.

해결의 실마리

세 수 a, b, c가 이 순서대로 등비수열을 이룰 때, b는 a와 c의 등비중항 $\Rightarrow b^2=ac$

17

[2018학년도 교육청]

두 양수 a, b에 대하여 세 수 a^2, 12, b^2이 이 순서대로 등비수열을 이룰 때, $a \times b$의 값을 구하시오. [3점]

19

[2014학년도 교육청]

그림과 같이 좌표평면 위의 두 원 $C_1 : x^2+y^2=1$, $C_2 : (x-1)^2+y^2=r^2 \,(0<r<\sqrt{2})$ 이 제1사분면에서 만나는 점을 P라 하자. 원 C_1이 x축과 만나는 점 중에서 x좌표가 0보다 작은 점을 Q, 원 C_2가 x축과 만나는 점 중에서 x좌표가 1보다 큰 점을 R라 하자. $\overline{OP}$, $\overline{OR}$, $\overline{QR}$가 이 순서대로 등비수열을 이룰 때, 원 C_2의 반지름의 길이는? (단, O는 원점이다.) [3점]

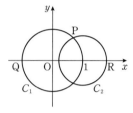

① $\dfrac{-2+\sqrt{5}}{2}$ ② $\dfrac{2-\sqrt{3}}{2}$ ③ $\dfrac{-1+\sqrt{3}}{2}$

④ $\dfrac{-1+\sqrt{5}}{2}$ ⑤ $\dfrac{3-\sqrt{3}}{2}$

18

[2016학년도 교육청]

모든 항이 양수인 등비수열 $\{a_n\}$에 대하여 $a_2=2$, $a_4=18$일 때, a_3의 값은? [3점]

① 3   ② 6   ③ 9
④ 12   ⑤ 15

20

[2017학년도 교육청]

유리함수 $f(x)=\dfrac{k}{x}$와 $a<b<12$인 두 자연수 a, b에 대하여 $f(a)$, $f(b)$, $f(12)$가 이 순서대로 등비수열을 이룬다. $f(a)=3$일 때, $a+b+k$의 값은? (단, k는 상수이다.) [4점]

① 10   ② 12   ③ 14
④ 16   ⑤ 18

기출유형 06 등비수열의 합

[2019학년도 교육청]

등비수열 $\{a_n\}$에 대하여 첫째항부터 제3항까지의 합이 26, 첫째항부터 제6항까지의 합이 728일 때, a_5의 값은? [3점]

Act①
주어진 조건을 첫째항 a와 공비 r에 대한 식으로 나타낸 후 두 식을 연립하여 푼다.

① 162   ② 168   ③ 170   ④ 174   ⑤ 178

해결의 실마리

첫째항이 a, 공비가 r인 등비수열의 첫째항부터 제n항까지의 합을 S_n이라 하면

① $r \neq 1$일 때 $\Rightarrow S_n = \dfrac{a(1-r^n)}{1-r} = \dfrac{a(r^n-1)}{r-1}$

② $r = 1$일 때 $\Rightarrow S_n = na$

21

공비가 실수인 등비수열 $\{a_n\}$에 대하여 $a_1 + a_4 = 3$, $a_4 + a_7 = 81$이 성립할 때, 첫째항부터 제5항까지의 합 S_5의 값은? [3점]

① $\dfrac{363}{22}$ ② $\dfrac{363}{25}$ ③ $\dfrac{363}{28}$

④ $\dfrac{363}{31}$ ⑤ $\dfrac{363}{34}$

22

공비가 실수인 등비수열 $\{a_n\}$에서 첫째항부터 제3항까지의 합이 7이고, 첫째항부터 제6항까지의 합이 63일 때, a_7을 구하시오. [3점]

23

공비가 음수인 등비수열 $\{a_n\}$에서 제4항이 24이고, 제8항이 384일 때, 이 등비수열의 첫째항부터 제8항까지의 합 S_8은? [3점]

① 254   ② 255   ③ 256
④ 257   ⑤ 258

24

[2012학년도 수능 모의평가]

등비수열 $\{a_n\}$의 첫째항부터 제n항까지의 합 S_n에 대하여 $\dfrac{S_4}{S_2} = 9$일 때, $\dfrac{a_4}{a_2}$의 값은? [3점]

① 3   ② 4   ③ 6
④ 8   ⑤ 9

[2015학년도 교육청]

수열 $\{a_n\}$의 첫째항부터 제n항까지의 합 S_n이 $S_n=n^2$일 때, a_{50}의 값을 구하시오. [3점]

Act ❶

$a_1=S_1$, $a_n=S_n-S_{n-1}$
$(n\geq2)$임을 이용한다.

해결의 실마리

수열 $\{a_n\}$의 첫째항부터 제n항까지의 합을 S_n이라 하면
$\Rightarrow a_1=S_1$, $a_n=S_n-S_{n-1}$ $(n\geq2)$

25

[2015학년도 교육청]

수열 $\{a_n\}$의 첫째항부터 제n항까지의 합 S_n이 $S_n=n^2+6n$일 때, a_5의 값을 구하시오.[3점]

27

[2014학년도 교육청]

첫째항이 10이고 공비가 양수인 등비수열 $\{a_n\}$의 첫째항부터 제n항까지의 합을 S_n이라 하자. $\dfrac{a_8}{S_{10}-S_8}=\dfrac{4}{3}$일 때, a_2의 값은? [3점]

① 1 ② 3 ③ 5
④ 7 ⑤ 9

26

[2019학년도 수능 모의평가]

모든 항이 양수인 등비수열 $\{a_n\}$의 첫째항부터 제n항까지의 합을 S_n이라 하자. $S_4-S_3=2$, $S_6-S_5=50$일 때, a_5의 값을 구하시오. [4점]

28

[2015학년도 수능 모의평가]

수열 $\{a_n\}$의 첫째항부터 제n항까지의 합 S_n이 $S_n=n^2-10n$일 때, $a_n<0$을 만족시키는 자연수 n의 개수는? [3점]

① 5 ② 6 ③ 7
④ 8 ⑤ 9

기출유형 08 등비수열의 활용

그림과 같이 사분원 AOB에 대하여 ∠AOB를 삼등분하는 직선이 사분원과 만나는 교점을 각각 A_1, B_1이라 하고, ∠A_1OB_1을 삼등분하는 직선이 사분원과 만나는 교점을 각각 A_2, B_2라 하자. 이와 같은 방법으로 계속할 때, ∠$A_{10}OB$의 크기는? [4점]

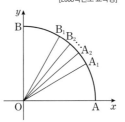

[2008학년도 교육청]

Act ❶

처음 몇 개의 항을 나열하여 규칙성을 파악한다.

① $\dfrac{\pi}{4}\left(1-\dfrac{1}{3^9}\right)$　　② $\dfrac{\pi}{4}\left(1+\dfrac{1}{3^9}\right)$　　③ $\dfrac{\pi}{4}\left(1-\dfrac{1}{3^{10}}\right)$

④ $\dfrac{\pi}{4}\left(1+\dfrac{1}{3^{10}}\right)$　　⑤ $\dfrac{\pi}{4}\left(1+\dfrac{1}{3^{11}}\right)$

해결의 실마리

(1) 처음에 a만큼 있던 양이 매시간(또는 매년) 일정한 비율 r로 증가(또는 감소)할 때,

　① n시간(또는 n년) 후의 양은 ⇨ ar^{n-1}

　② n시간(또는 n년) 동안의 합은 ⇨ $a+ar+ar^2+\cdots+ar^{n-1}=\dfrac{a(1-r^n)}{1-r}=\dfrac{a(r^n-1)}{r-1}$

(2) 도형의 길이, 넓이 등이 일정한 비율로 변하는 문제는 처음 몇 개의 항을 나열하여 규칙성을 파악한다.

29

[2007학년도 수능 모의평가]

다음은 어느 회사의 연봉에 관한 규정이다.

> (가) 입사 첫째 해 연봉은 a원이고, 입사 19년째 해까지의 연봉은 해마다 직전 연봉에서 8%씩 인상된다.
>
> (나) 입사 20년째 해부터의 연봉은 입사 19년째 해 연봉의 $\dfrac{2}{3}$로 한다.

이 회사에 입사한 사람이 28년 동안 근무하여 받는 연봉의 총합은? (단, $1.08^{18}=4$로 계산한다.) [4점]

① $\dfrac{101}{2}a$　　② $\dfrac{111}{2}a$　　③ $\dfrac{121}{2}a$

④ $\dfrac{131}{2}a$　　⑤ $\dfrac{141}{2}a$

30

[2008학년도 교육청]

반지름의 길이가 $2\sqrt{3}$인 원이 있다. 그림과 같이 이 원에 내접하는 두 정삼각형이 겹쳐지는 부분이 정육각형이 되도록 ✡ 모양의 도형 S_1(어두운 부분)을 그린다. 또, S_1의 정육각형에 내접하는 원을 그리고, 이 원에 내접하는 두 정삼각형이 겹쳐지는 부분이 정육각형이 되도록 ✡ 모양의 도형 S_2(어두운 부분)를 그린다. 이와 같은 방법으로 ✡ 모양의 도형 S_3, S_4, $\cdots$, S_{10}을 그릴 때, 도형 S_{10}의 넓이는? [4점]

① $\dfrac{\sqrt{3}}{2^{15}}$　　② $\dfrac{\sqrt{3}}{2^{16}}$　　③ $\dfrac{3\sqrt{3}}{2^{15}}$

④ $\dfrac{3\sqrt{3}}{2^{16}}$　　⑤ $\dfrac{5\sqrt{3}}{2^{16}}$

Very Important Test

01

등차수열 $\{a_n\}$에서 $a_2=4$, $a_7=29$일 때, a_{14}의 값은?

[3점]

① 56   ② 58   ③ 60

④ 62   ⑤ 64

02

제4항이 46, 제10항이 22인 등차수열에서 처음으로 음수가 되는 항은? [3점]

① 제12항   ② 제14항   ③ 제16항

④ 제18항   ⑤ 제20항

03

세 수 $2k-5$, k^2-1, $2k+3$이 이 순서대로 등차수열을 이룰 때, 모든 실수 k의 값의 합은? [3점]

① 0   ② 1   ③ 2

④ 3   ⑤ 4

04

첫째항이 15인 등차수열에서 첫째항부터 제5항까지의 합과 첫째항부터 제11항까지의 합이 같을 때, 제15항의 값은? [3점]

① -7 ② -9 ③ -11

④ -13 ⑤ -15

05

등비수열 $\{a_n\}$에서 $a_2+a_4=810$, $a_5+a_7=30$일 때, a_{10}의 값은? [3점]

① $\dfrac{1}{9}$ ② $\dfrac{1}{3}$ ③ 1

④ 3   ⑤ 9

06

공비가 실수인 등비수열 $\{a_n\}$에 대하여 $\dfrac{a_5}{a_2}=2$, $a_4+a_7=12$일 때, a_{13}의 값은? [3점]

① 30   ② 32   ③ 34

④ 36   ⑤ 38

07

공차가 2인 등차수열 $\{a_n\}$에 대하여 a_1, a_2, a_5가 이 순서대로 등비수열을 이룰 때, $a_1 + a_2 + a_5$의 값은? [3점]

① 11   ② 13   ③ 15

④ 17   ⑤ 19

08

등비수열 1, $\dfrac{1}{2}$, $\dfrac{1}{4}$, …에서 첫째항부터 제 몇 항까지의 합을 취하면 처음으로 그 합과 2와의 차가 0.01보다 작아지는가? [3점]

① 제6항   ② 제7항   ③ 제8항

④ 제9항   ⑤ 제10항

09

수열 $\{a_n\}$의 첫째항부터 제n항까지의 합 S_n이 $S_n = n^2 - 3n$일 때, a_{10}의 값을 구하시오. [3점]

10

수열 $\{a_n\}$의 첫째항부터 제n항까지의 합 S_n이 $S_n = n^2 + 2n + 1$일 때, $a_1 + a_3 + a_5 + \cdots + a_{21}$의 값을 구하시오. [3점]

 level up

11

제7항이 4, 제10항이 -5인 등차수열 $\{a_n\}$에서 첫째항부터 제n항까지의 합을 S_n이라 할 때, S_n의 최댓값을 구하시오. [3점]

12

연이율 10 %, 1년마다 복리로 매년 초에 일정한 금액을 적립하여 20년 후에 1억 원이 되게 하려고 한다. 매년 초에 적립해야 하는 금액은? (단, $1.1^{20} = 6.7$로 계산하고, 만의 자리 미만은 버린다.) [4점]

① 151만 원   ② 153만 원   ③ 155만 원

④ 157만 원   ⑤ 159만 원

09 수열의 합

참 중요한학습 point

 기출 best

best 1 합의 기호 $\sum$의 뜻과 그 성질
best 2 자연수의 거듭제곱의 합
best 3 분수 꼴로 주어진 수열의 합

기출 분석

$\sum$의 성질을 이해하고 있는지를 묻는 유형, 분수 꼴로 주어진 수열의 합은 매년 출제된다. 또, $\sum$로 표현된 수열의 합에서 일반항을 찾는 유형도 자주 출제된다.

 level up

• 여러 가지 수열의 합
• 분수 꼴로 주어진 수열의 합

중요개념

1. 합의 기호 $\sum$의 뜻

수열 $\{a_n\}$의 첫째항부터 제n항까지의 합

$$a_1+a_2+a_3+\cdots+a_n$$

을 합의 기호 $\sum$를 사용하여 다음과 같이 나타낸다.

$$a_1+a_2+a_3+\cdots+a_n=\sum_{k=1}^{n}a_k$$

즉 $\sum_{k=1}^{n}a_k$는 수열 $\{a_k\}$의 일반항의 k에 1, 2, 3, $\cdots$, n을 차례로 대입하여 얻은 n개의 항 a_1, a_2, a_3, $\cdots$, a_n의 합을 뜻한다.

$$\sum_{\substack{k=1 \\ \text{첫째항부터}}}^{\substack{n \leftarrow \text{제}n\text{항까지}}} a_{k \leftarrow \text{제}k\text{항}}$$

2. 합의 기호 $\sum$의 성질

① $\sum\limits_{k=1}^{n}(a_k+b_k)=\sum\limits_{k=1}^{n}a_k+\sum\limits_{k=1}^{n}b_k$

② $\sum\limits_{k=1}^{n}(a_k-b_k)=\sum\limits_{k=1}^{n}a_k-\sum\limits_{k=1}^{n}b_k$

③ $\sum\limits_{k=1}^{n}ca_k=c\sum\limits_{k=1}^{n}a_k$ (단, c는 상수)

④ $\sum\limits_{k=1}^{n}c=cn$ (단, c는 상수)

3. 자연수의 거듭제곱의 합

(1) $\sum\limits_{k=1}^{n}k=1+2+3+\cdots+n=\dfrac{n(n+1)}{2}$

(2) $\sum\limits_{k=1}^{n}k^2=1^2+2^2+3^2+\cdots+n^2=\dfrac{n(n+1)(2n+1)}{6}$

(3) $\sum\limits_{k=1}^{n}k^3=1^3+2^3+3^3+\cdots+n^3=\left\{\dfrac{n(n+1)}{2}\right\}^2$

4. 분수 꼴인 수열의 합

(1) 분모가 다항식의 곱으로 표현된 수열의 합

일반항이 $\dfrac{1}{AB}$ 꼴인 수열의 합은 각 항을

$$\dfrac{1}{AB}=\dfrac{1}{B-A}\left(\dfrac{1}{A}-\dfrac{1}{B}\right)(A\neq B)$$

과 같이 부분분수로 변형한 후 식을 정리하여 수열의 합을 구한다.

$$\Rightarrow \sum_{k=1}^{n}\dfrac{1}{(k+a)(k+b)}=\dfrac{1}{b-a}\sum_{k=1}^{n}\left(\dfrac{1}{k+a}-\dfrac{1}{k+b}\right)$$

(2) 분모가 무리식인 수열의 합

분모를 유리화하여 수열의 합을 구한다.

$$\Rightarrow \sum_{k=1}^{n}\dfrac{1}{\sqrt{k+1}+\sqrt{k}}$$
$$=\sum_{k=1}^{n}\dfrac{\sqrt{k+1}-\sqrt{k}}{(\sqrt{k+1}+\sqrt{k})(\sqrt{k+1}-\sqrt{k})}$$
$$=\sum_{k=1}^{n}(\sqrt{k+1}-\sqrt{k})$$

중요개념문제

01
[2016학년도 교육청]

수열 $\{a_n\}$에 대하여 $\sum\limits_{k=1}^{5} a_k = 12$, $\sum\limits_{k=1}^{5} a_k^2 = 40$일 때,

$\sum\limits_{k=1}^{5} (a_k+2)^2$의 값은? [3점]

① 88   ② 98   ③ 108

④ 118   ⑤ 128

04
[2016학년도 교육청]

수열 $\{a_n\}$이 $\sum\limits_{k=1}^{n} a_k = 2n-1$을 만족시킬 때, a_{10}의 값을 구하시오. [3점]

02
[2017학년도 교육청]

$\sum\limits_{k=1}^{10} (k+1)^2 - \sum\limits_{k=1}^{10} (k-1)^2$의 값을 구하시오. [3점]

05
[2015학년도 수능 모의평가]

$\sum\limits_{k=1}^{n} \dfrac{4}{k(k+1)} = \dfrac{15}{4}$일 때, n의 값은? [3점]

① 11   ② 12   ③ 13

④ 14   ⑤ 15

03
[2020학년도 수능]

첫째항이 50이고 공차가 -4인 등차수열의 첫째항부터 제n항까지의 합을 S_n이라 할 때, $\sum\limits_{k=m}^{m+4} S_k$의 값이 최대가 되도록 하는 자연수 m의 값은? [4점]

① 8   ② 9   ③ 10

④ 11   ⑤ 12

06
[2017학년도 수능 모의평가]

첫째항이 4이고 공차가 1인 등차수열 $\{a_n\}$에 대하여 $\sum\limits_{k=1}^{12} \dfrac{1}{\sqrt{a_{k+1}}+\sqrt{a_k}}$의 값은? [4점]

① 1   ② 2   ③ 3

④ 4   ⑤ 5

기출유형 01 합의 기호 $\sum$의 뜻과 그 성질

[2018학년도 수능]

수열 $\{a_n\}$에 대하여 $\sum_{k=1}^{10}(a_k+1)^2=28$, $\sum_{k=1}^{10}a_k(a_k+1)=16$일 때, $\sum_{k=1}^{10}(a_k)^2$의 값을 구하시오.

[4점]

Act ①
조건에 주어진 $\sum$ 안을 전개한 다음 $\sum$의 성질을 이용한다.

해결의 실마리

(1) $\sum$의 성질을 이용한 계산

⇨ 주어진 조건과 $\sum$의 성질을 이용할 수 있도록 식을 정리한다.

(2) 수열 일부분의 합

제m항부터의 수열의 합은 ⇨ $\sum_{k=m}^{n}a_k=\sum_{k=1}^{n}a_k-\sum_{k=1}^{m-1}a_k$를 이용한다.

01
[2018학년도 수능 모의평가]

두 수열 $\{a_n\}$, $\{b_n\}$이 모든 자연수 n에 대하여 $a_n+b_n=10$을 만족시킨다. $\sum_{k=1}^{10}(a_k+2b_k)=160$일 때, $\sum_{k=1}^{10}b_k$의 값은? [3점]

① 60   ② 70   ③ 80
④ 90   ⑤ 100

02
[2017학년도 교육청]

수열 $\{a_n\}$에 대하여 $\sum_{k=1}^{n}a_k=n^2-2n$일 때, $\sum_{k=6}^{10}a_k$의 값을 구하시오. [3점]

03
[2018학년도 수능]

등차수열 $\{a_n\}$이 $a_5+a_{13}=3a_9$, $\sum_{k=1}^{18}a_k=\dfrac{9}{2}$를 만족시킬 때, a_{13}의 값은? [4점]

① 2   ② 1   ③ 0
④ -1 ⑤ -2

04
[2018학년도 수능 모의평가]

공차가 양수인 등차수열 $\{a_n\}$에 대하여 이차방정식 $x^2-14x+24=0$의 두 근이 a_3, a_8이다. $\sum_{n=3}^{8}a_n$의 값은? [4점]

① 40   ② 42   ③ 44
④ 46   ⑤ 48

기출유형 02 자연수의 거듭제곱의 합

[2017학년도 교육청]

$\displaystyle\sum_{k=1}^{10}\frac{k^3}{k+1}+\sum_{k=1}^{10}\frac{1}{k+1}$의 값은? [4점]

① 340   ② 360   ③ 380   ④ 400   ⑤ 420

Act ❶

∑의 성질을 이용하여 주어진 식을 간단히 하고 자연수의 거듭제곱의 합을 이용한다.

해결의 실마리

(1) $\displaystyle\sum_{k=1}^{n}k=1+2+3+\cdots+n=\frac{n(n+1)}{2}$

(2) $\displaystyle\sum_{k=1}^{n}k^2=1^2+2^2+3^2+\cdots+n^2=\frac{n(n+1)(2n+1)}{6}$

(3) $\displaystyle\sum_{k=1}^{n}k^3=1^3+2^3+3^3+\cdots+n^3=\left\{\frac{n(n+1)}{2}\right\}^2$

05

[2016학년도 교육청]

$\displaystyle\sum_{k=1}^{6}(k^2+5)$의 값을 구하시오. [3점]

07

[2015학년도 교육청]

수열 $\{a_n\}$에서 $a_n=2n-3$일 때, $\displaystyle\sum_{k=2}^{m}a_{k+1}=48$을 만족시키는 m의 값은? [3점]

① 4   ② 5   ③ 6
④ 7   ⑤ 8

06

[2020학년도 수능]

자연수 n에 대하여 다항식 $2x^2-3x+1$을 $x-n$으로 나누었을 때의 나머지를 a_n이라 할 때, $\displaystyle\sum_{n=1}^{7}(a_n-n^2+n)$의 값을 구하시오. [3점]

08

[2013학년도 교육청]

x에 대한 이차방정식 $x^2-(2n+1)x+n(n+1)=0$의 두 근을 a_n, b_n이라 할 때, $\displaystyle\sum_{n=1}^{10}(1-a_n)(1-b_n)$의 값을 구하시오. [4점]

[2018학년도 교육청]

수열 $\{a_n\}$이 모든 자연수 n에 대하여 $\sum_{k=1}^{n} a_k = n^2 + 5n$을 만족시킬 때, a_6의 값은? [3점]

① 8   ② 12   ③ 16   ④ 20   ⑤ 24

Act ①

수열의 합과 일반항 사이의 관계에서 $a_6 = \sum_{k=1}^{6} a_k - \sum_{k=1}^{5} a_k$임을 이용한다.

해결의 실마리

$\sum_{k=1}^{n} a_k = S_n$ 꼴로 주어진 수열에서 일반항은

$\Rightarrow a_n = S_n - S_{n-1} = \sum_{k=1}^{n} a_k - \sum_{k=1}^{n-1} a_k \ (n \geq 2)$, $a_1 = S_1$을 이용한다.

---

09   [2015학년도 교육청]

수열 $\{a_n\}$이 $\sum_{k=1}^{n} ka_k = \dfrac{n^2(n+1)}{2}$ $(n=1, 2, 3, \cdots)$을 만족시킬 때, a_{15}의 값을 구하시오. [3점]

11   [2018학년도 교육청]

수열 $\{a_n\}$이 $\sum_{k=1}^{n} ka_k = n(n+1)(n+2)$를 만족시킬 때, $\sum_{k=1}^{10} a_k$의 값은? [4점]

① 185   ② 195   ③ 205
④ 215   ⑤ 225

10   [2017학년도 교육청]

수열 $\{a_n\}$에 대하여 $\sum_{k=1}^{n} (2k-1)a_k = n(n+1)(4n-1)$일 때, a_{20}의 값을 구하시오. [4점]

12   [2016학년도 교육청]

수열 $\{a_n\}$이 모든 자연수 n에 대하여 $\sum_{k=1}^{n} a_k = \log n$을 만족시킨다. $10^{a_n} = 1.04$일 때, n의 값은? [4점]

① 24   ② 25   ③ 26
④ 27   ⑤ 28

기출유형 **04** 분수 꼴로 주어진 수열의 합

[2016학년도 교육청]

$\displaystyle\sum_{k=1}^{7}\frac{1}{(k+1)(k+2)}$의 값은? [3점]

① $\dfrac{1}{6}$　　② $\dfrac{2}{9}$　　③ $\dfrac{5}{18}$　　④ $\dfrac{1}{3}$　　⑤ $\dfrac{7}{18}$

Act ❶

분모가 다항식의 곱으로 표현된 수열의 합은

$\dfrac{1}{AB}=\dfrac{1}{B-A}\left(\dfrac{1}{A}-\dfrac{1}{B}\right)$을 이용하여 이웃한 항끼리 소거한다.

해결의 실마리

(1) 분모가 다항식의 곱으로 표현된 수열의 합은

⇨ 부분분수로의 변형 $\dfrac{1}{AB}=\dfrac{1}{B-A}\left(\dfrac{1}{A}-\dfrac{1}{B}\right)$을 이용하여 이웃한 항끼리 소거한다.

(2) 분모가 무리식인 수열의 합은 ⇨ 분모를 유리화하여 이웃한 항끼리 소거한다.

13

[2014학년도 교육청]

$\displaystyle\sum_{k=1}^{9}\frac{2}{(2k-1)(2k+1)}=\frac{q}{p}$이다. $p+q$의 값을 구하시오.

(단, p, q는 서로소인 자연수이다.) [3점]

15

$f(n)=\sqrt{n+1}+\sqrt{n+2}$일 때, $\displaystyle\sum_{k=1}^{n}\frac{1}{f(k)}=2\sqrt{2}$를 만족시키는

자연수 n의 값을 구하시오. [3점]

14

[2014학년도 교육청]

첫째항이 1이고 공차가 3인 등차수열 $\{a_n\}$에 대하여

$\displaystyle\sum_{n=1}^{10}\frac{1}{a_{2n-1}a_{2n+1}}$의 값은? [3점]

① $\dfrac{10}{61}$　　② $\dfrac{12}{61}$　　③ $\dfrac{14}{61}$

④ $\dfrac{16}{61}$　　⑤ $\dfrac{18}{61}$

16

[2018학년도 교육청]

자연수 n에 대하여 직선 $x=n$이 두 곡선 $y=\sqrt{x}$, $y=-\sqrt{x+1}$과 만나는 점을 각각 A_n, B_n이라 하자. 삼각형 A_nOB_n의 넓이를 T_n이라 할 때, $\displaystyle\sum_{n=1}^{24}\frac{n}{T_n}$의 값은? (단, O는 원점이다.) [4점]

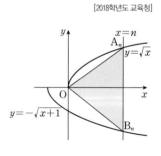

① $\dfrac{13}{2}$　　② 7　　③ $\dfrac{15}{2}$

④ 8　　⑤ $\dfrac{17}{2}$

Very Important Test

01

$\sum\limits_{k=1}^{10} a_k = 6$, $\sum\limits_{k=1}^{10} a_k^2 = 20$일 때, $\sum\limits_{k=1}^{10}(2a_k+1)^2$의 값은? [3점]

① 110   ② 114   ③ 118

④ 122   ⑤ 126

02

$\sum\limits_{n=2}^{19} \log\left(1-\dfrac{1}{n^2}\right)$의 값은? [3점]

① $1-\log 18$ ② $1-\log 19$ ③ $1-\log 20$

④ $2-\log 19$ ⑤ $2-\log 20$

03

함수 $f(x)$에 대하여 $f(10)=100$, $f(1)=5$일 때,
$\sum\limits_{k=1}^{9} f(k+1) - \sum\limits_{k=2}^{10} f(k-1)$의 값은? [3점]

① 80   ② 85   ③ 90

④ 95   ⑤ 100

04

$\sum\limits_{k=1}^{10}(k+1)^2 - 2\sum\limits_{k=1}^{10}(k+2) + \sum\limits_{k=1}^{10}3$의 값을 구하시오. [3점]

05

$\sum\limits_{k=1}^{12} k^2 + \sum\limits_{k=2}^{12} k^2 + \sum\limits_{k=3}^{12} k^2 + \cdots + \sum\limits_{k=12}^{12} k^2$의 값은? [3점]

① 3376   ② 4356   ③ 5324

④ 5840   ⑤ 6084

06

첫째항이 2인 등차수열 $\{a_n\}$에 대하여 $a_4-a_2=4$일 때, $\sum\limits_{k=11}^{20} a_k$의 값은? [4점]

① 310   ② 320   ③ 330

④ 340   ⑤ 350

07

$\displaystyle\sum_{k=1}^{n} a_k = n^2 + 4n$일 때, $\displaystyle\sum_{k=1}^{15} a_{2k}$의 값은? [4점]

① 510   ② 515   ③ 520

④ 525   ⑤ 530

08

$\displaystyle\sum_{k=1}^{n} a_k = n^2 + n$일 때, $\displaystyle\sum_{k=1}^{10} a_{2k-1}$의 값은? [4점]

① 190   ② 200   ③ 210

④ 220   ⑤ 230

09

$\displaystyle\sum_{k=1}^{14} \frac{1}{k(k+1)} = \frac{q}{p}$일 때, $p+q$의 값을 구하시오. (단, p와 q는 서로소인 자연수이다.) [3점]

10

$\displaystyle\sum_{k=1}^{99} \frac{1}{\sqrt{k} + \sqrt{k+1}}$의 값을 구하시오. [3점]

① level up

11

수열 $\{a_n\}$에서 $a_n = \begin{cases} -n & (n \text{이 홀수일 때}) \\ 2n & (n \text{이 짝수일 때}) \end{cases}$ 이다. 이때 $\displaystyle\sum_{k=1}^{100} a_k$의 값은? [4점]

① 2300   ② 2400   ③ 2500

④ 2600   ⑤ 2700

12

x에 대한 이차방정식 $x^2 + 4x - (2n-1)(2n+1) = 0$의 두 근을 α_n, β_n이라 할 때, $\displaystyle\sum_{n=1}^{10}\left(\frac{1}{\alpha_n} + \frac{1}{\beta_n}\right)$의 값은? [4점]

① $\dfrac{11}{21}$ ② $\dfrac{20}{21}$ ③ $\dfrac{31}{21}$

④ $\dfrac{40}{21}$ ⑤ $\dfrac{50}{21}$

10 수학적 귀납법

 기출 best

best **1** 등차·등비수열의 귀납적 정의
best **2** 귀납적으로 정의된 여러 가지 수열
best **3** 수학적 귀납법을 이용한 증명

 기출 분석

귀납적으로 정의된 여러 가지 수열은 주어진 식의 n의 값에 1, 2, 3, …을 차례로 대입하여 규칙성을 찾을 수 있는 문제만 출제된다. 수학적 귀납법을 이용한 부등식 $A<B$의 증명은 $A<C$, $C<B$에서 $A<C<B$를 보이는 유형이 대부분이다.

 level up

• 귀납적으로 정의된 여러 가지 수열
• 항이 반복되는 수열에서 규칙성 찾기

중요개념

1. 수열의 귀납적 정의

(ⅰ) 처음 몇 개의 항의 값과
(ⅱ) 이웃하는 여러 항 사이의 관계식
으로 수열 $\{a_n\}$을 정의하는 것을 수열의 귀납적 정의라 한다.

2. 등차수열과 등비수열의 귀납적 정의

(1) 등차수열의 귀납적 정의
  첫째항이 a, 공차가 d인 등차수열 $\{a_n\}$에서 $n=1$, 2, 3, …일 때

  ① $a_{n+1}=a_n+d \Leftrightarrow a_{n+1}-a_n=d$

  ② $2a_{n+1}=a_n+a_{n+2} \Leftrightarrow a_{n+2}-a_{n+1}=a_{n+1}-a_n$

(2) 등비수열의 귀납적 정의
  첫째항이 a, 공비가 r인 등비수열 $\{a_n\}$에서 $n=1$, 2, 3, …일 때

  ① $a_{n+1}=ra_n \Leftrightarrow \dfrac{a_{n+1}}{a_n}=r$

  ② $a_{n+1}{}^2=a_na_{n+2} \Leftrightarrow \dfrac{a_{n+2}}{a_{n+1}}=\dfrac{a_{n+1}}{a_n}$

3. $a_{n+1}=a_n+f(n)$ 꼴로 정의된 수열

$a_{n+1}=a_n+f(n)$ 또는 $a_{n+1}-a_n=f(n)$ 꼴로 정의된 수열은

⇨ n 대신 1, 2, 3, …, $n-1$을 차례로 대입한 후 변끼리 더하면

⇨ 양변에 있는 a_2항부터 a_{n-1}항까지 소거된다.

⇨ $a_n=a_1+f(1)+f(2)+\cdots+f(n-1)$

$\quad\quad =a_1+\displaystyle\sum_{k=1}^{n-1}f(k)$

참고

$$a_2=a_1+f(1)$$
$$a_3=a_2+f(2)$$
$$a_4=a_3+f(3)$$
$$\vdots$$
$$+\,)\ \underline{a_n=a_{n-1}+f(n-1)}$$
$$a_n=a_1+f(1)+f(2)+f(3)+\cdots+f(n-1)$$

4. $a_{n+1}=a_nf(n)$ 꼴로 정의된 수열

$a_{n+1}=a_nf(n)$ 또는 $\dfrac{a_{n+1}}{a_n}=f(n)$ 꼴로 정의된 수열은

⇨ n 대신 1, 2, 3, …, $n-1$을 차례로 대입한 후 변끼리 곱하면

⇨ 양변에 있는 a_2항부터 a_{n-1}항까지 약분된다.

⇨ $a_n=a_1\times f(1)f(2)\cdots f(n-1)$

참고

$$a_2=a_1f(1)$$
$$a_3=a_2f(2)$$
$$a_4=a_3f(3)$$
$$\vdots$$
$$\times\,)\ \underline{a_n=a_{n-1}f(n-1)}$$
$$a_n=a_1\times f(1)f(2)f(3)\cdots f(n-1)$$

5. 수학적 귀납법

자연수 n에 대한 명제 $p(n)$이 모든 자연수 n에 대하여 성립함을 증명하려면 다음 두 가지를 보이면 된다.

> ① $n=1$일 때, 명제 $p(n)$이 성립한다.
> ② $n=k$일 때 명제 $p(n)$이 성립한다고 가정하면 $n=k+1$일 때에도 명제 $p(n)$이 성립한다.

이와 같이 증명하는 방법을 수학적 귀납법이라 한다.

중요개념문제

01

수열 $\{a_n\}$이 $a_1=3$, $a_{n+1}-a_n=5$ $(n=1,\ 2,\ 3,\ \cdots)$로 정의될 때, a_4의 값은? [3점]

① 12　　　　② 14　　　　③ 16

④ 18　　　　⑤20

04

[2013학년도 수능]

수열 $\{a_n\}$이 $a_1=1$이고, 모든 자연수 n에 대하여
$a_{n+1}=\dfrac{2n}{n+1}a_n$을 만족시킬 때, a_4의 값은? [3점]

① $\dfrac{3}{2}$　　　　② 2　　　　③ $\dfrac{5}{2}$

④ 3　　　　⑤ $\dfrac{7}{2}$

02

[2017학년도 교육청]

수열 $\{a_n\}$이 모든 자연수 n에 대하여 $a_{n+1}=3a_n$을 만족시킨다. $a_2=2$일 때, a_4의 값은? [3점]

① 6　　　　② 9　　　　③ 12

④ 15　　　　⑤ 18

05

[2019학년도 수능]

수열 $\{a_n\}$은 $a_1=2$이고, 모든 자연수 n에 대하여

$$a_{n+1}=\begin{cases}\dfrac{a_n}{2-3a_n} & (n\text{이 홀수인 경우}) \\ 1+a_n & (n\text{이 짝수인 경우})\end{cases}$$

를 만족시킨다. $\displaystyle\sum_{k=1}^{40}a_n$의 값은? [3점]

① 30　　　　② 35　　　　③ 40

④ 45　　　　⑤ 50

03

[2013학년도 교육청]

수열 $\{a_n\}$이 $a_1=2$이고 $a_{n+1}-a_n=2n+3$일 때, a_5의 값을 구하시오. [3점]

06

명제 $p(n)$이 모든 홀수에 대하여 성립함을 수학적 귀납법으로 증명하려고 한다. [보기]에서 반드시 증명해야 하는 것만을 있는 대로 고른 것은? (단, k는 자연수) [3점]

┤보기├
ㄱ. $p(1)$이 참이다.
ㄴ. $p(k)$가 참이면 $p(k+1)$이 참이다.
ㄷ. $p(2k-1)$이 참이면 $p(2k+1)$이 참이다.

① ㄱ　　　　② ㄱ, ㄴ　　　　③ ㄱ, ㄷ

④ ㄴ, ㄷ　　　　⑤ ㄱ, ㄴ, ㄷ

기출유형 01 등차수열의 귀납적 정의

수열 $\{a_n\}$이 $\begin{cases} a_1=3 \\ a_{n+1}=a_n+4 \ (n=1, 2, 3, \cdots) \end{cases}$ 으로 정의될 때, $a_k=39$를 만족시키는 자연수 k의 값을 구하시오. [3점]

Act ①
이웃하는 두 항의 차가 일정한 수열은 등차수열임을 생각한다.

해결의 실마리

수열 $\{a_n\}$에서 이웃하는 항 사이의 관계식이 다음과 같으면 등차수열이다.

① $a_{n+1}-a_n=d\,($일정$) \Leftrightarrow a_{n+1}=a_n+d$

② $a_{n+2}-a_{n+1}=a_{n+1}-a_n \Leftrightarrow 2a_{n+1}=a_n+a_{n+2} \Leftrightarrow a_{n+1}=\dfrac{a_n+a_{n+2}}{2}$

01

[2013학년도 교육청]

수열 $\{a_n\}$은 $a_1=1$이고, $a_{n+1}=a_n+3 \ (n=1, 2, 3, \cdots)$을 만족시킨다. a_{30}의 값을 구하시오. [3점]

03

수열 $\{a_n\}$이 모든 자연수 n에 대하여 $2a_{n+1}=a_n+a_{n+2}$를 만족시킨다. $a_2=-1$, $a_3=2$일 때, 수열 $\{a_n\}$의 첫째항부터 제10항까지의 합은? [3점]

① 95   ② 90   ③ 85
④ 80   ⑤ 75

02

수열 $\{a_n\}$은 $a_1=7$이고 $a_{n+1}=a_n+4 \ (n=1, 2, 3, \cdots)$을 만족시킨다. $\displaystyle\sum_{k=1}^{10} a_k$의 값은? [3점]

① 235   ② 240   ③ 245
④ 250   ⑤ 255

04

수열 $\{a_n\}$은 $a_1=-1$이고 $\dfrac{1}{a_{n+1}}=\dfrac{2a_n+1}{a_n} \ (n=1, 2, 3, \cdots)$을 만족시킬 때, a_{10}의 값은? [3점]

① $\dfrac{1}{15}$ ② $\dfrac{1}{16}$ ③ $\dfrac{1}{17}$
④ $\dfrac{1}{18}$ ⑤ $\dfrac{1}{19}$

기출유형 02 등비수열의 귀납적 정의

수열 $\{a_n\}$이 모든 자연수 n에 대하여 $a_{n+1}=2a_n$을 만족시킨다. $a_1=3$일 때, a_9의 값은? [3점]

① 756   ② 762   ③ 768   ④ 774   ⑤ 780

Act ①
이웃하는 두 항의 비가 일정한 수열은 등비수열임을 생각한다.

해결의 실마리

수열 $\{a_n\}$에서 이웃하는 항 사이의 관계식이 다음과 같으면 등비수열이다.

① $\dfrac{a_{n+1}}{a_n}=r$ (일정) $\Leftrightarrow a_{n+1}=ra_n$

② $\dfrac{a_{n+2}}{a_{n+1}}=\dfrac{a_{n+1}}{a_n} \Leftrightarrow a_{n+1}^2=a_n a_{n+2} \Leftrightarrow a_{n+1}=\pm\sqrt{a_n a_{n+2}}$

05

수열 $\{a_n\}$이 모든 자연수 n에 대하여 $a_{n+1}^2=a_n a_{n+2}$를 만족시킨다. $a_1=1$, $a_2=4$일 때, a_{10}의 값은? [3점]

① 2^{10} ② 2^{12} ③ 2^{14}

④ 2^{16} ⑤ 2^{18}

06

수열 $\{a_n\}$이 모든 자연수 n에 대하여 $a_{n+1}^2=a_n a_{n+2}$를 만족시킨다. $a_1=2$, $a_2=4$일 때, a_8의 값을 구하시오. [3점]

07

[2014학년도 수능]

수열 $\{a_n\}$이 다음 조건을 만족시킨다.

> (가) $a_1=a_2+3$
> (나) $a_{n+1}=-2a_n$ $(n\geq1)$

a_9의 값을 구하시오. [3점]

08

[2014학년도 수능]

각 항이 양수인 수열 $\{a_n\}$에서 $a_3=2a_2$, $a_4=8$이고 $\log a_n-2\log a_{n+1}+\log a_{n+2}=0$이 성립할 때, a_{10}의 값을 구하시오. [3점]

$a_1=-1$, $a_{n+1}=a_n+n^2$ ($n=1,\ 2,\ 3,\ \cdots$)으로 정의된 수열 $\{a_n\}$에서 a_{12}의 값은? [3점]

① 504   ② 505   ③ 659   ④ 650   ⑤ 651

Act ①

$a_{n+1}=a_n+f(n)$ 꼴로 정의된 수열은 n 대신 1, 2, 3, $\cdots$, $n-1$을 차례로 대입하여 변끼리 더한다.

해결의 실마리

$a_{n+1}=a_n+f(n)$ 또는 $a_{n+1}-a_n=f(n)$ 꼴로 정의된 수열은

⇨ n 대신 1, 2, 3, $\cdots$, $n-1$을 차례로 대입한 후 변끼리 더하면

⇨ 양변에 있는 a_2항부터 a_{n-1}항까지 소거된다.

⇨ $a_n=a_1+f(1)+f(2)+\cdots+f(n-1)$

$\quad =a_1+\sum\limits_{k=1}^{n-1}f(k)$

$$a_2=a_1+f(1)$$
$$a_3=a_2+f(2)$$
$$a_4=a_3+f(3)$$
$$\vdots$$
$$+)\ a_n=a_{n-1}+f(n-1)$$
$$\overline{a_n=a_1+f(1)+f(2)+f(3)+\cdots+f(n-1)}$$

$a_{n+1}=a_n+f(n)$ 꼴로 정의된 수열 $\{a_n\}$에서

① $f(n)$이 상수이면 수열 $\{a_n\}$은 (공차)$=f(n)$인 등차수열이다.

② $f(n)$이 변수이면 n 대신 1, 2, 3, $\cdots$, $n-1$을 차례로 대입하여 변끼리 더한다.

09

수열 $\{a_n\}$에서 $a_1=1$이고 $a_{n+1}=a_n+5n$이 성립할 때, a_8의 값을 구하시오. [3점]

11

수열 $\{a_n\}$은 $a_1=3$이고 모든 자연수 n에 대하여

$a_{n+1}=a_n+2n+3$을 만족시킨다. $\sum\limits_{k=1}^{10}a_k$의 값은? [3점]

① 490   ② 495   ③ 500

④ 505   ⑤ 510

10

수열 $\{a_n\}$이 $a_1=1$, $a_{n+1}=a_n+2^n$ ($n=1,\ 2,\ 3,\ \cdots$)으로 정의될 때, $a_k=1023$을 만족시키는 자연수 k의 값을 구하시오. [3점]

12

[2015학년도 교육청]

첫째항이 1인 수열 $\{a_n\}$이 다음 조건을 만족시킨다.

(가) $a_{n+1}=a_n+3$ ($n=1,\ 2,\ 3,\ 4,\ 5$)

(나) 모든 자연수 n에 대하여 $a_{n+6}=a_n$이다.

a_{50}의 값은? [4점]

① 4   ② 7   ③ 10

④ 13   ⑤ 16

기출유형 04 $a_{n+1}=a_n f(n)$ 꼴로 정의된 수열

$a_1=2$, $a_{n+1}=2^n a_n$ $(n=1,\ 2,\ 3,\ \cdots)$으로 정의된 수열 $\{a_n\}$에서 a_{10}의 값은? [3점]

① 2^{12} ② 2^{18} ③ 2^{24} ④ 2^{36} ⑤ 2^{46}

Act ❶

$a_{n+1}=a_n f(n)$ 꼴로 정의된 수열은 n 대신 1, 2, 3, $\cdots$, $n-1$을 차례로 대입하여 변끼리 곱한다.

해결의 실마리

$a_{n+1}=a_n f(n)$ 또는 $\dfrac{a_{n+1}}{a_n}=f(n)$ 꼴로 정의된 수열은

⇨ n 대신 1, 2, 3, $\cdots$, $n-1$을 차례로 대입한 후 변끼리 곱하면

⇨ 양변에 있는 a_2항부터 a_{n-1}항까지 약분된다.

⇨ $a_n=a_1\times f(1)f(2)\cdots f(n-1)$

$$a_2=a_1 f(1)$$
$$a_3=a_2 f(2)$$
$$a_4=a_3 f(3)$$
$$\vdots$$
$$\times)\ a_n=a_{n-1}f(n-1)$$
$$\overline{a_n=a_1\times f(1)f(2)f(3)\cdots f(n-1)}$$

$a_{n+1}=a_n f(n)$ 꼴로 정의된 수열 $\{a_n\}$에서
① $f(n)$이 상수이면 수열 $\{a_n\}$은 (공비)$=f(n)$인 등비수열이다.
② $f(n)$이 변수이면 n 대신 1, 2, 3, $\cdots$, $n-1$을 차례로 대입하여 변끼리 곱한다.

13

$a_1=10$, $a_{n+1}=\dfrac{n+1}{n}a_n$ $(n=1,\ 2,\ 3,\ \cdots)$으로 정의된 수열 $\{a_n\}$에서 a_{12}의 값을 구하시오. [3점]

15

[2012학년도 교육청]

수열 $\{a_n\}$이 $a_1=1$이고, 모든 자연수 n에 대하여 $\dfrac{a_{n+1}}{a_n}=1-\dfrac{1}{(n+1)^2}$을 만족시킬 때, $100a_{10}$의 값을 구하시오. [3점]

14

수열 $\{a_n\}$이 $a_1=1$이고, 모든 자연수 n에 대하여 $\dfrac{a_{n+1}}{a_n}=\dfrac{n+2}{n+1}$로 정의될 때, $a_k=30$을 만족시키는 자연수 k의 값은? [3점]

① 58   ② 59   ③ 60

④ 61   ⑤ 62

16

$a_1=1$, $\sqrt{n+1}\,a_{n+1}=\sqrt{n}\,a_n$ $(n=1,\ 2,\ 3,\ \cdots)$으로 정의된 수열 $\{a_n\}$에 대하여 $\sum\limits_{k=1}^{10}(a_k a_{k+1})^2=\dfrac{q}{p}$이다. 이때 $p+q$의 값을 구하시오. (단, p, q는 서로소인 자연수이다.) [3점]

[2018학년도 교육청]

수열 $\{a_n\}$이 $a_1=1$이고 모든 자연수 n에 대하여 $a_{n+1}=\dfrac{a_n+1}{3a_n-2}$을 만족시킬 때, a_4의 값은? [3점]

Act❶
n 대신 1, 2, 3을 차례로 대입한다.

① 1 　　　② 3 　　　③ 5 　　　④ 7 　　　⑤ 9

해결의 실마리

귀납적으로 정의된 여러 가지 수열 문제는

⇨ n 대신 1, 2, 3, $\cdots$, $n-1$을 차례로 대입하여 규칙성을 찾는다.

17

수열 $\{a_n\}$에서 $a_1=2$이고, 모든 자연수 n에 대하여 $a_{n+1}=a_n{}^2-n^2$일 때, a_5의 값은 [3점]

① 210 　　　② 220 　　　③ 230
④ 240 　　　⑤ 250

19

[2007학년도 수능 모의평가]

수열 $\{a_n\}$이 $a_1=1$, $a_{n+1}=\begin{cases}\dfrac{1}{2}a_n & (a_n\geq 2) \\ \sqrt[3]{2}a_n & (a_n<2)\end{cases}$ 를 만족시킬 때, a_{112}의 값은? [3점]

① 1 　　　② $\sqrt[3]{2}$ 　　　③ $\sqrt{2}$
④ $\sqrt[3]{4}$ 　　　⑤ 2

18

[2018학년도 교육청]

수열 $\{a_n\}$이 모든 자연수 n에 대하여 $a_{n+1}+a_n=2n^2$을 만족시킨다. $a_3+a_5=26$일 때, a_2의 값은? [4점]

① 1 　　　② 2 　　　③ 3
④ 4 　　　⑤ 5

20

[2017학년도 교육청]

첫째항이 $\dfrac{2}{5}$인 수열 $\{a_n\}$은 모든 자연수 n에 대하여

$a_{n+1}=\begin{cases}2a_n & (a_n\leq 1) \\ -a_n+2 & (a_n>1)\end{cases}$ 을 만족시킨다. a_4+a_{17}의 값은? [3점]

① $\dfrac{6}{5}$ 　　　② $\dfrac{8}{5}$ 　　　③ 2
④ $\dfrac{12}{5}$ 　　　⑤ $\dfrac{14}{5}$

기출유형 06 수학적 귀납법을 이용한 등식의 증명

[2018학년도 교육청]

$a_1=1$, $a_2=-1$, $a_3=4$인 수열 $\{a_n\}$이 모든 자연수 n에 대하여 $n(n-2)a_{n+1}=\sum_{i=1}^{n}a_i$를 만족시킨다. 다음은 $a_n=\dfrac{8}{(n-1)(n-2)}$ $(n\geq3)$임을 수학적 귀납법으로 증명한 것이다.

Act ①
수학적 귀납법을 이용한 등식의 증명 과정의 원리를 생각하며 빈칸에 알맞은 식을 구한다.

(ⅰ) $n=3$일 때, $a_3=4=\dfrac{8}{(3-1)(3-2)}$이므로 성립한다.

(ⅱ) $n=k$ $(k\geq3)$일 때, 성립한다고 가정하면 $a_k=\dfrac{8}{(k-1)(k-2)}$이다.

$$k(k-2)a_{k+1}=\sum_{i=1}^{k}a_i=a_k+\sum_{i=1}^{k-1}a_i=a_k+(k-1)(k-3)a_k$$

$$=a_k\times\boxed{\text{(가)}}=\dfrac{8}{(k-1)(k-2)}\times\boxed{\text{(가)}}=\dfrac{\boxed{\text{(나)}}}{k-1}$$

이다. 그러므로 $a_{k+1}=\dfrac{1}{k(k-2)}\times\dfrac{\boxed{\text{(나)}}}{k-1}=\dfrac{8}{\boxed{\text{(다)}}}$이다.

따라서 $n=k+1$일 때 성립한다.

(ⅰ), (ⅱ)에 의하여 $n\geq3$인 모든 자연수 n에 대하여 $a_n=\dfrac{8}{(n-1)(n-2)}$이다.

위의 (가), (나), (다)에 알맞은 식을 각각 $f(k)$, $g(k)$, $h(k)$라 할 때, $\dfrac{f(13)\times g(14)}{h(12)}$의 값은? [4점]

① 88 ② 96 ③ 104 ④ 112 ⑤ 120

해결의 실마리

명제 $p(n)$이 성립할 때 명제 $p(n+1)$이 성립함을 보이는 방법은
⇨ 주로 $p(n)$의 양변에 어떤 값을 더하거나 곱하는 방법을 이용한다.

21

[2016학년도 교육청]

다음은 모든 자연수 n에 대하여 $\sum_{k=1}^{n}(2k-1)2^{k-1}=(2n-3)2^n+3$ ……(*)이 성립함을 수학적 귀납법으로 증명한 것이다.

(ⅰ) $n=1$일 때, (좌변)$=(2\times1-1)\times2^0=1$, (우변)$=(2\times1-3)\times2^1+3=1$이므로 (*)이 성립한다.

(ⅱ) $n=m$일 때, (*)이 성립한다고 가정하면 $\sum_{k=1}^{m}(2k-1)2^{k-1}=(2m-3)2^m+3$이다.

$n=m+1$일 때, (*)이 성립함을 보이자.

$$\sum_{k=1}^{m+1}(2k-1)2^{k-1}=\sum_{k=1}^{m}(2k-1)2^{k-1}+(\boxed{\text{(가)}})\times2^m=(2m-3)2^m+3+(\boxed{\text{(가)}})\times2^m=(\boxed{\text{(나)}})\times2^{m+1}+3$$

따라서 $n=m+1$일 때도 (*)이 성립한다.

(ⅰ), (ⅱ)에 의하여 모든 자연수 n에 대하여 (*)이 성립한다.

위의 (가), (나)에 알맞은 식을 각각 $f(m)$, $g(m)$이라 할 때, $f(4)\times g(2)$의 값은? [4점]

① 15 ② 18 ③ 21 ④ 24 ⑤ 27

[2016학년도 교육청]

Act①
수학적 귀납법을 이용한 부등식의 증명 과정의 원리를 생각하며 빈칸에 알맞은 식을 구한다.

다음은 2 이상인 모든 자연수 n에 대하여 부등식 $\sum_{k=1}^{n-1} \frac{n}{n-k} \cdot \frac{1}{2^{k-1}} < 4$ ……(*)이 성립함을 증명하는 과정의 일부이다.

---

2 이상인 모든 자연수 n에 대하여 $a_n = \sum_{k=1}^{n-1} \frac{n}{n-k} \cdot \frac{1}{2^{k-1}} = \frac{n}{n-1} + \frac{n}{n-2} \cdot \frac{1}{2} + \cdots + \frac{n}{2^{n-2}}$이라 하자.

$a_{n+1} = \sum_{k=1}^{n} \frac{n+1}{n+1-k} \cdot \frac{1}{2^{k-1}} = \boxed{(가)} + \frac{n+1}{n-1} \cdot \frac{1}{2} + \frac{n+1}{n-2} \cdot \frac{1}{2^2} + \cdots + \frac{n+1}{2^{n-1}}$

$\qquad = \boxed{(가)} + (n+1)\left(\frac{1}{n-1} \cdot \frac{1}{2} + \frac{1}{n-2} \cdot \frac{1}{2^2} + \cdots + \frac{1}{2^{n-1}} \right)$

이 식을 정리하면 $a_{n+1} = \boxed{(나)} \, a_n + \frac{n+1}{n}$ $(n \geq 2)$을 얻는다.

$a_2 = 2 < 4$, $a_3 = 3 < 4$이므로 (*)이 성립한다.

$n \geq 3$일 때 $a_n < 4$라 하자.

$\vdots$

따라서 2 이상인 모든 자연수 n에 대하여 (*)이 성립한다.

위의 (가), (나)에 알맞은 식을 각각 $f(n)$, $g(n)$이라 할 때, $\dfrac{48g(10)}{f(5)}$의 값은? [4점]

① 20　　　② 22　　　③ 24　　　④ 26　　　⑤ 28

해결의 실마리

수학적 귀납법을 이용하여 부등식 $A < B$를 증명할 경우에는 ⇨ $A < C$가 성립함을 알 때 $C < B$를 보여 $A < C < B$, 즉 $A < B$가 됨을 이용한다.

22

[2017학년도 교육청]

다음은 $n \geq 2$인 모든 자연수 n에 대하여 부등식 $\left(1 + \frac{1}{2} + \frac{1}{3} + \cdots + \frac{1}{n} \right)(1 + 2 + 3 + \cdots + n) > n^2$ ……(*)이 성립함을 수학적 귀납법을 이용하여 증명하는 과정이다.

주어진 식 (*)의 양변을 $\frac{n(n+1)}{2}$로 나누면 $1 + \frac{1}{2} + \frac{1}{3} + \cdots + \frac{1}{n} > \frac{2n}{n+1}$ …… ㉠이다.

$n \geq 2$인 자연수 n에 대하여

(i) $n = 2$일 때, (좌변) $= \boxed{(가)}$, (우변) $= \frac{4}{3}$이므로 ㉠이 성립한다.

(ii) $n = k$ $(k \geq 2)$일 때, ㉠이 성립한다고 가정하면 $1 + \frac{1}{2} + \frac{1}{3} + \cdots + \frac{1}{k} > \frac{2k}{k+1}$ …… ㉡이다.

　㉡의 양변에 $\frac{1}{k+1}$을 더하면 $1 + \frac{1}{2} + \frac{1}{3} + \cdots + \frac{1}{k} + \frac{1}{k+1} > \frac{2k+1}{k+1}$이 성립한다.

　한편, $\frac{2k+1}{k+1} - \boxed{(나)} = \frac{k}{(k+1)(k+2)} > 0$이므로 $1 + \frac{1}{2} + \frac{1}{3} + \cdots + \frac{1}{k} + \frac{1}{k+1} > \boxed{(나)}$이다.

　따라서 $n = k+1$일 때도 ㉠이 성립한다.

(i), (ii)에 의하여 $n \geq 2$인 모든 자연수 에 대하여 ㉠이 성립하므로 (*)도 성립한다.

위의 (가)에 알맞은 수를 p, (나)에 알맞은 식을 $f(k)$라 할 때, $8p \times f(10)$의 값은? [4점]

① 14　　　② 16　　　③ 18　　　④ 20　　　⑤ 22

Very Important Test

친절한 해설 56쪽

01

$a_1=5$, $a_2=9$, $a_{n+2}-a_{n+1}=a_{n+1}-a_n$ $(n=1,\ 2,\ 3,\ \cdots)$
으로 정의된 수열 $\{a_n\}$에서 a_{10}의 값은? [3점]

① 41　　　　② 43　　　　③ 45

④ 47　　　　⑤ 49

02

$a_1=-5$, $a_2=-3$, $a_{n+1}=\dfrac{a_n+a_{n+2}}{2}$ $(n=1,\ 2,\ 3,\ \cdots)$으
로 정의된 수열 $\{a_n\}$에 대하여 $\sum\limits_{n=1}^{10} a_n$의 값은? [3점]

① 30　　　　② 35　　　　③ 40

④ 45　　　　⑤ 50

03

수열 $\{a_n\}$이 $\begin{cases} a_1=4 \\ a_{n+1}=a_n+3\ (n=1,\ 2,\ 3,\ \cdots) \end{cases}$ 으로 정의될
때, $a_k=25$를 만족시키는 자연수 k의 값을 구하시오.

[3점]

04

수열 $\{a_n\}$이 $a_1=\dfrac{4}{3}$, $a_2=4$, $\dfrac{a_{n+2}}{a_{n+1}}=\dfrac{a_{n+1}}{a_n}$ $(n=1,\ 2,\ 3,\ \cdots)$
으로 정의될 때, $\sum\limits_{k=1}^{4} a_k=\dfrac{q}{p}$이다. $p+q$의 값은? (단, p, q
는 서로소인 자연수) [3점]

① 161　　　　② 162　　　　③ 163

④ 164　　　　⑤ 165

05

수열 $\{a_n\}$이 $a_1=3$이고 $a_{n+1}=a_n+2^{n-1}$일 때, a_5의 값은?

[3점]

① 15　　　　② 16　　　　③ 17

④ 18　　　　⑤ 19

06

수열 $\{a_n\}$이 $a_1=30$이고, 모든 자연수 n에 대하여
$a_{n+1}=\dfrac{n}{n+2}a_n$을 만족시킬 때, a_5의 값을 구하시오. [3점]

07

수열 $\{a_n\}$이 $a_1=20$이고, 모든 자연수 n에 대하여 $(n+3)a_{n+1}=na_n$을 만족시킬 때, a_5의 값은? [3점]

① $\dfrac{2}{7}$ ② $\dfrac{3}{7}$ ③ $\dfrac{4}{7}$

④ $\dfrac{5}{7}$ ⑤ $\dfrac{6}{7}$

08

첫째항이 1인 수열 $\{a_n\}$이 모든 자연수 n에 대하여 $a_{n+1}=2na_n+1$을 만족시킬 때, a_4의 값은? [3점]

① 71   ② 73   ③ 75

④ 77   ⑤ 79

09

수열 $\{a_n\}$이 $\begin{cases} a_1=1 \\ a_{n+1}=\dfrac{a_n}{1+2a_n} \ (n=1,\ 2,\ 3,\ \cdots) \end{cases}$으로 정의

될 때, a_5의 값은? [3점]

① $\dfrac{1}{2}$ ② $\dfrac{1}{3}$ ③ $\dfrac{1}{5}$

④ $\dfrac{1}{7}$ ⑤ $\dfrac{1}{9}$

10

수열 $\{a_n\}$이 $a_1=15$이고, 모든 자연수 n에 대하여

$a_{n+1}=\begin{cases} a_n+3 \ (n\text{이 홀수인 경우}) \\ a_n-n \ (n\text{이 짝수인 경우}) \end{cases}$를 만족시킬 때, a_6의

값은? [3점]

① 15   ② 16   ③ 17

④ 18   ⑤ 19

11

자연수 n에 대한 명제 $p(n)$이 다음 두 조건을 만족한다.

> (가) $p(1)$이 참이다.
> (나) $p(n)$이 참이면 $p(3n)$과 $p(5n)$이 참이다.

다음 중 참인 것은? [3점]

① $p(120)$ ② $p(144)$ ③ $p(196)$

④ $p(243)$ ⑤ $p(256)$

12

다음은 $a_1=1$, $a_{n+1}=\dfrac{4-a_n}{3-a_n}$ $(n=1,\ 2,\ 3,\ \cdots)$으로 정의

된 수열 $\{a_n\}$의 일반항이 $a_n=\dfrac{2n-1}{n}$임을 수학적 귀납법

으로 증명한 것이다.

> (i) $n=1$일 때, $a_1=1=\dfrac{2\times1-1}{1}$이므로 성립한다.
>
> (ii) $n=k$일 때, $a_k=\boxed{\text{(가)}}$이라고 가정하면
>
> $a_{k+1}=\dfrac{4-a_k}{3-a_k}=\dfrac{2\times\boxed{\text{(나)}}-1}{k+1}$
>
> 따라서 $n=k+1$일 때에도 성립한다.
>
> (i), (ii)에 의하여 모든 자연수 n에 대하여
>
> $a_n=\dfrac{2n-1}{n}$이다.

위의 증명 과정에서 (가), (나)에 알맞은 식을 각각 $f(k)$, $g(k)$라 할 때, $f(5)g(9)$의 값은? [3점]

① 12   ② 14   ③ 16

④ 18   ⑤ 20

13

2 이상의 자연수 n에 대하여 부등식 $\left(1+\frac{1}{n}\right)^n>2$가 성립함이 알려져 있다. 다음은 이 사실을 이용하여 n이 6 이상의 자연수일 때, 부등식 $\left(\frac{n}{2}\right)^n>n!$이 성립함을 수학적 귀납법으로 증명한 것이다. $(n!=1\times2\times3\times\cdots\times n)$

(i) $n=6$일 때, $3^6=729$, $6!=720$이므로 성립한다.

(ii) $n=k\,(k\geq6)$일 때 주어진 부등식이 성립한다고 가정하면

$$\left(\frac{k+1}{2}\right)^{k+1}=\frac{k+1}{2^{k+1}}\times\frac{(k+1)^k}{k^k}\times k^k$$

$$=\frac{k+1}{2}\times\left(1+\frac{1}{k}\right)^k\times\boxed{\text{(가)}}$$

$$>\frac{k+1}{2}\times\boxed{\text{(나)}}=\boxed{\text{(다)}}$$

이므로 $n=k+1$일 때에도 성립한다.

(i), (ii)에 의하여 주어진 부등식은 6 이상의 모든 자연수에 대하여 성립한다.

위의 증명 과정에서 (가), (나), (다)에 알맞은 식을 각각 $f(k)$, $g(k)$, $h(k)$라 할 때, $f(4)+\dfrac{g(5)}{h(4)}$의 값은? [4점]

① 12   ② 15   ③ 18

④ 21   ⑤ 24

① 등급 level up

14

수열 $\{a_n\}$이 모든 자연수 n에 대하여 $a_{n+1}=a_n+3n$을 만족시킨다. $4a_1=a_2+3$일 때, a_{10}의 값은? [3점]

① 135   ② 137   ③ 139

④ 141   ⑤ 143

15

$a_1=1$, $3a_na_{n+1}=a_n-a_{n+1}\,(n=1,\,2,\,3,\,\cdots)$으로 정의된 수열 $\{a_n\}$에서 a_{15}는? [3점]

① $\dfrac{1}{41}$ ② $\dfrac{1}{42}$ ③ $\dfrac{1}{43}$

④ $\dfrac{1}{44}$ ⑤ $\dfrac{1}{45}$

16

수열 $\{a_n\}$이 $a_1=\dfrac{1}{2}$, $a_{n+1}=\dfrac{1}{1-a_n}\,(n=1,\,2,\,3,\,\cdots)$으로 정의될 때, $a_1+a_2+a_3+\cdots+a_k=6$을 만족시키는 자연수 k의 값을 구하시오. [3점]

17

첫째항이 $\dfrac{2}{5}$인 수열 $\{a_n\}$은 모든 자연수 n에 대하여

$$a_{n+1}=\begin{cases}2a_n & (a_n\leq1)\\ -a_n+2 & (a_n>1)\end{cases}$$ 을 만족시킨다. $a_{10}+a_{18}$의 값은? [3점]

① $\dfrac{6}{5}$ ② $\dfrac{8}{5}$ ③ 2

④ $\dfrac{12}{5}$ ⑤ $\dfrac{14}{5}$

memo

조금이라도 달라지고 싶다면
지금 이 순간부터 변해야 한다.
ㅡ프레드 스미스

당신이 친구들이 보고 싶으면
친구들이 당신에게 관심을 가지게 하려 하지 말고
당신이 먼저 친구들에게 관심을 가져라.
ㅡ데일 카네기

좋은 기회를 만나지 못한 사람은 아무도 없다.
다만 그것을 붙잡지 못했을 뿐이다.
ㅡ앤드류 카네기

참 중요한 3·4점

정답과 해설

고등 수학 Ⅰ

참 중요한 3·4점

정답과 해설

고등 **수학** I

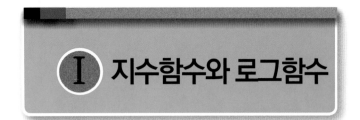

I 지수함수와 로그함수

01 지수

p. 7

01. 33	**02.** ③	**03.** 7	**04.** ②	**05.** ④
06. 98				

01 $\sqrt[3]{4^n}=4^{\frac{n}{3}}=2^{\frac{2n}{3}}$이 정수가 되기 위해서는 $\frac{2n}{3}$이 자연수이어야

하므로 n은 3의 배수이다. n은 100 이하의 자연수이고,
100 이하의 자연수 중 3의 배수의 개수는 33이다.
따라서 n의 개수는 33이다. 답 33

02 $(ab)^6=(\sqrt{2}\times\sqrt[3]{3})^6=\left(2^{\frac{1}{2}}\times3^{\frac{1}{3}}\right)^6$
$=2^3\times3^2=8\times9=72$ 답 ③

03 $a=\sqrt[3]{2}$, $b=\sqrt[4]{3}$을 등식 $6=a^xb^y$에 대입하면
$6=(\sqrt[3]{2})^x(\sqrt[4]{3})^y=2^{\frac{x}{3}}\times3^{\frac{y}{4}}$
$6=2^1\times3^1$이므로 지수끼리 비교하면
$1=\frac{x}{3}$, $1=\frac{y}{4}$
따라서 $x=3$, $y=4$이므로
$x+y=7$ 답 7

04 $27\times3^{-2}=3^3\times3^{-2}=3^{3+(-2)}=3$ 답 ②

05 $12=16^{\frac{1}{a}}=(2^4)^{\frac{1}{a}}=2^{\frac{4}{a}}$, $3=2^{\frac{1}{b}}$이므로
$2^{\frac{4}{a}-\frac{1}{b}}=\frac{12}{3}=4$ 답 ④

06 $\left(a^{\frac{1}{2}}+a^{-\frac{1}{2}}\right)^2=a+2+a^{-1}$이므로
$a+a^{-1}=\left(a^{\frac{1}{2}}+a^{-\frac{1}{2}}\right)^2-2=100-2=98$ 답 98

유형따라잡기
pp. 8~13

기출유형 01 ⑤	**01.** 252	**02.** 36	**03.** ③ **04.** ④
기출유형 02 ③	**05.** 20	**06.** 12	**07.** 5 **08.** ⑤
기출유형 03 ②	**09.** ③	**10.** ⑤	**11.** 15 **12.** 17
기출유형 04 ④	**13.** ①	**14.** ⑤	**15.** 4 **16.** 125
기출유형 05 8	**17.** ⑤	**18.** ⑤	**19.** ② **20.** 4
기출유형 06 ①	**21.** 20	**22.** ①	

기출유형 **01**

Act① a의 n제곱근은 $x^n=a$를 만족하는 실수 x임을 이용한다.
a는 2의 세제곱근이므로 $a^3=2$
$\sqrt{2}$는 b의 네제곱근이므로 $(\sqrt{2})^4=b$, $4=b$
$\therefore \left(\frac{b}{a}\right)^3=\frac{b^3}{a^3}=\frac{4^3}{2}=32$ 답 ⑤

01 **Act①** $\sqrt{a}+\sqrt[3]{b}$이 자연수가 되려면 a는 어떤 자연수의 제곱 꼴
이고 b는 세제곱 꼴이어야 함을 이용한다.
$\sqrt{a}$가 자연수가 되려면 a는 어떤 자연수의 제곱 꼴이어야 하
므로
$30\le a\le40$에서 $30\le a=6^2=36\le40$
또, $\sqrt[3]{b}$이 자연수가 되려면 b는 어떤 자연수의 세제곱 꼴이
어야 하므로
$150\le b\le294$에서 $150\le b=6^3=216\le294$
$\therefore a+b=36+216=252$ 답 252

02 **Act①** $\sqrt{\frac{3}{2}}\times\sqrt[4]{a}=n$ (n은 자연수)라 놓고 양변을 네제곱하여
근호를 없앤다.
$\sqrt{\frac{3}{2}}\times\sqrt[4]{a}=n$ (n은 자연수)라 하고 양변을 네제곱하면
$\frac{9}{4}a=n^4$, 즉 $\frac{3^2}{4}a=n^4$
등식의 좌변이 자연수 n의 네제곱이 되려면
$a=4\times3^2\times k^4$ (k는 자연수)
의 꼴이어야 한다.
따라서 $k=1$일 때 a의 최솟값은 36이다. 답 36

03 **Act①** 음수의 n제곱근 중 실수인 것은 n이 홀수일 때 1개 존재
하고, n이 짝수일 때는 없다.
-3의 제곱근 중 실수는 없으므로 $f_2(-3)=0$이다.
-2의 세제곱근 중 실수는 $\sqrt[3]{-2}$ 오직 한 개이므로
$f_3(-2)=1$이다.
5의 네제곱근 중 실수는 $\sqrt[4]{5}$, $-\sqrt[4]{5}$로 두 개이므로
$f_4(5)=2$이다.
$\therefore f_2(-3)+f_3(-2)+f_4(5)=3$ 답 ③

04 **Act①** 이차방정식 $ax^2+bx+c=0$의 두 근이 α, β일 때, 두 근
의 합 $\alpha+\beta=-\frac{b}{a}$, 두 근의 곱 $\alpha\beta=\frac{c}{a}$임을 이용한다.
x에 대한 이차방정식 $x^2-\sqrt[3]{81}x+a=0$의 두 근이 $\sqrt[3]{3}$과 b이
므로 이차방정식의 근과 계수의 관계에 의하여
$\sqrt[3]{3}+b=\sqrt[3]{81}$, $\sqrt[3]{3}b=a$
이므로
$b=\sqrt[3]{81}-\sqrt[3]{3}=\sqrt[3]{3^4}-\sqrt[3]{3}=3\sqrt[3]{3}-\sqrt[3]{3}=2\sqrt[3]{3}$
$a=\sqrt[3]{3}b=\sqrt[3]{3}\times2\sqrt[3]{3}=2\sqrt[3]{3^2}$
$\therefore ab=2\sqrt[3]{3^2}\times2\sqrt[3]{3}=4\sqrt[3]{3^3}=4\times3=12$ 답 ④

기출유형 **02**

Act① 거듭제곱근을 유리수인 지수로 나타낸 후 지수법칙을 이용

한다.

$$\sqrt{a} \times \frac{\sqrt[3]{a^2}}{a} = a^{\frac{1}{2}} \times \frac{a^{\frac{2}{3}}}{a} = a^{\frac{1}{2}+\frac{2}{3}-1} = a^{\frac{1}{6}}$$

한편 $\sqrt[n]{a} = a^{\frac{1}{n}}$이므로

$$\frac{1}{6} = \frac{1}{n} \qquad \therefore n = 6 \qquad\qquad 답 ③$$

05 Act① $\sqrt[5]{4^n}$을 유리수인 지수로 나타낸다.

$\sqrt[5]{4^n} = 4^{\frac{n}{5}} = 2^{\frac{2n}{5}}$이 정수가 되기 위해서는 $\frac{2n}{5}$이 자연수이어야

하므로 n은 5의 배수이다. n은 100 이하의 자연수이고,
100 이하의 자연수 중 5의 배수의 개수는 20이다.

따라서 n의 개수는 20이다. 답 20

06 Act① $(\sqrt{2\sqrt[3]{4}})^n$을 유리수인 지수로 나타낸다.

$(\sqrt{2\sqrt[3]{4}})^n = 2^{\frac{5n}{6}}$이 자연수가 되도록 하는

자연수 n은 6의 배수이다.

$n=6$일 때, $2^5 = 32$

$n=12$일 때, $(2^5)^2 = 2^{10} = 1024$

$n=18$일 때, $(2^5)^3 = 2^{15} = 32768$

$\qquad\qquad\vdots$

$(\sqrt{2\sqrt[3]{4}})^n = 2^{\frac{5n}{6}}$이 네 자리 자연수가 되어야 하므로

$n=12$ 답 12

07 Act① m^n의 세제곱근을 유리수 지수로 나타낸다.

m^n의 세제곱근은 $m^{\frac{n}{3}}$이고 이 값이 자연수가 되기 위해서는
$n=3$ 또는 $n=6$이다.

(i) $n=3$일 때,
　조건을 만족시키는 m의 값은 2이다.

(ii) $n=6$일 때,
　조건을 만족시키는 m의 값은 2, 3, 4, 5이다.

따라서 m^n의 세제곱근이 자연수가 되도록 하는 순서쌍
(m, n)은 다음과 같다.

$(2, 3)$, $(2, 6)$, $(3, 6)$, $(4, 6)$, $(5, 6)$

그러므로 조건을 만족하는 순서쌍의 개수는 5이다. 답 5

08 Act① 거듭제곱근의 정의에서 $(\sqrt[5]{8})^n = N$으로 놓고, 거듭제곱근을 유리수인 지수로 나타낸다.

$\sqrt[5]{8}$이 자연수 N의 n제곱근이므로 거듭제곱근의 정의에 의하여 $(\sqrt[5]{8})^n = N$이다.

$N = (\sqrt[5]{8})^n = 8^{\frac{n}{5}} = (2^3)^{\frac{n}{5}} = 2^{\frac{3n}{5}}$

N은 자연수이므로 n의 값은 5의 배수이다.

따라서 두 자리 자연수 n은 10, 15, 20, $\cdots$, 95이므로 n의 개수는 18이다. 답 ⑤

기출유형 **03**

Act① 밑을 통일시켜 지수법칙을 이용하여 계산한다.

$$2^{\frac{1}{3}} \times 4^{\frac{1}{3}} = 2^{\frac{1}{3}} \times (2^2)^{\frac{1}{3}} = 2^{\frac{1}{3}} \times 2^{\frac{2}{3}}$$
$$= 2^{\frac{1}{3}+\frac{2}{3}} = 2^1 = 2 \qquad\qquad 답 ②$$

09 Act① 지수법칙을 이용하여 주어진 식을 간단히 하고 조건을 만족하는 a의 값을 구한다.

지수법칙을 이용하여 식을 간단히 하면

$$\left(a^{\frac{2}{3}}\right)^{\frac{1}{2}} = a^{\frac{2}{3} \times \frac{1}{2}} = a^{\frac{1}{3}}$$

$a^{\frac{1}{3}}$의 값이 자연수가 되기 위해서는 자연수 a를 어떤 자연수의 세제곱 꼴로 나타낼 수 있어야 한다.

$1^3 = 1$, $2^3 = 8$, $3^3 = 27$, $\cdots$이고 a는 10 이하의 자연수이므로 $a^{\frac{1}{3}}$의 값이 자연수가 되는 a의 값은 1, 8이다.

따라서 모든 a의 값의 합은 $1+8=9$ 답 ③

10 Act① 거듭제곱근을 실수인 지수로 나타내고 지수법칙을 이용하여 주어진 식을 간단히 한다.

$$(a^{\sqrt{2}})^{2\sqrt{3}} \div a^{3\sqrt{6}} \times (\sqrt[3]{a})^{6\sqrt{6}}$$
$$= a^{2\sqrt{6}} \div a^{3\sqrt{6}} \times \left(a^{\frac{1}{3}}\right)^{6\sqrt{6}}$$
$$= a^{2\sqrt{6}-3\sqrt{6}+2\sqrt{6}}$$
$$= a^{\sqrt{6}}$$
$$a^{\sqrt{6}} = a^k \qquad \therefore k = \sqrt{6} \qquad\qquad 답 ⑤$$

11 Act① 거듭제곱근을 실수인 지수로 나타내고 지수법칙을 이용하여 주어진 식을 간단히 한다.

$$(a^{\sqrt{3}})^{2\sqrt{3}} \div a^3 \times (\sqrt[3]{a})^{36} = a^k$$
$$a^6 \div a^3 \times a^{12} = a^k$$
$$a^{15} = a^k \qquad \therefore k = 15 \qquad\qquad 답 15$$

12 Act① 거듭제곱근을 실수인 지수로 나타내고 지수법칙을 이용하여 주어진 식을 간단히 한다.

$a>0$, $a \ne 1$인 a에 대하여

$$\left\{\frac{\sqrt{a^3}}{\sqrt[3]{a^4}} \times \sqrt{\left(\frac{1}{a}\right)^{-4}}\right\}^6 = \left(a^{\frac{3}{2}-\frac{4}{2\times3}} \times a^{\frac{4}{2}}\right)^6$$
$$= \left(a^{\frac{3}{2}-\frac{2}{3}+2}\right)^6 = \left(a^{\frac{17}{6}}\right)^6 = a^{17}$$

$$a^{17} = a^k \qquad \therefore k = 17 \qquad\qquad 답 17$$

기출유형 **04**

Act① 조건식의 밑이 다른 경우 $a^x = k \Leftrightarrow a = k^{\frac{1}{x}}$으로 밑을 바꾼 후 지수법칙을 이용한다.

$20^a = 8$에서 $20 = 8^{\frac{1}{a}}$, $20 = 2^{\frac{3}{a}}$ $\qquad\cdots\cdots$ ㉠

$5^b = 2$에서 $5 = 2^{\frac{1}{b}}$ $\qquad\cdots\cdots$ ㉡

㉠, ㉡을 변끼리 나누면

$$2^{\frac{3}{a}-\frac{1}{b}} = \frac{20}{5} = 4 \qquad\qquad 답 ④$$

13 Act① 조건식의 밑이 다른 경우 $a^x = k \Leftrightarrow a = k^{\frac{1}{x}}$으로 밑을 바꾼 후 지수법칙을 이용한다.

$3^a = 12^b = 6$이므로 $3 = 6^{\frac{1}{a}}$, $12 = 6^{\frac{1}{b}}$

등식의 양변을 변끼리 곱하면

$$6^{\frac{1}{a}} \times 6^{\frac{1}{b}} = 6^{\frac{1}{a}+\frac{1}{b}} = 3 \times 12 = 36$$
$$6^{\frac{1}{a}+\frac{1}{b}} = 36 = 6^2$$

$$\therefore \frac{1}{a}+\frac{1}{b}=2 \qquad \text{답 ①}$$

14 **Act❶** 조건식의 밑이 다른 경우 $a^x=k \Leftrightarrow a=k^{\frac{1}{x}}$으로 밑을 바꾼 후 지수법칙을 이용한다.

$2^{\frac{4}{a}}=100$에서 $2^4=100^a$, $2^4=10^{2a}$ ····· ㉠

$25^{\frac{2}{b}}=10$에서 $25^2=10^b$, $5^4=10^b$ ····· ㉡

㉠, ㉡을 변끼리 곱하면

$10^{2a+b}=2^4 \times 5^4=10^4$

$\therefore 2a+b=4 \qquad \text{답 ⑤}$

15 **Act❶** 조건식의 밑이 다른 경우 $a^x=k \Leftrightarrow a=k^{\frac{1}{x}}$으로 밑을 바꾼 후 지수법칙을 이용한다.

$a=9^4$에서 $a=(3^2)^4=3^8$, $3=a^{\frac{1}{8}}$

$b=8^3$에서 $b=(2^3)^3=2^9$, $2=b^{\frac{1}{9}}$

$12^{12}=(2^2 \times 3)^{12}=2^{24} \times 3^{12}=\left(b^{\frac{1}{9}}\right)^{24} \times \left(a^{\frac{1}{8}}\right)^{12}=a^{\frac{3}{2}}b^{\frac{8}{3}}$

$\therefore mn=\frac{3}{2} \times \frac{8}{3}=4 \qquad \text{답 4}$

16 **Act❶** 조건식의 양변을 변끼리 곱한 후 지수법칙을 이용한다.

조건식의 양변을 변끼리 곱하면

$5^{2a+b} \times 5^{a-b}=32 \times 2$

$5^{(2a+b)+(a-b)}=64$

$5^{3a}=4^3 \qquad \therefore 5^a=4$ ····· ㉠

$5^a=4$를 $5^{a-b}=2$에 대입하면

$\frac{4}{5^b}=2 \qquad \therefore 5^b=2$ ····· ㉡

㉠, ㉡에서 $4^{\frac{1}{a}}=5$, $2^{\frac{1}{b}}=5$이므로

$4^{\frac{a+b}{ab}}=4^{\frac{1}{a}+\frac{1}{b}}=4^{\frac{1}{a}} \times 4^{\frac{1}{b}}=5 \times \left(2^{\frac{1}{b}}\right)^2$

$\qquad\qquad =5 \times 5^2=125 \qquad \text{답 125}$

기출유형 **05**

Act❶ $2^{a-1}+2^{-a}=3$의 양변을 제곱하여 식을 변형한다.

$2^{a-1}+2^{-a}=3$의 양변을 제곱하면

$(2^{a-1})^2+2 \times 2^{a-1-a}+(2^{-a})^2=9$

$4^{a-1}+2 \times 2^{-1}+4^{-a}=9$

$\therefore 4^{a-1}+4^{-a}=8 \qquad \text{답 8}$

17 **Act❶** $2^{\frac{a}{2}}-2^{\frac{b}{2}}=3$의 양변을 제곱하여 식을 변형한다.

$2^{\frac{a}{2}}-2^{\frac{b}{2}}=3$의 양변을 제곱하면

$\left(2^{\frac{a}{2}}-2^{\frac{b}{2}}\right)^2=9$

$2^a-2 \times 2^{\frac{a}{2}} \times 2^{\frac{b}{2}}+2^b=2^a-2^{\frac{a+b}{2}+1}+2^b=9$

$a+b=2$이므로

$2^a+2^b-2^{\frac{2}{2}+1}=2^a+2^b-2^2=9$

$\therefore 2^a+2^b=9+4=13 \qquad \text{답 ⑤}$

18 **Act❶** $2^x+2^{-y}=5$의 양변을 세제곱하여 식을 변형한다.

$2^x+2^{-y}=5$의 양변을 세제곱하면

$(2^x+2^{-y})^3=5^3$

$2^{3x}+3 \times 2^{x-y}(2^x+2^{-y})+2^{-3y}=125$

$8^x+3 \times 2^2 \times 5+8^{-y}=125$

$\therefore 8^x+8^{-y}=125-60=65 \qquad \text{답 ⑤}$

19 **Act❶** $\frac{2^a+2^{-a}}{2^a-2^{-a}}$의 분모, 분자에 2^a을 곱해 $2^{2a}=4^a$가 나타나도록 한다.

$\frac{2^a+2^{-a}}{2^a-2^{-a}}=-2$의 좌변의 분모, 분자에 2^a을 곱하면

$\frac{2^{2a}+1}{2^{2a}-1}=-2$, $2^{2a}+1=-2 \times 2^{2a}+2$

$3 \times 2^{2a}=1 \qquad \therefore 2^{2a}=\frac{1}{3}$

$\therefore 4^a+4^{-a}=\frac{1}{3}+3=\frac{10}{3} \qquad \text{답 ②}$

20 **Act❶** $\frac{a^{3x}-a^{-x}}{a^x+a^{-x}}$의 분모, 분자에 a^x을 곱해 $a^{2x}=5$임을 이용한다.

분모, 분자에 a^x을 곱하면

$\frac{a^{3x}-a^{-x}}{a^x+a^{-x}}=\frac{a^x(a^{3x}-a^{-x})}{a^x(a^x+a^{-x})}=\frac{a^{4x}-1}{a^{2x}+1}$

$\qquad =\frac{(a^{2x})^2-1}{a^{2x}+1}=\frac{25-1}{5+1}=4 \qquad \text{답 4}$

기출유형 **06**

Act❶ $D_A=k\left(\frac{Q_A}{V_A}\right)^{\frac{1}{2}}$을 D_B에 대한 식으로 나타내어 $D_A-D_B=60$과 연립한다.

$D_A=k\left(\frac{Q_A}{V_A}\right)^{\frac{1}{2}}=k\left(\frac{\frac{2}{3}Q_B}{\frac{8}{27}V_B}\right)^{\frac{1}{2}}$

$\qquad =k \times \frac{3}{2}\left(\frac{Q_B}{V_B}\right)^{\frac{1}{2}}=\frac{3}{2}D_B$

$D_A-D_B=\frac{1}{2}D_B=60$

$\therefore D_B=120 \qquad \text{답 ①}$

21 **Act❶** R_1, R_2를 깊이 d와 각각의 무게에 대한 식으로 나타낸다.

$R=k\left(\frac{W}{D+10}\right)^{\frac{1}{3}}$에서

$R_1=k\left(\frac{160}{d+10}\right)^{\frac{1}{3}}$이고, $R_2=k\left(\frac{p}{d+10}\right)^{\frac{1}{3}}$이다.

$\frac{R_1}{R_2}=\frac{k\left(\frac{160}{d+10}\right)^{\frac{1}{3}}}{k\left(\frac{p}{d+10}\right)^{\frac{1}{3}}}=\left(\frac{160}{p}\right)^{\frac{1}{3}}=2$이고

$\sqrt[3]{\frac{160}{p}}=2$에서 $\frac{160}{p}=8$이고 $p=20$이다. $\qquad \text{답 20}$

22 **Act❶** P_A, P_B를 각각 식으로 나타내고 $S_B=3S_A$,

$\frac{P_A}{P_B}=\frac{(V_A)^3 S_A}{(V_B)^3(3S_A)}=\frac{1}{3}\left(\frac{V_A}{V_B}\right)^3$임을 이용한다.

두 비행기 A, B의 필요마력을 각각 P_A, P_B, 날개의 넓이를 각각 S_A, S_B라 하자.

$P_A = \frac{1}{150}kC(V_A)^3 S_A$이고, $S_B = 3S_A$이므로

$P_B = \frac{1}{150}kC(V_B)^3 S_B = \frac{1}{150}kC(V_B)^3(3S_A)$

$P_B = \sqrt{3}P_A$이므로

$\frac{P_A}{P_B} = \frac{1}{\sqrt{3}} = \frac{(V_A)^3 S_A}{(V_B)^3(3S_A)} = \frac{1}{3}\left(\frac{V_A}{V_B}\right)^3$

$\left(\frac{V_A}{V_B}\right)^3 = 3^{\frac{1}{2}}$

$\therefore \frac{V_A}{V_B} = 3^{\frac{1}{6}}$ 　　　　　　　답 ①

VIT Very Important Test pp. 14~15

01. ②　**02.** ⑤　**03.** ②　**04.** ③　**05.** ④
06. ⑤　**07.** ⑤　**08.** ②　**09.** ②　**10.** 52
11. ②　**12.** ④

01

$a = \sqrt{\sqrt[3]{4}} = \sqrt[6]{4} = \sqrt[6]{2^2} = \sqrt[3]{2}$
$b = \sqrt[3]{16} = \sqrt[3]{2^3 \times 2} = 2\sqrt[3]{2}$
$\therefore b - a = 2\sqrt[3]{2} - \sqrt[3]{2} = \sqrt[3]{2}$ 　　　답 ②

02

$\sqrt[5]{a} = -81$에서
$a = (-81)^5 = (-3^4)^5 = -3^{20}$
$\sqrt[6]{-b} = 32$에서
$-b = 32^6 = (2^5)^6 = 2^{30}$, $b = -2^{30}$
$\sqrt[10]{ab} = \{(-3^{20})(-2^{30})\}^{\frac{1}{10}}$
　　　$= (3^{20} \times 2^{30})^{\frac{1}{10}}$
　　　$= 3^2 \times 2^3 = 72$ 　　　答 ⑤

03

$\sqrt{\sqrt[4]{a\sqrt{a}}} = \left\{\left(a \times a^{\frac{1}{2}}\right)^{\frac{1}{4}}\right\}^{\frac{1}{2}} = a^{\frac{3}{2} \times \frac{1}{4} \times \frac{1}{2}} = a^{\frac{3}{16}}$

$\therefore k = \frac{3}{16}$ 　　　답 ②

04

$\left(\frac{1}{125}\right)^{\frac{4}{n}} = \left(\frac{1}{5^3}\right)^{\frac{4}{n}} = 5^{-\frac{12}{n}}$이므로 $5^{-\frac{12}{n}}$이 자연수가 되려면 $-\frac{12}{n}$는 0 또는 양의 정수이어야 한다.
따라서 n은 -12의 약수이고 가능한 정수 n의 개수는 -1, -2, -3, -4, -6, -12로 6이다. 　　　답 ③

05

$\sqrt[3]{a^3 b^2} \times \sqrt[6]{a^2 b} \div \sqrt[3]{ab^3}$
$= ab^{\frac{2}{3}} \times a^{\frac{1}{3}}b^{\frac{1}{6}} \div a^{\frac{1}{3}}b$
$= a^{1+\frac{1}{3}-\frac{1}{3}}b^{\frac{2}{3}+\frac{1}{6}-1}$

$= ab^{-\frac{1}{6}}$

따라서 $p = 1$, $q = -\frac{1}{6}$이므로

$p + q = 1 + \left(-\frac{1}{6}\right) = \frac{5}{6}$ 　　　답 ④

06

$3^{\frac{1}{\alpha}} \times 3^{\frac{1}{\beta}} = 3^{\frac{1}{\alpha}+\frac{1}{\beta}} = 3^{\frac{\alpha+\beta}{\alpha\beta}}$이고, 이차방정식 $x^2 + 4x - 2 = 0$에서 근과 계수의 관계에 의하여
$\alpha + \beta = -4$, $\alpha\beta = -2$
$\therefore 3^{\frac{\alpha+\beta}{\alpha\beta}} = 3^{\frac{-4}{-2}} = 3^2 = 9$ 　　　답 ⑤

07

$a = 2^{\frac{2}{3}}$, $b = 3^{\frac{1}{6}}$이므로
$a^m b^n = \left(2^{\frac{2}{3}}\right)^m \left(3^{\frac{1}{6}}\right)^n = 2^{\frac{2m}{3}} \times 3^{\frac{n}{6}}$

이때 $a^m b^n = 36$에서

$2^{\frac{2m}{3}} \times 3^{\frac{n}{6}} = 36 = 2^2 \times 3^2$

$\frac{2m}{3} = 2$, $\frac{n}{6} = 2$

따라서 $m = 3$, $n = 12$이므로
$m + n = 3 + 12 = 15$ 　　　답 ⑤

08

$\left(x^{\frac{1}{4}} + x^{-\frac{1}{4}}\right)\left(x^{\frac{1}{4}} - x^{-\frac{1}{4}}\right)\left(x^{\frac{1}{2}} + x^{-\frac{1}{2}}\right)$
$= \left(x^{\frac{1}{2}} - x^{-\frac{1}{2}}\right)\left(x^{\frac{1}{2}} + x^{-\frac{1}{2}}\right)$
$= x - x^{-1} = x - \frac{1}{x}$
$= \sqrt{2} - 1 - \frac{1}{\sqrt{2}-1}$
$= \sqrt{2} - 1 - (\sqrt{2}+1) = -2$ 　　　답 ②

09

$\frac{a^x - a^{-x}}{a^{3x} + a^{-3x}}$의 분자, 분모에 a^x을 곱하여 정리하면

$\frac{a^x - a^{-x}}{a^{3x} + a^{-3x}} = \frac{a^{2x} - 1}{a^{4x} + a^{-2x}} = \frac{3-1}{3^2 + 3^{-1}} = \frac{3}{14}$ 　　　답 ②

10

$\left(x^{\frac{1}{2}} + x^{-\frac{1}{2}}\right)^3$
$= x^{\frac{3}{2}} + x^{-\frac{3}{2}} + 3 \times x^{\frac{1}{2}} \times x^{-\frac{1}{2}}\left(x^{\frac{1}{2}} + x^{-\frac{1}{2}}\right)$
$= x^{\frac{3}{2}} + x^{-\frac{3}{2}} + 3\left(x^{\frac{1}{2}} + x^{-\frac{1}{2}}\right)$
이므로
$x^{\frac{3}{2}} + x^{-\frac{3}{2}} + 3 \times 4 = 4^3$
$\therefore x^{\frac{3}{2}} + x^{-\frac{3}{2}} = 52$ 　　　답 52

11

$30 = 27^{\frac{1}{x}} = 3^{\frac{3}{x}}$, $10 = 9^{\frac{1}{y}} = 3^{\frac{2}{y}}$이므로

$\dfrac{30}{10}=3^{\frac{3}{x}-\frac{2}{y}}$, 즉 $3=3^{\frac{3}{x}-\frac{2}{y}}$

$\therefore \dfrac{3}{x}-\dfrac{2}{y}=1$　　　　　　　　　　답 ②

12

6등성인 별의 밝기를 a, 1등급 커질 때마다 별의 밝기가 r배 커진다 하면, 1등성인 별의 밝기는 ar^5이므로

$ar^5=100a$, $r^5=100$　　$\therefore r=\sqrt[5]{100}=10^{\frac{2}{5}}$

따라서 각 등급 간의 밝기의 비는 $10^{\frac{2}{5}}$배이므로 2등성인 별의 밝기는 5등성인 별의 밝기의 $\left(10^{\frac{2}{5}}\right)^3$배, 즉 $10^{\frac{6}{5}}$배이다.　　답 ④

02 로그

01. ①　　**02.** 3　　**03.** ②　　**04.** ②　　**05.** ①
06. ②

01 밑의 조건에서 $a>0$, $a\ne1$　　　　$\cdots\cdots$ ㉠

진수의 조건에서
모든 실수 x에 대하여 $x^2+2ax+5a>0$이어야 한다.
판별식 $D=4a^2-20a=4a(a-5)<0$에서
$0<a<5$　　　　　　　　　　$\cdots\cdots$ ㉡
㉠, ㉡에서 $0<a<5$, $a\ne1$
따라서 정수 a는 2, 3, 4이므로 합은 9　　답 ①

02 $\log_3\left(\dfrac{9}{2}\times6\right)=\log_3 3^3=3$　　　　답 3

03 $\dfrac{1}{\log_4 18}+\dfrac{2}{\log_9 18}$

$=\log_{18}4+2\log_{18}9=\log_{18}2^2+2\log_{18}3^2$

$=\log_{18}2^2+\log_{18}(3^2)^2=\log_{18}2^2+\log_{18}3^4$

$=\log_{18}(2^2\times3^4)=\log_{18}(2\times3^2)^2$

$=\log_{18}18^2=2\log_{18}18$

$=2$　　　　　　　　　　　　　답 ②

04 $(7\sqrt{7})^a=7^{\frac{3}{2}a}=7^{\frac{3}{2}\log_7 5}$

$\qquad=7^{\log_7 5^{\frac{3}{2}}}=5^{\frac{3}{2}}=5\sqrt{5}$　　　　답 ②

05 로그의 정의에서 $2^a=5$이고 $5^b=7$이므로

$(2^a)^b=5^b=7$　　　　　　　　답 ①

[다른 풀이]

$ab=\log_2 5\times\log_5 7$

$\quad=\dfrac{\log_{10}5}{\log_{10}2}\times\dfrac{\log_{10}7}{\log_{10}5}$

$\quad=\dfrac{\log_{10}7}{\log_{10}2}=\log_2 7$

$\therefore (2^a)^b=2^{ab}=2^{\log_2 7}=7$

06 $\log_3 3^2<\log_3 10<\log_3 3^3$이므로

$2<\log_3 10<3$

$\log_3 10$의 정수 부분은 2이므로 소수 부분은

$a=\log_3 10-2=\log_3\dfrac{10}{9}$

$\therefore 3^a=3^{\log_3\frac{10}{9}}=\dfrac{10}{9}$　　　　답 ②

유형따라잡기

pp. 18~25

기출유형 01 ⑤	**01.** 6	**02.** 8	**03.** 9	**04.** 11
기출유형 02 2	**05.** ③	**06.** ②	**07.** ②	**08.** ①
기출유형 03 5	**09.** ③	**10.** 20	**11.** ④	**12.** ③
기출유형 04 ③	**13.** ⑤	**14.** ③	**15.** ①	
기출유형 05 ③	**16.** 1	**17.** ④	**18.** 22	**19.** ③
기출유형 06 ③	**20.** ②	**21.** 147	**22.** ③	
기출유형 07 ①	**23.** 25	**24.** ④	**25.** ⑤	**26.** 21
기출유형 08 ①	**27.** ⑤	**28.** ⑤		

기출유형 01

Act❶ 로그의 정의에서 밑은 1이 아닌 양수이고, 진수는 양수이어야 한다.

밑의 조건에서 $a>0$, $a\ne1$　　　$\cdots\cdots$ ㉠
진수의 조건에서 $-2a+14>0$, $a<7$　$\cdots\cdots$ ㉡
㉠, ㉡에서 $0<a<7$, $a\ne1$
따라서 정수 a는 2, 3, 4, 5, 6이므로 정수 a의 개수는 5
　　　　　　　　　　　　　답 ⑤

01 **Act❶** $a^x=N$일 때 임을 $x=\log_a N$임을 이용한다.

$a=8^2=2^6$이므로 $\log_2 a=6$　　　　답 6

02 **Act❶** $x=\log_a N$일 때 $a^x=N$임을 이용한다.

$\log_2 a=3$이므로 $2^3=a$

$\therefore a=8$　　　　　　　　　답 8

03 **Act❶** 로그의 정의에서 밑은 1이 아닌 양수이고, 진수는 양수이어야 한다.

밑의 조건에서 $x>0$, $x\ne1$　　　$\cdots\cdots$ ㉠
진수의 조건에서 $-x^2+4x+5>0$
$x^2-4x-5<0$, $(x+1)(x-5)<0$
$-1<x<5$　　　　　　　　　$\cdots\cdots$ ㉡
㉠, ㉡에서 $0<x<5$, $x\ne1$
따라서 정수 x는 2, 3, 4이므로 구하는 합은 9　　답 9

04 **Act❶** 로그의 정의에서 밑은 1이 아닌 양수이고, 진수는 양수이어야 한다.

밑의 조건에서 $x+6>0$, $x+6\ne1$　　　$\cdots\cdots$ ㉠

6 • 참 중요한 3·4점 수학 Ⅰ

진수의 조건에서 $49-x^2>0$
$x^2-49<0$, $(x+7)(x-7)<0$
$-7<x<7$ ······ ⓛ
㉠, ⓛ에서 $-6<x<7$, $x\neq-5$
따라서 정수 x는 -4, -3, -2, -1, 0, 1, 2, 3, 4, 5, 6이므로 구하는 합은 11 답 11

기출유형 02

Act① 밑이 같은 로그의 계산은 로그의 기본 성질을 이용하여 식을 간단히 한다.
$$\log_5 50+\log_5\frac{1}{2}=\log_5\left(50\times\frac{1}{2}\right)$$
$$=\log_5 25=\log_5 5^2$$
$$=2\log_5 5=2 \qquad \text{답 } 2$$

05 **Act①** 밑이 같은 로그의 계산은 로그의 기본 성질을 이용하여 식을 간단히 한다.
$$\log_2 3+\log_2\frac{8}{3}=\log_2\left(3\times\frac{8}{3}\right)$$
$$=\log_2 8=\log_2 2^3$$
$$=3\log_2 2=3 \qquad \text{답 } ③$$

06 **Act①** 밑이 같은 로그의 계산은 로그의 기본 성질을 이용하여 식을 간단히 한다.
$$\log_2 5+\log_2\frac{4}{5}=\log_2\left(5\times\frac{4}{5}\right)$$
$$=\log_2 4=\log_2 2^2$$
$$=2\log_2 2=2 \qquad \text{답 } ②$$

07 **Act①** $\log_2\frac{8}{n}$과 n이 자연수이므로 $\frac{8}{n}$은 2의 거듭제곱이어야 함을 이용한다.
$\log_2\frac{8}{n}$과 n이 자연수이므로 $\frac{8}{n}$은 2의 거듭제곱이고
$\frac{8}{n}=2$, 4, 8이다.
따라서 $n=1$, 2, 4이므로 모든 n의 값의 합은
$1+2+4=7$ 답 ②

08 **Act①** $5\log_n 2$, 즉 $\log_n 2^5$과 n이 자연수이므로 2^5은 n의 거듭제곱이어야 함을 이용한다.
$\log_n 2^5$과 n이 자연수이므로 2^5은 n의 거듭제곱이고 $n=2$, 32이다.
따라서 구하는 모든 n의 값의 합은 $2+32=34$ 답 ①

[다른 풀이]
$5\log_n 2=a$ (a는 자연수)라 하면 $\log_n 2^5=a$
$n^a=2^5=32$에서 n은 2 이상의 자연수이고 2의 거듭제곱 꼴이어야 하므로
n에 2, 4, 8, 16, 32를 대입해 보면
$n=2$일 때 $a=5$, $n=32$일 때 $a=1$
따라서 구하는 모든 n의 값의 합은 $2+32=34$

기출유형 03

Act① 로그의 밑이 같지 않을 때에는 로그의 밑의 변환 공식을 이용하여 밑을 같게 한 후 식을 간단히 한다.
$$\log_2 3\times\log_3 32=\frac{\log_2 3}{\log_2 2}\times\frac{\log_2 2^5}{\log_2 3}$$
$$=\frac{5\log_2 2}{\log_2 2}=5 \qquad \text{답 } 5$$

09 **Act①** 로그의 밑이 같지 않을 때에는 로그의 밑의 변환 공식을 이용하여 밑을 같게 한 후 식을 간단히 한다.
$$\log_5 27\times\log_3 5=\frac{\log 27}{\log 5}\times\frac{\log 5}{\log 3}$$
$$=\frac{3\log 3}{\log 5}\times\frac{\log 5}{\log 3}=3 \qquad \text{답 } ③$$

10 **Act①** 로그의 밑이 같지 않을 때에는 로그의 밑의 변환 공식을 이용하여 밑을 같게 한 후 식을 간단히 한다.
$$\log_a 3\times\log_9 b=\log_a 3\times\frac{\log_a b}{\log_a 9}$$
$$=\log_a 3\times\frac{\log_a b}{2\log_a 3}$$
$$=\frac{1}{2}\log_a b=10$$
$$\therefore \log_a b=20 \qquad \text{답 } 20$$

11 **Act①** 주어진 조건을 이용할 수 있도록 $\frac{1}{a}-\frac{1}{b}$을 변형한 후 $\log_b a=\frac{1}{\log_a b}$임을 이용한다.
$$\frac{1}{a}-\frac{1}{b}=\frac{b-a}{ab}=\frac{\log_2 5}{\log_3 5}=\frac{\dfrac{1}{\log_5 2}}{\dfrac{1}{\log_5 3}}$$
$$=\frac{\log_5 3}{\log_5 2}=\log_2 3 \qquad \text{답 } ④$$

12 **Act①** 로그의 기본 성질을 이용하여 $\log_a b$의 값을 구하고 $\log_b a=\frac{1}{\log_a b}$임을 이용한다.
$\log_a a^2 b^3=\log_a a^2+\log_a b^3=2+3\log_a b=3$
이므로 $\log_a b=\frac{1}{3}$
$$\therefore \log_b a=\frac{1}{\log_a b}=3 \qquad \text{답 } ③$$

기출유형 04

Act① $\log_{a^m} b^n=\frac{n}{m}\log_a b$임을 이용하여 밑을 3으로 통일한다.
$\log_{\sqrt{3}} a=\log_{3^{\frac{1}{2}}} a=2\log_3 a=\log_3 a^2$,
$\log_9 ab=\log_{3^2} ab=\frac{1}{2}\log_3 ab=\log_3 (ab)^{\frac{1}{2}}$이므로
$a^2=(ab)^{\frac{1}{2}}$, $a^4=ab$, $a(a^3-b)=0$
a, b는 1보다 큰 실수이므로 $b=a^3$
$$\therefore \log_a b=\log_a a^3=3 \qquad \text{답 } ③$$

13 Act❶ $a^{\log_c b}=b^{\log_c a}$를 이용하여 지수를 $\log_2 3$으로 통일한다.

$3^{\log_2 5}\times\left(\dfrac{4}{5}\right)^{\log_2 3}=5^{\log_2 3}\times\left(\dfrac{4}{5}\right)^{\log_2 3}=\left(5\times\dfrac{4}{5}\right)^{\log_2 3}$

$\qquad\qquad\qquad\quad=4^{\log_2 3}=3^{\log_2 4}=3^{2\log_2 2}=9$ 　　답 ⑤

14 Act❶ $\log_{a^m} b^n=\dfrac{n}{m}\log_a b$임을 이용한다.

$\left(\log_5 2+\log_{25}\dfrac{1}{2}\right)\left(\log_2 5+\log_4\dfrac{1}{5}\right)$

$=(\log_5 2+\log_{5^2} 2^{-1})(\log_2 5+\log_{2^2} 5^{-1})$

$=\left(\log_5 2-\dfrac{1}{2}\log_5 2\right)\left(\log_2 5-\dfrac{1}{2}\log_2 5\right)$

$=\dfrac{1}{2}\log_5 2\times\dfrac{1}{2}\log_2 5=\dfrac{1}{4}$ 　　답 ③

15 Act❶ 제곱근의 뜻을 이용하여 b를 a의 식으로 나타내어 $\log_a bc+\log_b ac=4$에 대입한다.

(가)에서 $\sqrt[3]{a}$는 ab의 네제곱근이므로 $a^{\frac{4}{3}}=ab$, $b=a^{\frac{1}{3}}$

(나)의 좌변을 간단히 하면

$\log_a bc+\log_b ac=\log_a a^{\frac{1}{3}}c+\log_{a^{\frac{1}{3}}} ac$

$=\dfrac{1}{3}\log_a a+\log_a c+3(\log_a a+\log_a c)$

$=\dfrac{10}{3}\log_a a+4\log_a c$

$=\dfrac{10}{3}+4\log_a c$

이때 $\dfrac{10}{3}+4\log_a c=4$이므로

$4\log_a c=\dfrac{3\times4-10}{3}=\dfrac{2}{3}$, $\log_a c=\dfrac{1}{6}$, $c=a^{\frac{1}{6}}$

한편, $\left(\dfrac{b}{c}\right)^k=\left(\dfrac{a^{\frac{1}{3}}}{a^{\frac{1}{6}}}\right)^k=\left(a^{\frac{1}{3}-\frac{1}{6}}\right)^k=a^{\frac{k}{6}}$이므로

$a=a^{\frac{k}{6}}$, $1=\dfrac{k}{6}$ 　　$\therefore k=6$ 　　답 ①

기출유형 ❺

Act❶ 로그의 정의를 이용하여 관계식을 지수로 나타낸 다음 식에 대입한다.

$\log_2\dfrac{a}{4}=b$에서 $\dfrac{a}{4}=2^b$, $a=4\times2^b$

$\therefore \dfrac{2^b}{a}=\dfrac{2^b}{4\times2^b}=\dfrac{1}{4}$ 　　답 ③

16 Act❶ 로그의 정의를 이용하여 관계식을 지수로 나타낸 다음 식에 대입한다.

$2\log_4(5x+1)=1$에서 $2\log_{2^2}(5a+1)=1$

$\log_2(5a+1)=1$, $5a+1=2$, $a=\dfrac{1}{5}$

$\therefore \log_5\dfrac{1}{a}=\log_5 5=1$ 　　답 1

17 Act❶ 로그의 정의를 이용하여 관계식을 지수로 나타낸 다음 식에 대입한다.

18

$\log_2 ab=8$에서 $ab=2^8$ 　　……㉠

$\log_2\dfrac{a}{b}=2$에서 $\dfrac{a}{b}=2^2$, $a=2^2 b$ 　　……㉡

㉡을 ㉠에 대입하면 $2^2 b^2=2^8$

$b^2=2^6$, $b=2^3$

이 값을 ㉡에 대입하면 $a=2^2\times2^3=2^5$

$\therefore \log_2(a+4b)=\log_2 2^6=6$ 　　답 ④

18 Act❶ 로그의 정의를 이용하여 관계식을 로그로 나타낸 다음 식에 대입한다.

$a=9^{11}$에서 $\log_9 a=11$, $\dfrac{1}{2}\log_3 a=11$, $\log_3 a=22$

$\therefore \dfrac{1}{\log_a 3}=\log_3 a=22$ 　　답 22

19 Act❶ 로그의 정의를 이용하여 관계식을 로그로 나타낸 다음 식에 대입한다.

$2^x=24$에서 $x=\log_2 24=\log_2(2^3\times3)=3+\log_2 3$

$3^y=24$에서 $y=\log_3 24=\log_3(3\times8)=1+\log_3 8$

$\therefore (x-3)(y-1)=\log_2 3\times\log_3 8$

$\qquad\qquad\qquad=\log_2 3\times\dfrac{\log_2 8}{\log_2 3}$

$\qquad\qquad\qquad=\log_2 8=3$ 　　답 ③

기출유형 ❻

Act❶ $\log 24$, $\log 50$을 $\log 2$, $\log 3$으로 나타낸 후 $\log 2=0.3010$, $\log 3=0.4771$을 대입한다.

$\log 24+\log 50=\log(2^3\times3)+\log\dfrac{100}{2}$

$\qquad\qquad\qquad=3\log 2+\log 3+2\log 10-\log 2$

$\qquad\qquad\qquad=2\log 2+\log 3+2$

$\qquad\qquad\qquad=2\times0.3010+0.4771+2$

$\qquad\qquad\qquad=3.0791$ 　　답 ③

20 Act❶ $\log 12^2$을 $\log 1.44$가 포함된 형태로 변형한다.

$2\log 12=\log 12^2=\log 144$

$\qquad\quad=\log(1.44\times100)$

$\qquad\quad=\log 1.44+\log 100$

$\qquad\quad=\log 1.44+\log 10^2$

$\qquad\quad=\log 1.44+2\log 10$

$\qquad\quad=a+2$ 　　답 ②

21 Act❶ $\log A=2.1673$을 $\log 1.47$로 나타낸 후 $\log 1.47=0.1673$을 대입한다.

$\log A=2.1673=2+0.1673$

$\qquad\quad=\log 100+\log 1.47=\log 147$

$\therefore A=147$ 　　답 147

22 Act❶ $\log 6.07$의 값은 상용로그표에서 6.0의 행과 7의 열이 만나는 곳에 있는 수인 0.7832임을 이용한다.

상용로그표에서 $\log 6.07=0.7832$이므로

$$\log 607 + \log 0.607 = \log(6.07 \times 10^2) + \log(6.07 \times 10^{-1})$$
$$= \log 6.07 + 2 + \log 6.07 + (-1)$$
$$= 2\log 6.07 + 1 = 2 \times 0.7832 + 1$$
$$= 2.5664 \qquad \text{답 ③}$$

기출유형 07

Act① $\log N$의 정수 부분이 n이면 N은 $(n+1)$자리의 수임을 이용한다.

$$\log 12^{10} = 10\log(2^2 \times 3) = 10(2\log 2 + \log 3)$$
$$= 10(2 \times 0.3010 + 0.4771) = 10.791$$

따라서 $\log 12^{10}$의 정수 부분이 10이므로 12^{10}은 11자리의 정수이다. 답 ①

23 **Act①** $\log N$의 정수 부분이 n이면 N은 $(n+1)$자리의 수임을 이용한다.

4^m이 8자리의 정수이므로 $\log 4^m$의 정수 부분은 7이다.

$$7 \le \log 4^m < 8, \quad 7 \le m\log 4 < 8$$
$$\frac{7}{\log 4} \le m < \frac{8}{\log 4}, \quad \frac{7}{2\log 2} \le m < \frac{8}{2\log 2}$$
$$\frac{7}{0.602} \le m < \frac{4}{0.301}$$

$11.6\cdots \le m < 13.2\cdots$이므로 $m = 12$, 13

따라서 구하는 모든 자연수 m의 값의 합은 25 답 25

24 **Act①** $\log N$의 정수 부분이 $-n$이면 N은 소수점 아래 n째 자리에서 처음으로 0이 아닌 숫자가 나타난다.

$$\log\left(\frac{2}{3}\right)^{40} = 40\log\frac{2}{3} = 40(\log 2 - \log 3)$$
$$= 40(0.3010 - 0.4771)$$
$$= -7.044 = -7 - 0.044$$
$$= (-7-1) + (1-0.044)$$
$$= -8 + 0.956$$

따라서 $\log\left(\frac{2}{3}\right)^{40}$의 정수 부분이 -8이므로 $\left(\frac{2}{3}\right)^{40}$은 소수점 아래 8째 자리에서 처음으로 0이 아닌 숫자가 나타난다. 답 ④

25 **Act①** N^{30}이 49자리의 정수이므로 $\log N^{30}$의 정수 부분이 48임을 이용한다.

N^{30}이 49자리의 정수이므로

$$48 \le \log N^{30} < 49, \quad 48 \le 30\log N < 49$$
$$\therefore \frac{48}{30} \le \log N < \frac{49}{30} \quad \cdots\cdots \ \bigcirc$$

이때 $\log N^{12} = 12\log N$이므로

$\bigcirc$의 양변에 12를 곱하면

$$\frac{96}{5} \le 12\log N < \frac{98}{5}, \quad 19.2 \le 12\log N < 19.6$$

따라서 $\log N^{12}$의 정수 부분이 19이므로 N^{12}은 20자리의 정수이다. 답 ⑤

26 **Act①** $\log M$의 정수 부분이 m이면 M은 $(m+1)$자리의 수이고, $\log N$의 정수 부분이 $-n$이면 N은 소수점 아래 n째 자리에

서 처음으로 0이 아닌 숫자가 나타난다.

$$\log 6^{10} = 10\log 6 = 10\log(2 \times 3) = 10(\log 2 + \log 3)$$
$$= 10(0.3010 + 0.4771) = 7.781$$
$$\log\left(\frac{3}{4}\right)^{100} = 100\log\frac{3}{4} = 100(\log 3 - \log 4)$$
$$= 100(\log 3 - \log 2^2) = 100(\log 3 - 2\log 2)$$
$$= 100(0.4771 - 2 \times 0.3010)$$
$$= -12.49 = -12 - 0.49$$
$$= (-12-1) + (1-0.49)$$
$$= -13 + 0.51$$

따라서 $\log 6^{10}$의 정수 부분이 7이므로 6^{10}은 8자리의 정수이고, $\log\left(\frac{3}{4}\right)^{100}$의 정수 부분이 -13이므로 $\log\left(\frac{3}{4}\right)^{100}$은 소수점 아래 13째 자리에서 처음으로 0이 아닌 숫자가 나타난다.

$$\therefore m + n = 8 + 13 = 21 \qquad \text{답 21}$$

기출유형 08

Act① 식이 주어진 경우 식에 알맞은 문자 또는 값을 대입한 다음 로그의 정의 및 성질을 이용한다.

100개의 자료를 처리할 때의 시간복잡도 T_1은

$$\frac{T_1}{100} = \log 100 \text{에서 } T_1 = 200$$

1000개의 자료를 처리할 때의 시간복잡도 T_2는

$$\frac{T_2}{1000} = \log 1000 \text{에서 } T_2 = 3000$$

$$\therefore \frac{T_2}{T_1} = \frac{3000}{200} = 15 \qquad \text{답 ①}$$

27 **Act①** 식이 주어진 경우 식에 알맞은 문자 또는 값을 대입한 다음 로그의 정의 및 성질을 이용한다.

$$U_1 = u\log\left(\frac{7.5 - 0.3}{0.2}\right) = u\log\frac{72}{2} = u\log 6^2$$
$$U_2 = u\log\left(\frac{43.5 - 0.3}{0.2}\right) = u\log\frac{432}{2} = u\log 6^3$$
$$\therefore \frac{U_2}{U_1} = \frac{u\log 6^3}{u\log 6^2} = \frac{3u\log 6}{2u\log 6} = \frac{3}{2} \qquad \text{답 ⑤}$$

28 **Act①** 식이 주어진 경우 식에 알맞은 문자 또는 값을 대입한 다음 로그의 정의 및 성질을 이용한다.

$R = 512$, $H = 8$, $h = 6$, 우물의 반지름의 길이가 1 m인 우물 A의 양수량 Q_A는

$$Q_A = \frac{k(8^2 - 6^2)}{\log\frac{512}{1}} = \frac{28k}{9\log 2}$$

$R = 512$, $H = 8$, $h = 6$, 우물의 반지름의 길이가 2 m인 우물 B의 양수량 Q_B는

$$Q_B = \frac{k(8^2 - 6^2)}{\log\frac{512}{2}} = \frac{28k}{8\log 2}$$

$$\therefore \frac{Q_A}{Q_B} = \frac{8}{9} \qquad \text{답 ⑤}$$

01. ④	02. 4	03. ②	04. ⑤	05. ④
06. ①	07. 6	08. 31	09. ①	10. ⑤
11. ③	12. ②			

01

로그의 진수는 양수이어야 하므로
$-a^2+a+20>0$, $a^2-a-20<0$
$(a-5)(a+4)<0$ $\therefore -4<a<5$
따라서 가능한 정수 a의 개수는 -3, -2, -1, 0, 1, 2, 3, 4
로 8이다.   답 ④

02

$\log_2 10-\log_2 5+\log_2 3\times\log_3 8$
$=\log_2\dfrac{10}{5}+\log_2 3\times\dfrac{\log_2 8}{\log_2 3}$
$=\log_2 2+\log_2 8$
$=1+3$
$=4$ 답 4

03

$\log_2 160-\log_8 125=\log_2 160-\log_{2^3} 5^3$
$\qquad\qquad\qquad\qquad=\log_2 160-\log_2 5$
$\qquad\qquad\qquad\qquad=\log_2\dfrac{160}{5}=\log_2 32$
$\qquad\qquad\qquad\qquad=\log_2 2^5=5$ 답 ②

04

$2019^x=100$, $0.2019^y=10$에서 로그의 정의에 의하여
$x=\log_{2019} 100=2\log_{2019} 10=\dfrac{2}{\log_{10} 2019}$
$y=\log_{0.2019} 10=\dfrac{1}{\log_{10} 0.2019}$
$\therefore \dfrac{2}{x}-\dfrac{1}{y}=\log_{10} 2019-\log_{10} 0.2019$
$\qquad\qquad=\log_{10}\dfrac{2019}{0.2019}=\log_{10} 10000$
$\qquad\qquad=\log_{10} 10^4=4$ 답 ⑤

05

$\log_6 90$을 밑이 5인 로그로 변형하면
$\log_6 90=\dfrac{\log_5 90}{\log_5 6}=\dfrac{\log_5 2+\log_5 3^2+\log_5 5}{\log_5 2+\log_5 3}$
$\qquad\quad=\dfrac{a+2b+1}{a+b}$ 답 ④

06

$a=\log_3(2+\sqrt{3})$에서
$3^a=2+\sqrt{3}$
$3^{-a}=\dfrac{1}{2+\sqrt{3}}=2-\sqrt{3}$

$\therefore \dfrac{3^a-3^{-a}}{3^a+3^{-a}}=\dfrac{(2+\sqrt{3})-(2-\sqrt{3})}{(2+\sqrt{3})+(2-\sqrt{3})}$
$\qquad\qquad\qquad=\dfrac{2\sqrt{3}}{4}=\dfrac{\sqrt{3}}{2}$ 답 ①

07

$a^{\log_a b}=b$가 성립하므로
$2^x=2^{\log_2(3+\sqrt{8})}=3+\sqrt{8}$
$2^{-x}=2^{-\log_2(3+\sqrt{8})}=2^{\log_2(3+\sqrt{8})^{-1}}$
$\qquad=(3+\sqrt{8})^{-1}=\dfrac{1}{3+\sqrt{8}}=3-\sqrt{8}$
$\therefore 2^x+2^{-x}=(3+\sqrt{8})+(3-\sqrt{8})=6$ 답 6

08

$a^{\log_b c}=c^{\log_b a}$가 성립하므로
$a^{\log_5 2}=2^{\log_5 a}$
$a^{\log_5 2}$의 값이 정수가 되려면 $a=5^n$ ($n=0$, 1, 2, $\cdots$)의 꼴이어야
한다. 그런데 $a<100$인 자연수이므로 $a=1$, 5, 25
따라서 구하는 모든 a의 값의 합은 31이다.   답 31

09

$\log 12=\log(10\times1.2)=1+\log 1.2$
따라서 $n=1$, $\alpha=\log 1.2$이므로
$(n-2)(\alpha+1)=(-1)\times(\log 1.2+1)$
$\qquad\qquad\qquad=(-1)\times(\log 1.2+\log 10)$
$\qquad\qquad\qquad=-\log 12$ 답 ①

10

$\log N$의 정수 부분과 소수 부분을 각각 n, α ($0\le\alpha<1$)라 하면
$\log N=n+\alpha=\dfrac{7}{2}$, $N=10^{\frac{7}{2}}$
$\therefore N^2=10^7$ 답 ⑤

11

(가)에서 $\log_2 xy=1$ $\therefore xy=2$
(나)에서 $\log_3\left(1+\dfrac{2}{x}\right)\left(1+\dfrac{2}{y}\right)=2$
즉 $1+\dfrac{2}{x}+\dfrac{2}{y}+\dfrac{4}{xy}=9$이므로
$\dfrac{2}{x}+\dfrac{2}{y}=6$, $\dfrac{1}{x}+\dfrac{1}{y}=3$
$\dfrac{x+y}{xy}=3$ $\therefore x+y=6$
따라서
$|x-y|^2=(x+y)^2-4xy$
$\qquad\quad=6^2-4\times2=28$
이므로 $|x-y|=2\sqrt{7}$ 답 ③

12

규모 4.7인 지진의 최대 진폭을 x_1, 규모 2.2인 지진의 최대 진폭
을 x_2라 하면
$4.7=\log x_1$, $2.2=\log x_2$

이므로

$4.7-2.2=\log x_1-\log x_2$

$2.5=\log \dfrac{x_1}{x_2}$

즉 $\dfrac{x_1}{x_2}=10^{\frac{5}{2}}$이므로 x_1은 x_2의 $10^{\frac{5}{2}}$배이다.   답 ②

03 지수함수

p. 29

01. ①	**02.** ③	**03.** ①	**04.** ②	**05.** ①
06. ③				

01 $y=a^x$을 y축에 대하여 대칭이동시킨 그래프의 식은 $y=a^{-x}$이다.

이것을 다시 x축으로 3, y축으로 2만큼 평행이동하면

$y=a^{-(x-3)}+2$

이 그래프가 $(1,\ 4)$를 지나므로

$4=a^{-(1-3)}+2$

$\therefore\ a^2=2$

a는 양수이므로 $a=\sqrt{2}$ 답 ①

02 지수함수 $y=3^x$에서 밑이 3이므로 1보다 크다. 따라서 함수 $y=3^x$의 그래프에서 x의 값이 증가하면 y의 값도 증가한다. 즉 $m<n$이면 $3^m<3^n$이 성립한다.

주어진 조건에서

$a=3$, $b=\sqrt[3]{9}=3^{\frac{2}{3}}$

지수함수의 성질에 의하여

$\dfrac{2}{3}<1$이므로 $3^{\frac{2}{3}}<3^1$

따라서 $b=3^{\frac{2}{3}}<3^1=a$ ∴ $b<a$ …… ㉠

또, $0<\dfrac{2}{3}$이므로 $3^0<3^{\frac{2}{3}}$, 즉 $1<b$

따라서 $3^1<3^b$이므로 $a<a^b$ …… ㉡

㉠, ㉡에 의해 $b<a<a^b$ 답 ③

[다른 풀이]

그래프를 이용하여 a, b, a^b의 대소 관계를 나타내면 다음과 같다.

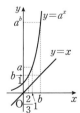

03 $f(x)$는 (밑)>1이므로 증가함수이다.

따라서 $x=3$일 때 최댓값 $M=4^3=64$를 갖는다.

$g(x)$는 $0<$(밑)<1이므로 감소함수이다.

따라서 $x=3$일 때 최솟값 $m=\left(\dfrac{1}{2}\right)^3=\dfrac{1}{8}$을 갖는다.

$\therefore\ Mm=64\times\dfrac{1}{8}=8$ 답 ①

04 $\left(\dfrac{9}{4}\right)^x=\left(\dfrac{2}{3}\right)^{1+x}$에서 $\left(\dfrac{3}{2}\right)^{2x}=\left(\dfrac{3}{2}\right)^{-x-1}$이므로

$2x=-x-1$ ∴ $x=-\dfrac{1}{3}$ 답 ②

05 $2^{2x+1}-9\cdot2^x+4=0$에서

$2\cdot(2^x)^2-9\cdot2^x+4=0$

$2^x=t\ (t>0)$라 하면

$2t^2-9t+4=0$

$(t-4)(2t-1)=0$

$\therefore\ t=4$ 또는 $t=\dfrac{1}{2}$

$2^x=4=2^2$ 또는 $2^x=\dfrac{1}{2}=2^{-1}$

$\therefore\ x=2$ 또는 $x=-1$

따라서 모든 실근의 곱은 $2\times(-1)=-2$ 답 ①

06 $\left(\dfrac{1}{2}\right)^{2x+1}\leq\left(\dfrac{1}{8}\right)^{x-1}$에서 $\left(\dfrac{1}{2}\right)^{2x+1}\leq\left(\dfrac{1}{2}\right)^{3x-3}$

밑 $\dfrac{1}{2}$이 1보다 작으므로

$2x+1\geq3x-3$ ∴ $x\leq4$

따라서 주어진 부등식을 만족시키는 자연수 x는

1, 2, 3, 4이므로 그 합은 10이다.   답 ③

유형따라잡기			pp. 30~35
기출유형 01 ④	**01.** ①	**02.** ⑤	**03.** 24	**04.** ⑤
기출유형 02 ②	**05.** ⑤	**06.** ④	**07.** ⑤	
기출유형 03 ⑤	**08.** ①	**09.** 125	**10.** 9	**11.** ⑤
기출유형 04 ⑤	**12.** 4	**13.** 3	**14.** 2	**15.** ②
기출유형 05 3	**16.** ④	**17.** ④	**18.** 6	**19.** 6
기출유형 06 ②	**20.** ④	**21.** ②		

기출유형 01

Act ❶ 두 곡선의 식에 $x=\dfrac{5}{2}$를 대입하여 A, B의 y좌표를 구한다.

$y=2^x$에 $x=\dfrac{5}{2}$를 대입하면

$y=2^{\frac{5}{2}}=2^2\cdot2^{\frac{1}{2}}=4\sqrt{2}$

$y=\left(\dfrac{1}{2}\right)^{x-3}$에 $x=\dfrac{5}{2}$를 대입하면

$y=\left(\dfrac{1}{2}\right)^{\frac{5}{2}-3}=\left(\dfrac{1}{2}\right)^{-\frac{1}{2}}=2^{\frac{1}{2}}=\sqrt{2}$

$\therefore\ \overline{AB}=4\sqrt{2}-\sqrt{2}=3\sqrt{2}$ 답 ④

01 `Act1` 두 점의 좌표를 대입하여 a, b의 값을 구한다.

$y=a\times 2^x$에 $(0, 4)$를 대입하면

$4=a\times 2^0=a\times 1=a$, $a=4$

$y=4\times 2^x$에 $(b, 16)$을 대입하면

$16=4\times 2^b$, $b=2$

$\therefore a+b=4+2=6$

답 ①

02 `Act1` 삼각형 ACB에서 밑변을 $\overline{AB}$라 하면 높이는 두 곡선의 교점의 x좌표임을 이용한다.

두 점 A, B의 y좌표는

$f(0)=2^0+1=2$, $g(0)=-2^{-1}+7=\dfrac{13}{2}$

이므로

$\overline{AB}=\dfrac{13}{2}-2=\dfrac{9}{2}$

두 곡선의 교점의 x좌표는

$2^x+1=-2^{x-1}+7$

$2^x+\dfrac{2^x}{2}=6$, $\dfrac{3}{2}\times 2^x=6$

$2^x=4$ $\quad\therefore x=2$

따라서 삼각형 ACB의 넓이는

$\dfrac{1}{2}\times\dfrac{9}{2}\times 2=\dfrac{9}{2}$

답 ⑤

03 `Act1` 지수함수 $y=a^{x-m}+n$의 그래프는 $y=a^x$의 그래프를 x축의 방향으로 m만큼, y축의 방향으로 n만큼 평행이동한 것임을 이용한다.

$y=\left(\dfrac{1}{2}\right)^{x-3}+6$의 그래프는

$y=\left(\dfrac{1}{2}\right)^x$의 그래프를 x축의

방향으로 3만큼, y축의 방향으로 6만큼 평행이동한 것이다.

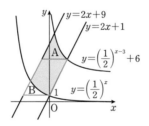

따라서 $y=\left(\dfrac{1}{2}\right)^x$의 그래프 위의 점 $(0, 1)$은 $y=\left(\dfrac{1}{2}\right)^{x-3}+6$의 그래프 위의 점 $(0+3, 1+6)=(3, 7)$로 이동한다. 이때 $(3, 7)$은 $y=2x+1$을 만족하므로 직선 $y=2x+1$과 곡선 $y=\left(\dfrac{1}{2}\right)^{x-3}+6$의 교점이다.

그림에서 A와 B의 넓이가 서로 같으므로 구하는 도형의 넓이는 평행사변형의 넓이와 같다.

따라서 구하는 도형의 넓이는 $4\times 6=24$

답 24

04 `Act1` $C(a, 2^a)$으로 놓으면 직각이등변삼각형 BDC에서 $\overline{CD}=\overline{BD}=a$이고 $\triangle BDC=8$임을 이용한다.

점 C의 좌표를 $C(a, 2^a)$이라 하면

$\overline{CD}=\overline{BD}=a$이고 $\triangle BDC=8$이므로

$\triangle BDC=\dfrac{1}{2}a^2=8$ $\quad\therefore a=4$

점 $C(4, 16)$은 $y=-x+p$ 위에 있으므로

$16=-4+p$, $p=20$

에서 $\overline{OA}=20$

$\therefore \triangle OAC=\dfrac{1}{2}\times 20\times 16=160$

답 ⑤

기출유형 02

`Act1` 밑을 같게 할 수 있으면 밑을 같게 한 후 지수함수의 성질을 이용하여 대소를 비교하고, 밑을 같게 할 수 없으면 주어진 수를 거듭제곱하여 대소를 비교한다.

$A=2^{\sqrt{3}}$, $B=\sqrt[3]{81}=3^{\frac{4}{3}}$, $C=\sqrt[4]{256}=2^2$

이때 A, C의 밑이 1보다 크고 $\sqrt{3}<2$이므로

$A<C$

B, C를 각각 세제곱하면 $B^3=81$, $C^3=64$이므로

$C<B$

$\therefore A<C<B$

답 ②

05 `Act1` 밑을 3으로 통일시키고 지수함수의 성질을 이용하여 대소를 비교한다.

$A=\left(\dfrac{1}{3}\right)^{-2}=(3^{-1})^{-2}=3^2$

$B=9^{0.75}=(3^2)^{\frac{3}{4}}=3^{\frac{3}{2}}$

$C=\sqrt[4]{27}=(3^3)^{\frac{1}{4}}=3^{\frac{3}{4}}$

밑이 1보다 크고 $\dfrac{3}{4}<\dfrac{3}{2}<2$이므로 $3^{\frac{3}{4}}<3^{\frac{3}{2}}<3^2$

$\therefore C<B<A$

답 ⑤

06 `Act1` 밑을 5로 통일시키고 지수함수의 성질을 이용하여 대소를 비교한다.

$\sqrt[3]{5}=5^{\frac{1}{3}}$

$25^{-\frac{1}{3}}=(5^2)^{-\frac{1}{3}}=5^{-\frac{2}{3}}$

$\sqrt{\sqrt[3]{125}}=\left((5^3)^{\frac{1}{3}}\right)^{\frac{1}{2}}=5^{3\times\frac{1}{3}\times\frac{1}{2}}=5^{\frac{1}{2}}$

밑이 1보다 크고 $-\dfrac{2}{3}<\dfrac{1}{3}<\dfrac{1}{2}$이므로

가장 큰 수 M은 $5^{\frac{1}{2}}\left(=\sqrt{\sqrt[3]{125}}\right)$이고, 가장 작은 수 m은 $5^{-\frac{2}{3}}\left(=25^{-\frac{1}{3}}\right)$이다.

$\dfrac{M}{m}=5^{\frac{1}{2}-\left(-\frac{2}{3}\right)}=5^{\frac{7}{6}}=5^k$ $\quad\therefore k=\dfrac{7}{6}$

답 ④

07 `Act1` 근호를 유리수인 지수로 나타내어 지수함수의 성질을 이용하여 대소를 비교한다.

$A=\sqrt[n+1]{a^n}=a^{\frac{n}{n+1}}$

$B=\sqrt[n+2]{a^{n+1}}=a^{\frac{n+1}{n+2}}$

$C=\sqrt[n+3]{a^{n+2}}=a^{\frac{n+2}{n+3}}$

$\dfrac{n}{n+1}-\dfrac{n+1}{n+2}=\dfrac{n(n+2)-(n+1)^2}{(n+1)(n+2)}$

$=\dfrac{-1}{(n+1)(n+2)}<0$

$\therefore \dfrac{n}{n+1}<\dfrac{n+1}{n+2}$ $\qquad$ ······ ㉠

$$\frac{n+1}{n+2}-\frac{n+2}{n+3}=\frac{(n+1)(n+3)-(n+2)^2}{(n+2)(n+3)}$$
$$=\frac{-1}{(n+2)(n+3)}<0$$

$\therefore \dfrac{n+1}{n+2}<\dfrac{n+2}{n+3}$ ...... ⓛ

㉠, ⓛ에서 $\dfrac{n}{n+1}<\dfrac{n+1}{n+2}<\dfrac{n+2}{n+3}$ ...... ㉢

ㄱ. $a=1$이면 $A=B=C=1$ (참)

ㄴ. $0<a<1$이면 ㉢에서 $a^{\frac{n}{n+1}}>a^{\frac{n+1}{n+2}}>a^{\frac{n+2}{n+3}}$

$\therefore A>B>C$ (참)

ㄷ. $a>1$이면 ㉢에서 $a^{\frac{n}{n+1}}<a^{\frac{n+1}{n+2}}<a^{\frac{n+2}{n+3}}$

$\therefore A<B<C$ (참)

따라서 옳은 것은 ㄱ, ㄴ, ㄷ이다. 답 ⑤

기출유형 03

Act❶ $y=a^{f(x)}$에서 $a>1$이면 $f(x)$가 최대일 때 y도 최대, $f(x)$가 최소일 때 y도 최소임을 이용한다.

함수 $y=\left(\dfrac{1}{4}\right)^{2-x}=4^{x-2}$은 밑이 4이므로 x가 최대일 때 y도 최대, x가 최소일 때 y도 최소이다.

따라서 $x=2$일 때, 최댓값 $M=4^0=1$

$x=-1$일 때, 최솟값 $m=4^{-3}=\dfrac{1}{64}$

$\therefore \dfrac{M}{m}=\dfrac{1}{\frac{1}{64}}=64$ 답 ⑤

08 **Act❶** $y=a^{f(x)}$에서 $0<a<1$이면 $f(x)$가 최대일 때 y는 최소, $f(x)$가 최소일 때 y는 최대임을 이용한다.

함수 $y=\left(\dfrac{1}{2}\right)^x-3$은 밑이 $\dfrac{1}{2}$이므로 x가 최대일 때 y는 최소이고, x가 최소일 때 y는 최대이다.

따라서 $x=-2$일 때, 최댓값 $M=\left(\dfrac{1}{2}\right)^{-2}-3=1$,

$x=1$일 때, 최솟값 $m=\dfrac{1}{2}-3=-\dfrac{5}{2}$

$\therefore M-m=\dfrac{7}{2}$ 답 ①

09 **Act❶** $y=a^{f(x)}$에서 $a>1$이면 $f(x)$가 최대일 때 y도 최대임을 이용한다.

함수 $y=5^{x^2-4x-2}=5^{(x-2)^2-6}$은 밑이 5이므로 $(x-2)^2-6$이 최대일 때 y도 최대가 된다.

$-1\leq x\leq 4$에서 지수 $(x-2)^2-6$은 $x=-1$일 때 최대가 되므로 y의 최댓값은

$y=5^{(-1-2)^2-6}=5^3=125$ 답 125

10 **Act❶** $y=a^{f(x)}$에서 $a>1$이면 $f(x)$가 최대일 때 y도 최대, $f(x)$가 최소일 때 y도 최소임을 이용한다.

$y=3^{x^2-4x-3}=3^{(x-2)^2-7}$은 밑이 3이므로 $(x-2)^2-7$이 최대일 때 y도 최대가 되고, $(x-2)^2-7$이 최소일 때 y도 최소가 된다.

따라서 최댓값은 $x=-2$일 때 3^9, 최솟값은 $x=2$일 때, 3^{-7}이다.

$\therefore 3^9 \times 3^{-7}=3^2=9$ 답 9

11 **Act❶** a^x 꼴이 반복되는 함수의 최대 · 최소는 $a^x=t\ (t>0)$로 치환하여 t의 값의 범위 내에서 최대 · 최소를 구한다.

$3^x=t\ (t>0)$라 하면

$$y=\frac{t^2+t+9}{t}=t+1+\frac{9}{t}$$

이때 $t+\dfrac{9}{t}\geq 2\sqrt{t\times\dfrac{9}{t}}$, $t+\dfrac{9}{t}\geq 6$이므로

y의 최솟값은 $1+6=7$ 답 ⑤

기출유형 04

Act❶ 밑을 같게 한 다음 지수를 비교한다.

$(2^{-3})^{2-x}=2^{x+4}$, $2^{-6+3x}=2^{x+4}$

$-6+3x=x+4$

$\therefore x=5$ 답 ⑤

12 **Act❶** 밑을 같게 한 다음 지수를 비교한다.

$3^{-x+2}=3^{-2}$, $-x+2=-2$

$\therefore x=4$ 답 4

13 **Act❶** a^x 꼴이 반복될 때 $a^x=t\ (t>0)$로 치환하여 t에 대한 방정식으로 푼다.

$2^x=t\ (t>0)$라 하면 주어진 방정식은

$t^2+8t-128=0$, $(t-8)(t+16)=0$

$t>0$이므로 $t=8$

$2^x=8$ $\therefore x=3$ 답 3

14 **Act❶** a^x 꼴이 반복될 때 $a^x=t\ (t>0)$로 치환하여 t에 대한 방정식으로 푼다.

$2^x=t\ (t>0)$라 하면 주어진 방정식은

$2t^2-17t+8=0$, $(2t-1)(t-8)=0$

$t=\dfrac{1}{2}$ 또는 $t=8$

$2^x=\dfrac{1}{2}$ 또는 $2^x=8$

$\therefore x=-1$ 또는 $x=3$

따라서 모든 실근의 합은 2 답 2

15 **Act❶** a^x 꼴이 반복될 때 $a^x=t\ (t>0)$로 치환하여 t에 대한 방정식으로 푼다.

$4^x=t\ (t>0)$라 하면 주어진 방정식은

$t^2-6t+8=0$

이 방정식의 두 근이 4^α, 4^β이므로 근과 계수의 관계에 의하여

$4^\alpha \times 4^\beta=8$, 즉 $4^{\alpha+\beta}=8$

$\therefore \alpha+\beta=\dfrac{3}{2}$ 답 ②

Act ① 밑을 같게 한 다음 지수를 비교한다.

$3^{x-4} \leq \dfrac{1}{9}$에서 $3^{x-4} \leq 3^{-2}$

밑이 1보다 크므로

$x-4 \leq -2$ ∴ $x \leq 2$

따라서 모든 자연수 x의 값은 1, 2이고 그 합은 3이다.

답 3

16 **Act ①** 밑을 같게 한 다음 지수를 비교한다.

$\dfrac{27}{9^x} \geq 3^{x-9}$에서 $3^x \times 3^{2x} \leq 3^3 \times 3^9$, $3^{3x} \leq 3^{12}$

밑이 1보다 크므로

$3x \leq 12$ ∴ $x \leq 4$

따라서 자연수 x의 개수는 1, 2, 3, 4로 4이다.   답 ④

17 **Act ①** 밑을 같게 한 다음 지수를 비교한다.

$3^{-5+2x^2} \leq 27^x$에서 $3^{-5+2x^2} \leq 3^{3x}$

밑이 1보다 크므로

$-5+2x^2 \leq 3x$, $2x^2-3x-5 \leq 0$

$(2x-5)(x+1) \leq 0$

∴ $-1 \leq x \leq \dfrac{5}{2}$

따라서 정수 x의 개수는 -1, 0, 1, 2로 4이다.   답 ④

18 **Act ①** 밑을 같게 한 다음 지수를 비교한다.

$\left(\dfrac{1}{2}\right)^{x-5} \geq 4$에서 $\left(\dfrac{1}{2}\right)^{x-5} \geq \left(\dfrac{1}{2}\right)^{-2}$

밑이 1보다 작으므로

$x-5 \leq -2$ ∴ $x \leq 3$

따라서 모든 자연수 x의 값은 1, 2, 3이고 그 합은

$1+2+3=6$ 답 6

19 **Act ①** a^x 꼴이 반복될 때는 $a^x=t$ $(t>0)$로 치환하여 t에 대한 부등식으로 푼다.

$2^x=t$ $(t>0)$라 하면 $t^2-10t+16 \leq 0$

$(t-2)(t-8) \leq 0$, $2 \leq t \leq 8$

$2 \leq 2^x \leq 8$, $1 \leq x \leq 3$

따라서 모든 자연수 x의 값은 1, 2, 3이고 그 합은

$1+2+3=6$ 답 6

Act ① 식이 주어진 경우에는 주어진 식에 알맞은 값을 대입한다.

주어진 식에서 $Q(4)=Q_0\left(1-2^{-\frac{4}{a}}\right)$, $Q(2)=Q_0\left(1-2^{-\frac{2}{a}}\right)$이므로

$$\dfrac{Q(4)}{Q(2)}=\dfrac{Q_0\left(1-2^{-\frac{4}{a}}\right)}{Q_0\left(1-2^{-\frac{2}{a}}\right)}=\dfrac{1-\left(2^{-\frac{2}{a}}\right)^2}{1-2^{-\frac{2}{a}}}$$

$$=\dfrac{\left(1-2^{-\frac{2}{a}}\right)\left(1+2^{-\frac{2}{a}}\right)}{1-2^{-\frac{2}{a}}}=1+2^{-\frac{2}{a}}$$

이때 $\dfrac{Q(4)}{Q(2)}=\dfrac{3}{2}$이므로

$1+2^{-\frac{2}{a}}=\dfrac{3}{2}$, $2^{-\frac{2}{a}}=\dfrac{1}{2}=2^{-1}$, $-\dfrac{2}{a}=-1$

∴ $a=2$ 답 ②

20 **Act ①** 식이 주어진 경우에는 주어진 식에 알맞은 값을 대입한다.

주어진 식에서

$C_g=2$, $C_d=\dfrac{1}{4}$, $x=a$, $n=\dfrac{1}{200}$이므로

$\dfrac{1}{200}=\dfrac{1}{4} \times 2 \times 10^{\frac{4}{5}(a-9)}$

$10^{\frac{4}{5}(a-9)}=10^{-2}$

$\dfrac{4}{5}(a-9)=-2$

∴ $a=\dfrac{13}{2}$ 답 ④

21 **Act ①** 15년, 30년이 지난 후의 기대자산을 각각 W_{15}, W_{30}이라 하면 $\dfrac{W_{15}}{W_0}=3$, $\dfrac{W_{30}}{W_0}=k$임을 이용한다.

주어진 식에서 $\dfrac{W}{W_0}=\dfrac{1}{2} \times 10^{at}(1+10^{at})$이고

15년이 지난 시점에서의 기대자산은 초기자산의 3배이므로

$\dfrac{W_{15}}{W_0}=\dfrac{1}{2} \times 10^{15a}(1+10^{15a})=3$

$(10^{15a})^2+10^{15a}-6=0$

$(10^{15a}+3)(10^{15a}-2)=0$

$10^{15a}>0$이므로 $10^{15a}=2$

30년이 지난 시점에서의 기대자산은 초기자산의 k배이므로

$\dfrac{W_{30}}{W_0}=\dfrac{1}{2} \times 10^{30a}(1+10^{30a})=k$

∴ $k=\dfrac{1}{2} \times 2^2 \times (1+2^2)=10$ 답 ②

VIT **V**ery **I**mportant **T**est   pp. 36~37

01. ④	**02.** ③	**03.** ③	**04.** 81	**05.** ②
06. ②	**07.** ②	**08.** 6	**09.** ③	**10.** ③
11. ⑤	**12.** ②			

01

$y=6^{x-1}$의 그래프가 점 $(a, 36)$을 지나므로

$36=6^{a-1}$, $6^{a-1}=6^2$

∴ $a=3$

$y=6^{x-1}$의 그래프가 점 $(1, b)$를 지나므로

$b=6^{1-1}=6^0=1$

∴ $a+b=3+1=4$ 답 ④

02

$y=\dfrac{1}{9} \cdot 3^x+1=3^{-2} \cdot 3^x+1=3^{x-2}+1$

따라서 주어진 함수의 그래프는 $y=3^x$의 그래프를 x축의 방향으로 2만큼, y축의 방향으로 1만큼 평행이동한 것이므로
$m=2$, $n=1$
$\therefore m+n=2+1=3$ 답 ③

03

$y=2^{2x-1}\cdot5^{-x+1}=\dfrac{5}{2}\cdot\left(\dfrac{2^2}{5}\right)^x=\dfrac{5}{2}\cdot\left(\dfrac{4}{5}\right)^x$

이므로 밑이 1보다 작은 지수함수이다.

따라서 함수 $y=2^{2x-1}\cdot5^{-x+1}$은

$x=0$에서 최댓값 $\dfrac{5}{2}$, $x=2$에서 최솟값 $\dfrac{8}{5}$

을 가지므로 최댓값과 최솟값의 차는

$\dfrac{5}{2}-\dfrac{8}{5}=\dfrac{9}{10}$ 답 ③

04

함수 $f(x)=3^x$은 x의 값이 증가할 때, $f(x)$의 값도 증가한다.

즉 $x=3$일 때 최댓값 $3^3=27$

함수 $g(x)=\left(\dfrac{1}{2}\right)^x-1$은 x의 값이 증가할 때, $g(x)$의 값은 감소한다.

즉 $x=-2$일 때 최댓값 $\left(\dfrac{1}{2}\right)^{-2}-1=4-1=3$

따라서 함수 $f(x)$의 최댓값과 함수 $g(x)$의 최댓값의 곱은

$27\times3=81$ 답 81

05

$y=-9\cdot\left(\dfrac{1}{3}\right)^x+k$의 그래프는 $y=\left(\dfrac{1}{3}\right)^x$의 그래프를 x축에 대하여 대칭이동한 다음, x축의 방향으로 2만큼, y축의 방향으로 k만큼 평행이동한 것이다. 또한, x의 값이 증가하면 y의 값이 증가하므로 그래프가 제2사분면을 지나지 않으려면 $x=0$일 때 y의 값이 0 이하이어야 한다.

즉 $-9\times\left(\dfrac{1}{3}\right)^0+k=-9+k\leq0$

$\therefore k\leq9$

따라서 정수 k의 최댓값은 9이다.   답 ②

06

$9^x-10\cdot3^x+9=0$을 변형하면 $(3^x)^2-10\cdot3^x+9=0$

$3^x=t$ $(t>0)$라 하면

$t^2-10t+9=0$, $(t-1)(t-9)=0$

$t=1$ 또는 $t=9$

$t=3^x$이므로 $3^x=1$ 또는 $3^x=9$

$\therefore x=0$ 또는 $x=2$

따라서 모든 근의 합은 2이다.   답 ②

07

$3^x=t$ $(t>0)$라 하면 주어진 방정식은

$2t^2-9t+5=0$ ······ ㉠

방정식의 두 근이 α, β이므로
방정식 ㉠의 두 근은 3^α, 3^β이다.
이차방정식의 근과 계수와의 관계에 의하여

$3^\alpha+3^\beta=\dfrac{9}{2}$, $3^\alpha\cdot3^\beta=\dfrac{5}{2}$

$3^{2\alpha}+3^{2\beta}=(3^\alpha+3^\beta)^2-2\cdot3^\alpha\cdot3^\beta$

$\qquad=\left(\dfrac{9}{2}\right)^2-2\times\dfrac{5}{2}=\dfrac{61}{4}$ 답 ②

08

$3^{x^2-10x}=27^{-2x+a}$에서 $3^{x^2-10x}=3^{3(-2x+a)}$

지수함수는 일대일함수이므로 $x^2-10x=3(-2x+a)$

$x^2-4x-3a=0$ ······ ㉠

㉠에 $x=-2$를 대입하면

$12-3a=0$ $\therefore a=4$

㉠에서 $x^2-4x-12=0$, 즉 $(x+2)(x-6)=0$

따라서 다른 한 근은 6이다.   답 6

09

$2^x=t$ $(t>0)$라 하면 $t^2-2at+1\geq0$이고 이 부등식이 모든 양수 t에 대하여 성립하면 된다.

$t^2-2at+1=(t-a)^2+(1-a^2)$이므로

(i) $a\geq0$일 때, $1-a^2\geq0$, $-1\leq a\leq1$

그런데 $a\geq0$이므로 $0\leq a\leq1$

(ii) $a<0$일 때, $t^2-2at+1\geq0$은 항상 성립하므로 $a<0$

(i), (ii)에서 $a\leq1$ 답 ③

10

$125^{-x^2}>\left(\dfrac{1}{5}\right)^{ax}$에서 $125^{-x^2}=(5^3)^{-x^2}=(5^{-1})^{3x^2}=\left(\dfrac{1}{5}\right)^{3x^2}$이므로

$\left(\dfrac{1}{5}\right)^{3x^2}>\left(\dfrac{1}{5}\right)^{ax}$ ······ ㉠

밑이 $\dfrac{1}{5}$이고 $0<\dfrac{1}{5}<1$이므로 $3x^2<ax$, $x(3x-a)<0$

a가 자연수이므로 $0<x<\dfrac{a}{3}$

부등식 ㉠을 만족시키는 정수 x가 5개 존재하므로

$5<\dfrac{a}{3}\leq6$ $\therefore 15<a\leq18$

따라서 구하는 자연수 a는 16, 17, 18이므로
모든 자연수 a의 값의 합은 51이다.   답 ③

11

부등식 $\left(\dfrac{1}{2}\right)^{f(x)}>\left(\dfrac{1}{2}\right)^{g(x)}$에서 밑 $\dfrac{1}{2}$이

$0<\dfrac{1}{2}<1$이므로 $f(x)<g(x)$이다.

그림에서 이를 만족하는 x의 값의 범위는 $1<x<4$이다.

따라서 이차부등식 $x^2+ax+b<0$의 해가 $1<x<4$이므로 이차방정식 $x^2+ax+b=0$의 해는 $x=1$ 또는 $x=4$이다.

따라서 근과 계수의 관계에서 $a=-5$, $b=4$이므로

$a+b=(-5)+4=-1$ 답 ⑤

12

A별의 절대 등급을 x라 하면

$\left(\dfrac{10^{4.7}}{10}\right)^2=100^{\frac{1}{5}(3.3-x)}$

$(10^{3.7})^2=10^{\frac{2}{5}(3.3-x)}$

$7.4=\dfrac{2}{5}(3.3-x)$

$\therefore x=-15.2$ 답 ②

04 로그함수

p. 39

01. 70   02. ③   03. ②   04. ④   05. ①
06. 10

01

$y=\log_3\left(\dfrac{x}{9}-1\right)=\log_3\dfrac{x-9}{9}$

  $=\log_3(x-9)-\log_3 9$

  $=\log_3(x-9)-2$

즉 함수 $y=\log_3\left(\dfrac{x}{9}-1\right)$의 그래프는 함수 $y=\log_3 x$의 그래프를 x축의 방향으로 9만큼, y축의 방향으로 -2만큼 평행이동시킨 것이다.

따라서 $m=9$, $n=-2$이므로

$10(m+n)=70$ 답 70

02

$y=a^{x-m}$과 역함수의 교점은 $y=a^{x-m}$과 $y=x$의 교점이므로 교점의 x좌표는

$a^{x-m}=x$

교점의 x좌표가 1과 3이므로

$a^{1-m}=1$, $1-m=0$ $\therefore m=1$

$a^{3-1}=3$, $a^2=3$ $\therefore a=\sqrt{3}$

$\therefore a+m=1+\sqrt{3}$ 답 ③

03

$f(x)=x^2+2x+10$이라 하면

$f(x)=x^2+2x+10=(x+1)^2+9$

이므로 진수는 $x=-1$일 때 최소이다.

$y=\log_{\frac{1}{3}}((x+1)^2+9)$는 밑이 1보다 작은 양수이므로

$x=-1$일 때 최댓값을 갖는다.

따라서 최댓값은 $y=\log_{\frac{1}{3}}9=-2$ 답 ②

04

진수의 조건에서

$x+3>0$, $3x+13>0$ $\therefore x>-3$

$\log_2(x+3)^2=\log_2(3x+13)$의 밑이 같으므로 진수가 같아야 한다.

$(x+3)^2=3x+13$

$x^2+3x-4=0$

$(x+4)(x-1)=0$

$\therefore x=-4$ 또는 $x=1$

진수의 조건에서 $x>-3$이므로 $x=1$ 답 ④

05

진수의 조건에서

$x-1>0$, $\dfrac{1}{2}x+k>0$이므로

$x>1$ …… ㉠

$\log_5(x-1)\le\log_5\left(\dfrac{1}{2}x+k\right)$에서

$x-1\le\dfrac{1}{2}x+k$, $\dfrac{1}{2}x\le k+1$

$\therefore x\le 2(k+1)$ …… ㉡

㉠, ㉡에서 $1<x\le 2(k+1)$이고 모든 정수 x의 개수가 3이므로

$2(k+1)-1=2k+1=3$

$\therefore k=1$ 답 ①

06

$R=0.67\log(0.37E)+1.46$에서

지진의 규모가 6.15일 때 방출되는 에너지가 E_1이므로

$6.15=0.67\log(0.37E_1)+1.46$

$\log(0.37E_1)=7$

$0.37E_1=10^7$ …… ㉠

지진의 규모가 5.48일 때 방출되는 에너지가 E_2이므로

$5.48=0.67\log(0.37E_2)+1.46$

$\log(0.37E_2)=6$

$0.37E_2=10^6$ …… ㉡

㉠÷㉡에서 $\dfrac{E_1}{E_2}=10$ 답 10

유형따라잡기   pp. 40~45

기출유형 01 25	01. 13	02. ③	03. 6	04. ①
기출유형 02 ⑤	05. ④	06. ⑤	07. ③	08. ④
기출유형 03 2	09. ③	10. ②	11. ④	12. 9
기출유형 04 ②	13. ②	14. ①	15. ②	16. 90
기출유형 05 ④	17. ①	18. ④	19. ②	20. 12
기출유형 06 ④	21. ②	22. ④		

기출유형 01

Act① $y=\log_a(x-m)+n$은 $y=\log_a x$를 축 방향으로 m만큼, y축 방향으로 n만큼 평행이동한 것이므로 점근선은 $x=m$임을 이용한다.

$y=\log_2(x+5)$는 $y=\log_2 x$를 x축의 방향으로 -5만큼 평행이동한 것이다.

이때 $y=\log_2 x$의 점근선은 $x=0$이므로 $y=\log_2(x+5)$의 점근선은 $x=-5$이다.

따라서 $k=-5$이므로 $k^2=25$ 답 25

01

Act① $y=\log_a(x-m)+n$은 $y=\log_a x$를 x축 방향으로 m만큼, y축 방향으로 n만큼 평행이동한 것이므로 점근선은 $x=m$임

을 이용한다.

곡선 $f(x)=\log_6 (x-a)+b$는 곡선 $f(x)=\log_6 x$를 x축의 방향으로 a만큼 평행이동한 것이다.

이때 곡선 $f(x)=\log_6 x$의 점근선은 $x=0$이므로

$f(x)=\log_6 (x-a)+b$의 점근선은 $x=a$이다.

점근선이 $x=5$이므로 $a=5$

$f(11)=\log_6 (11-5)+b=9$이므로 $1+b=9$, $b=8$

$\therefore a+b=13$

답 13

02 **Act①** $y=a^x+b$는 $y=a^x$을 y축 방향으로 b만큼 평행이동한 것이므로 점근선은 $y=b$임을 이용한다.

$y=2^x+5$의 점근선은 $y=5$이므로

$y=5$와 $y=\log_3 x+3$의 교점의 x좌표는

$5=\log_3 x+3$, $\log_3 x=2$

$\therefore x=3^2=9$

답 ③

03 **Act①** $A(x_1, y_1)$, $B(x_2, y_2)$, $C(x_3, y_3)$을 꼭짓점으로 하는 삼각형 ABC의 무게중심은 $\left(\dfrac{x_1+x_2+x_3}{3}, \dfrac{y_1+y_2+y_3}{3}\right)$임을 이용한다.

$A(1, 0)$, $B(k, \log_2 k)$, $C(k, \log_{\frac{1}{2}} k)$이므로

삼각형 ACB의 무게중심의 좌표는 $\left(\dfrac{2k+1}{3}, 0\right)$

이때 무게중심의 좌표가 $(3, 0)$이므로

$\dfrac{2k+1}{3}=3$ $\therefore k=4$

따라서 $B(4, 2)$, $C(4, -2)$이므로

$\triangle ACB=\dfrac{1}{2}\times 4\times 3=6$

답 6

04 **Act①** $A(a, 1)$, $B(27, b)$를 $y=\log_3 x$에 대입하여 a, b의 값을 구한 후 $y=\log_3 (x-m)$이 A, B의 중점을 지남을 이용한다.

$\log_3 a=1$, $\log_3 27=b$이므로 $a=3$, $b=3$

$y=\log_3 x$를 x축의 방향으로 m만큼 평행이동하면

$y=\log_3 (x-m)$

이 그래프가 두 점 A, B의 중점 $\left(\dfrac{3+27}{2}, \dfrac{1+3}{2}\right)=(15, 2)$

를 지나므로

$2=\log_3 (15-m)$

$15-m=3^2$ $\therefore m=6$

답 ①

기출유형 02

Act① 지수함수 $y=a^x$의 역함수는 양변에 밑이 a인 로그를 취한 후 x, y를 바꾸어 구한다.

$y=3^{\frac{x-1}{2}}-4$에서 $y+4=3^{\frac{x-1}{2}}$

양변에 밑이 3인 로그를 취하면

$\log_3 (y+4)=\dfrac{x-1}{2}$ $(y>-4)$

$x=2\log_3 (y+4)+1$

따라서 x, y를 바꾸면 역함수는

$y=2\log_3 (x+4)+1$ $(x>-4)$

$\therefore a+b+c=7$

답 ⑤

05 **Act①** 지수함수 $y=a^x$의 역함수 $y=\log_a x$는 직선 $y=x$에 대하여 대칭임을 이용한다.

곡선 $y=a^x$을 직선 $y=x$에 대하여 대칭이동한 곡선은

$y=\log_a x$이고, 이 곡선이 점 $(2, 3)$을 지나므로

$3=\log_a 2$ $\therefore a=\sqrt[3]{2}$

답 ④

06 **Act①** $f(x)$의 역함수가 $g(x)$이므로 $g(5)=p$라 하면 $f(p)=5$이다.

$f(x)=\log_2 x+1$의 역함수가 $g(x)$일 때,

$g(5)=p$라 하면 $f(p)=5$

$\log_2 p+1=5$, $\log_2 p=4$이므로 $p=16$

$\therefore g(5)=16$

답 ⑤

07 **Act①** 지수함수 $y=a^x$의 역함수는 양변에 밑이 a인 로그를 취한 후 x, y를 바꾸어 구한다.

$y=2^x+2$를 x축의 방향으로 m만큼 평행이동하면

$y=2^{x-m}+2$ ······ ㉠

$y=\log_2 8x$의 그래프를 x축의 방향으로 2만큼 평행이동하면

$y=\log_2 8(x-2)$ ······ ㉡

㉠에서 $y-2=2^{x-m}$

양변에 밑이 2인 로그를 취하면

$\log_2 (y-2)=x-m$, $x=\log_2 (y-2)+m$

따라서 x, y를 바꾸면 역함수는

$y=\log_2 (x-2)+m=\log_2 (x-2)+\log_2 2^m$

$=\log_2 2^m(x-2)$ ······ ㉢

㉡$=$㉢이므로 $2^m=8$

$\therefore m=3$

답 ③

08 **Act①** 로그함수 $y=\log_a x$의 역함수는 로그의 정의를 이용하여 $a^y=x$로 나타낸 후 x, y를 바꾸어 구한다.

$y=\log_3 x$를 x축으로 a만큼, y축으로 2만큼 평행이동하면

$y=\log_3 (x-a)+2$

$\log_3 (x-a)=y-2$

로그의 정의에 의하여

$x-a=3^{y-2}$, $x=3^{y-2}+a$

따라서 x, y를 바꾸면 역함수는 $y=3^{x-2}+a$

이때 $f^{-1}(x)=3^{x-2}+4$이므로 $a=4$

답 ④

기출유형 03

Act① $y=\log_a f(x)$에서 $a>1$이면 $f(x)$가 최대일 때 y도 최대, $f(x)$가 최소일 때 y도 최소임을 이용한다.

$y=\log_3 (x^2-2x+1)$에서 $f(x)=x^2-2x+1=(x-1)^2$이라 하면 $2\leq x\leq 4$에서 $f(x)$는 $x=2$일 때 최소이고, $x=4$일 때 최대이다.

$y=\log_3 (x^2-2x+1)$은 밑이 1보다 큰 수이므로

$x=2$일 때 최솟값 $m=\log_3 1=0$

$x=4$일 때 최댓값 $M=\log_3 9=2$를 갖는다.

$\therefore M+m=2$

답 2

09 Act① $y=\log_a f(x)$에서 $0<a<1$이면 $f(x)$가 **최소**일 때 y는 **최대**임을 이용한다.

함수 $y=\log_{\frac{1}{2}} 4x$는 감소함수이므로 $2\le x\le 8$에서 $x=2$일 때 최대가 된다.

따라서 최댓값은 $y=\log_{\frac{1}{2}}(4\times 2)=\log_{2^{-1}} 2^3=-3$

답 ③

10 Act① $y=\log_a f(x)$에서 $0<a<1$이면 $f(x)$가 **최대**일 때 y는 **최소**임을 이용한다.

$f(x)=x^2-2x+3=(x-1)^2+2$라 하면

$-1\le x\le 2$에서 진수는 $x=-1$일 때 최대이다.

$y=\log_{\frac{1}{2}}(x^2-2x+3)$은 밑이 1보다 작은 양수이므로

$x=-1$일 때 최솟값을 갖는다.

따라서 최솟값은

$y=\log_{\frac{1}{2}}(1+2+3)=\log_{2^{-1}} 6=-\log_2 6$

답 ②

11 Act① $\log_{\frac{1}{2}} x=t$로 치환하여 t의 값의 범위 내에서 **최대 · 최소**를 구한다.

$\log_{\frac{1}{2}} x=t$라 하면

$y=t^2+2t+3=(t+1)^2+2$

이때 $\frac{1}{2}\le x\le 4$에서 $-2\le t\le 1$

따라서 y는 $t=-1$일 때 최솟값 $m=2$를 갖고, $t=1$일 때 최댓값 $M=6$을 갖는다.

$\therefore M+m=6+2=8$

답 ④

12 Act① $\log_2 x=t$로 치환하여 t의 값의 범위 내에서 **최대 · 최소**를 구한다.

$\log_2 x=t$라 하면

$y=(\log_2 4x)\left(\log_2 \dfrac{16}{x}\right)$

$=(\log_2 4+\log_2 x)(\log_2 16-\log_2 x)$

이므로

$y=(2+t)(4-t)$

$=-t^2+2t+8=-(t-1)^2+9$

이때 $1\le x\le 16$에서 $0\le t\le 4$

따라서 y는 $t=1$일 때 최댓값 $M=9$를 갖고, $t=4$일 때 최솟값 $m=0$을 갖는다.

$\therefore M+m=9$

답 9

기출유형 04

Act① 주어진 방정식의 밑을 2로 같게 한 후 로그의 성질을 이용한다.

진수의 조건에서 $x-1>0$, $x>0$ $\quad\therefore x>1$ …… ㉠

$\log_2 (x-1)+\log_4 x=\dfrac{1}{2}$에서

$\log_2 (x-1)+\dfrac{1}{2}\log_2 x=\dfrac{1}{2}$, $2\log_2 (x-1)+\log_2 x=1$

$\log_2 \{(x-1)^2 x\}=\log_2 2$

$(x-1)^2 x=2$, $x^3-2x^2+x-2=0$

$x^2(x-2)+(x-2)=0$, $(x-2)(x^2+1)=0$

$x^2+1>0$이므로 $x=2$

이것은 ㉠을 만족시키므로 구하는 해이다.

답 ②

13 Act① 주어진 방정식을 간단히 한 후 로그의 성질을 이용한다.

진수의 조건에서

$4+x>0$, $4-x>0$ $\quad\therefore -4<x<4$ …… ㉠

$\log_2 (4+x)+\log_2 (4-x)=3$에서

$\log_2 (4+x)(4-x)=\log_2 2^3$

$(4+x)(4-x)=8$

$16-x^2=8$, $x^2=8$

$x=\pm 2\sqrt{2}$

이것은 ㉠을 만족시키므로 구하는 해이다.

따라서 모든 실근의 곱은

$(2\sqrt{2})\times(-2\sqrt{2})=-8$

답 ②

14 Act① $\log_a x$ 꼴이 반복될 때, $\log_a x=t$로 치환하여 t에 대한 방정식을 푼다.

$\log_3 x=t$라 하면

$\log_9 x=\dfrac{1}{2}\log_3 x=\dfrac{1}{2}t$이므로

$t^2+2t-3=0$ $\quad\therefore t=-3$ 또는 $t=1$

$\log_3 x=-3$ 또는 $\log_3 x=1$

$\therefore x=\dfrac{1}{27}$ 또는 $x=3$

따라서 모든 실근의 곱은 $\dfrac{1}{9}$

답 ①

15 Act① $f(x)=a^b \Leftrightarrow \log_a f(x)=b$를 이용하여 점 A의 좌표를 구하고 두 직선의 기울기의 곱이 -1임을 이용한다.

$a^x=\sqrt{3}$에서 $x=\log_a \sqrt{3}$이므로 $A(\log_a \sqrt{3}, \sqrt{3})$

직선 AB의 기울기는 $\dfrac{\sqrt{3}}{\log_a \sqrt{3}-4}$

직선 OA와 직선 AB가 서로 수직이므로

$\dfrac{\sqrt{3}}{\log_a \sqrt{3}}\times\dfrac{\sqrt{3}}{\log_a \sqrt{3}-4}=-1$

$(\log_a \sqrt{3})^2-4\log_a \sqrt{3}+3=0$, $\log_a \sqrt{3}=1$ 또는 $\log_a \sqrt{3}=3$

$a=\sqrt{3}$ 또는 $a^3=\sqrt{3}$ $\quad\therefore a=3^{\frac{1}{2}}$ 또는 $a=3^{\frac{1}{6}}$

따라서 모든 a의 값의 곱은 $3^{\frac{1}{2}}\times 3^{\frac{1}{6}}=3^{\frac{1}{2}+\frac{1}{6}}=3^{\frac{2}{3}}$

답 ②

16 Act① 지수에 미지수가 있을 때, 양변에 로그를 취하여 푼다.

$\begin{cases} x^2=y^3 \\ x^y=y^x \end{cases}$에서 각 식의 양변에 상용로그를 취하면

$2\log x=3\log y$ …… ㉠

$y\log x=x\log y$ …… ㉡

㉠, ㉡을 변끼리 나누면

$\dfrac{2\log x}{y\log x}=\dfrac{3\log y}{x\log y}$, $\dfrac{2}{y}=\dfrac{3}{x}$

$y=\dfrac{2}{3}x$

이 식을 $x^2=y^3$에 대입하면

$$x^2=\left(\frac{2}{3}x\right)^3, \quad x^2=\frac{8}{27}x^3, \quad x=\frac{27}{8}$$

$$y=\frac{2}{3}\times\frac{27}{8}=\frac{9}{4}$$

$$\therefore 16(\alpha+\beta)=16\left(\frac{27}{8}+\frac{9}{4}\right)=54+36=90 \qquad \text{답 } 90$$

기출유형 05

Act ① 주어진 부등식의 밑을 2로 같게 한 후 로그의 성질을 이용한다.

진수의 조건에서

$x-2>0,\ 3x+4>0 \qquad \therefore x>2 \qquad \cdots\cdots \text{㉠}$

$2-\log_{\frac{1}{2}}(x-2)<\log_2(3x+4)$에서

$\log_2 4+\log_2(x-2)<\log_2(3x+4)$

$\log_2 4(x-2)<\log_2(3x+4)$

밑이 1보다 큰 수이므로

$4x-8<3x+4 \qquad \therefore x<12 \qquad \cdots\cdots \text{㉡}$

㉠, ㉡의 공통 범위를 구하면 $2<x<12$

따라서 정수 x의 개수는 9이다. 　　　　　　 답 ④

17 **Act ①** 주어진 부등식을 간단히 한 후 로그의 성질을 이용한다.

진수의 조건에서

$x>0,\ x+5>0 \qquad \therefore x>0 \qquad \cdots\cdots \text{㉠}$

$1+\log_2 x\le\log_2(x+5)$에서

$\log_2 2x\le\log_2(x+5)$

밑이 1보다 큰 수이므로

$2x\le x+5 \qquad \therefore x\le 5 \qquad \cdots\cdots \text{㉡}$

㉠, ㉡의 공통 범위를 구하면 $0<x\le 5$

따라서 정수 x는 1, 2, 3, 4, 5이므로 그 합은 15이다.

　　　　　　 답 ①

18 **Act ①** 주어진 부등식을 간단히 한 후 로그의 성질을 이용한다.

진수의 조건에서

$2x+1>0,\ x-2>0 \qquad \therefore x>2 \qquad \cdots\cdots \text{㉠}$

$\log_3(2x+1)\ge 1+\log_3(x-2)$에서

$\log_3(2x+1)\ge\log_3 3(x-2)$

밑이 1보다 큰 수이므로

$2x+1\ge 3x-6 \qquad \therefore x\le 7 \qquad \cdots\cdots \text{㉡}$

㉠, ㉡의 공통 범위를 구하면 $2<x\le 7$

따라서 자연수 x는 3, 4, 5, 6, 7이고 그 합은 25이다.

　　　　　　 답 ④

19 **Act ①** 주어진 부등식을 간단히 한 후 로그의 성질을 이용한다.

진수의 조건에서

$|x-1|>0 \qquad \therefore x\ne 1 \qquad \cdots\cdots \text{㉠}$

$2\log_2|x-1|\le 1-\log_2\frac{1}{2}$에서

$2\log_2|x-1|\le 1+\log_2 2$

$2\log_2|x-1|\le 2$

$\log_2|x-1|\le 1=\log_2 2$

밑이 1보다 큰 수이므로

$|x-1|\le 2$

$-2\le x-1\le 2 \qquad \therefore -1\le x\le 3 \qquad \cdots\cdots \text{㉡}$

㉠, ㉡의 공통 범위를 구하면 $-1\le x<1,\ 1<x\le 3$

따라서 정수 x의 개수는 -1, 0, 2, 3으로 4이다. 　 답 ②

20 **Act ①** 각각의 부등식을 만족시키는 공통 범위를 구한다.

$3^{5(1-x)}\le\left(\frac{1}{3}\right)^{x^2-1}$에서 $3^{5(1-x)}\le 3^{-x^2+1}$

밑이 1보다 큰 수이므로

$5(1-x)\le -x^2+1,\ x^2-5x+4\le 0$

$(x-1)(x-4)\le 0 \qquad \therefore 1\le x\le 4 \qquad \cdots\cdots \text{㉠}$

$(\log_2 x)^2-4\log_2 x+3<0$에서

$x>0$이고 $(\log_2 x-3)(\log_2 x-1)<0$

$\therefore 2<x<8 \qquad \cdots\cdots \text{㉡}$

㉠, ㉡의 공통 범위를 구하면 $2<x\le 4$

따라서 자연수 x는 3, 4이므로 그 곱은 12이다. 　 답 12

기출유형 06

Act ① 먼저 그래프 위의 점 $(1,\ -35)$, $(10,\ -55)$를 주어진 관계식에 대입하여 상수 k, n의 값을 구한다.

신호 전송 범위 d와 수신 신호 강도 R 사이의 관계를 나타낸 그래프에서

$d=1$일 때 $R=-35$이므로

$-35=k-10\log 1^n \qquad \therefore k=-35$

$d=10$일 때 $R=-55$이므로

$-55=-35-10\log 10^n \qquad \therefore n=2$

수신 신호 강도가 -65일 때

$-65=-35-10\log d^2$

$\log d^2=3,\ d^2=10^3 \qquad \therefore d=10^{\frac{3}{2}}$ 　　 답 ④

21 **Act ①** 초기 박테리아의 수를 a라 놓고 t일 후의 박테리아 수를 식으로 나타낸다.

초기 박테리아의 수를 a라 하면 배중 시간이 12시간, 즉 $\frac{1}{2}$ 일이므로

t일 후의 박테리아 수는 $a\times 2^{2t}$이다.

t일 후 박테리아 수가 최초 박테리아 수의 20000배 이상이어야 하므로

$a\times 2^{2t}\ge a\times 20000,\ 2^{2t}\ge 20000$

양변에 로그를 취하면

$\log 2^{2t}\ge\log 20000,\ 2t\log 2\ge\log 2+4$

$\therefore t\ge\frac{\log 2+4}{2\log 2}=\frac{4.3}{0.6}=7.1\cdots$

따라서 적어도 8일이 경과해야 한다. 　　　　 답 ②

22 **Act ①** 먼저 30분 후 정맥에서의 약물 농도를 이용하여 상수 k의 값을 구한다.

30분 후 정맥에서의 약물 농도가 $2\ \text{ng/mL}$이므로

$\log(10-2)=1-30k$

$30k=\log 10-\log 8 \qquad \therefore k=\frac{1}{30}\log\frac{5}{4}$

60분 후 농도가 a이므로

$\log (10-a) = 1-60k$

$\log (10-a) = 1-2\log \dfrac{5}{4} = \log \dfrac{10}{\frac{25}{16}} = \log \dfrac{32}{5}$

$10-a = \dfrac{32}{5}$

$\therefore a = 10 - \dfrac{32}{5} = \dfrac{18}{5} = 3.6$ 답 ④

VIT **V**ery **I**mportant **T**est pp. 46~47

01. 11	**02.** ⑤	**03.** ②	**04.** ②	**05.** ②
06. ①	**07.** ③	**08.** ②	**09.** 25	**10.** 15
11. ②	**12.** ②			

01

$y = \log_2 (ax+b)$의 그래프가 점 $(-1, 0)$을 지나므로

$0 = \log_2 (-a+b)$, $-a+b = 1$

$b = a+1$ ······ ㉠

$y = \log_2 (ax+b)$의 그래프가 점 $(2, 4)$를 지나므로

$4 = \log_2 (2a+b)$

$2a+b = 2^4 = 16$ ······ ㉡

㉠, ㉡을 연립하여 풀면 $a = 5$, $b = 6$

$\therefore a+b = 11$ 답 11

02

$\overline{AB} = 3$이므로 $\log_2 a - \log_4 a = 3$이다.

$\log_2 a - \log_4 a = 2\log_{2^2} a - \log_4 a$

$\qquad\qquad\qquad = 2\log_4 a - \log_4 a$

$\qquad\qquad\qquad = \log_4 a = 3$

$a = 4^3$ $\therefore a = 64$ 답 ⑤

03

$y = \log_2 x$의 그래프를 x축의 방향으로 a만큼 평행이동하면

$y = \log_2 (x-a)$

$y = \log_2 (x-a)$의 그래프가 점 $(3, 2)$를 지나므로

$2 = \log_2 (3-a)$, $3-a = 2^2$ $\therefore a = -1$

즉 $y = \log_b x + 1$의 그래프가 점 $(3, 2)$를 지나므로

$2 = \log_b 3 + 1$, $\log_b 3 = 1$ $\therefore b = 3$

$\therefore a+b = (-1)+3 = 2$ 답 ②

04

$(g \circ f)(a) = 5$에서

$\left(\dfrac{1}{2}\right)^{f(a)} + 1 = 5$, $\left(\dfrac{1}{2}\right)^{f(a)} = 4$, $2^{-f(a)} = 2^2$

$\therefore f(a) = -2$

이때 $f(a) = \log_3 (a+a) - 1 = -2$이므로

$\log_3 2a = -1$, $2a = 3^{-1} = \dfrac{1}{3}$

$\therefore a = \dfrac{1}{6}$ 답 ②

05

$f(x) = 5$, 즉 $2\log_3 x - 1 = 5$에서

$\log_3 x = 3$, $x = 27$

$\therefore g(5) = g(f(27)) = 27$ 답 ②

[다른 풀이]

$(g \circ f)(x) = x$를 만족시키는 함수 $g(x)$는 $f(x)$의 역함수이므로

$y = 2\log_3 x - 1$에서 x, y를 서로 바꾸면

$x = 2\log_3 y - 1$

$\dfrac{x+1}{2} = \log_3 y$, $y = 3^{\frac{x+1}{2}}$

즉 $g(x) = 3^{\frac{x+1}{2}}$이므로

$g(5) = 3^{\frac{5+1}{2}} = 3^3 = 27$

06

$y = \log_3 (x-a) + 2$는 증가함수이므로 $3 \le x \le 10$에서

$y = \log_3 (x-a) + 2$는 $x = 3$일 때 최솟값 4를 갖는다.

$\log_3 (3-a) + 2 = 4$

$\log_3 (3-a) = 2$

$3-a = 3^2$ $\therefore a = -6$ 답 ①

07

$f(x) = x^4 - 4x + 11 = (x-2)^2 + 7$이라 하면 함수 $f(x)$는 $x = 2$일 때 최소이다.

$y = 2\log_7 (x^2 - 4x + 11) - 1$은 밑이 1보다 큰 수이므로 $f(x)$가 최소일 때 y는 최소이다.

따라서 최솟값은

$y = 2\log_7 (2^2 - 4\times 2 + 11) - 1$

$\quad = 2\log_7 7 - 1 = 1$ 답 ③

08

$(\log_2 x)^2 - 2\log_2 x - 5 = 0$에서

$\log_2 x = t$로 놓으면

$t^2 - 2t - 5 = 0$ ······ ㉠

이때 주어진 방정식의 두 근이 α, β이므로

㉠의 두 근은 $\log_2 \alpha$, $\log_2 \beta$이다.

따라서 이차방정식의 근과 계수의 관계에 의하여

$\log_2 \alpha + \log_2 \beta = 2$, 즉 $\log_2 \alpha\beta = 2$

$\therefore \alpha\beta = 2^2 = 4$ 답 ②

09

진수의 조건에서

$x-3 > 0$ $\therefore x > 3$ ······ ㉠

$\log_5 (x-3) \le 2$에서

$\log_5 (x-3) \le \log_5 25$

밑이 1보다 큰 수이므로

$x-3 \le 25$ $\therefore x \le 28$ ······ ㉡

㉠, ㉡의 공통 범위를 구하면 $3 < x \le 28$

따라서 자연수 x는 4, 5, 6, $\cdots$, 28이므로 그 개수는 25이다.

답 25

10

진수의 조건에서

$|x-3|>0$, $x>0$, $x-2>0$

$\therefore$ $x>2$, $x\neq3$ ...... ㉠

$\log_2|x-3|<2$에서

$|x-3|<2^2$, $-4<x-3<4$

$\therefore$ $-1<x<7$ ...... ㉡

$\log_3 x+\log_3(x-2)\geq3\log_3 2$에서

$\log_3 x(x-2)\geq\log_3 8$

$x(x-2)\geq8$, $x^2-2x-8\geq0$, $(x-4)(x+2)\geq0$

$\therefore$ $x\geq4$, $x\leq-2$ ...... ㉢

㉠, ㉡, ㉢의 공통 범위를 구하면

$4\leq x<7$

따라서 정수 x는 4, 5, 6으로 그 합은 15이다.   답 15

11

점 A의 좌표를 (α, α)라 하면
함수 $y=\log_3(x+2)$의 역함수
$y=3^x-2$의 그래프도 점 A를 지
난다.

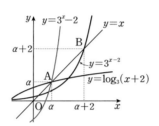

이때 함수 $y=3^x-2$의 그래프를
x축의 방향으로 2만큼, y축의
방향으로 2만큼 평행이동하면
함수 $y=3^{x-2}$의 그래프와 겹친다.

또, 점 $A(\alpha, \alpha)$를 x축의 방향으로 2만큼, y축의 방향으로 2만
큼 평행이동한 점 $(\alpha+2, \alpha+2)$는 함수 $y=3^{x-2}$의 그래프 위의
점이면서 직선 $y=x$ 위의 점인 두 그래프의 교점 B와 같다.

$\therefore$ $\overline{AB}=\sqrt{(\alpha+2-\alpha)^2+(\alpha+2-\alpha)^2}$
$\quad\quad =\sqrt{2^2+2^2}=2\sqrt{2}$ 답 ②

12

어떤 벽을 투과하여 나온 전파의 세기를 a라 하면 투과하기 전의
전파의 세기는 $5a$이다.

따라서 이 벽의 전파 감쇄비는

$10\log\dfrac{a}{5a}=10\log\dfrac{1}{5}=10\log\dfrac{2}{10}$
$\quad\quad\quad\quad =10(\log 2-1)=10(0.3-1)$
$\quad\quad\quad\quad =-7$ 답 ②

Ⅱ 삼각함수

05 삼각함수

p. 49

01. ②   **02.** ①   **03.** ③   **04.** ①   **05.** ①
06. ②

01 ① $75°=75\times\dfrac{\pi}{180}=\dfrac{5}{12}\pi$

② $135°=135\times\dfrac{\pi}{180}=\dfrac{3}{4}\pi$

③ $300°=300\times\dfrac{\pi}{180}=\dfrac{5}{3}\pi$

④ $\dfrac{1}{12}\pi=\dfrac{1}{12}\pi\times\dfrac{180°}{\pi}=15°$

⑤ $\dfrac{10}{3}\pi=\dfrac{10}{3}\pi\times\dfrac{180°}{\pi}=600°$

따라서 옳지 않은 것은 ②이다.   답 ②

02 각 θ를 나타내는 동경과 각 9θ를 나타내는 동경이 일치하므
로

$9\theta-\theta=2n\pi$ (n은 정수)

$8\theta=2n\pi$ $\quad\therefore$ $\theta=\dfrac{n\pi}{4}$ ...... ㉠

이때 각 θ의 범위가 $\pi<\theta<\dfrac{3}{2}\pi$이므로

$\pi<\dfrac{n\pi}{4}<\dfrac{3}{2}\pi$

각 변에 $\dfrac{4}{\pi}$를 곱하면

$4<n<6$

n은 정수이므로 $n=5$

이 값을 ㉠에 대입하면 $\theta=\dfrac{5}{4}\pi$ 답 ①

03 부채꼴의 반지름의 길이를 r, 중심각의 크기를 θ, 호의 길
이를 l, 넓이를 S라 하면

$S=\dfrac{1}{2}rl$에서 $24=\dfrac{1}{2}\times4\times l$

$\therefore$ $l=12$

$l=r\theta$에서 $12=4\theta$

$\therefore$ $\theta=3$

따라서 $a=12$, $b=3$이므로

$a+b=15$ 답 ③

04 그림과 같이 원점과 점 $P(-6, -8)$을 잇는 선분 OP를 동

경으로 하는 각 θ에 대하여

$\sin\theta=-\dfrac{8}{10}$, $\cos\theta=-\dfrac{6}{10}$

$\therefore \cos\theta+\sin\theta=-\dfrac{6}{10}-\dfrac{8}{10}$

$\qquad\qquad\qquad\quad =-\dfrac{7}{5}$ 답 ①

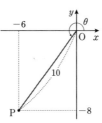

05 중학교에서 배운 특수각의 삼각비의 값에서 $\sin\dfrac{\pi}{3}=\dfrac{\sqrt{3}}{2}$,

$\tan\dfrac{\pi}{3}=\sqrt{3}$이므로

$\left(2+2\sin\dfrac{\pi}{3}\right)\left(2-\tan\dfrac{\pi}{3}\right)=\left(2+2\times\dfrac{\sqrt{3}}{2}\right)(2-\sqrt{3})$

$\qquad\qquad\qquad\qquad\qquad =(2+\sqrt{3})(2-\sqrt{3})$

$\qquad\qquad\qquad\qquad\qquad =2^2-(\sqrt{3})^2=4-3=1$ 답 ①

보충

특수각의 삼각비

한 내각의 크기가 60°인 직각삼각형과 45°인 직각삼각형의 세 변의 길이의 비는 그림과 같다.

따라서 30°, 45°, 60°에 대한 삼각비의 값은 아래와 같다.

삼각비＼A	30°	45°	60°	
$\sin A$	$\dfrac{1}{2}$	$\dfrac{\sqrt{2}}{2}$	$\dfrac{\sqrt{3}}{2}$	sin 값은 증가
$\cos A$	$\dfrac{\sqrt{3}}{2}$	$\dfrac{\sqrt{2}}{2}$	$\dfrac{1}{2}$	cos 값은 감소
$\tan A$	$\dfrac{\sqrt{3}}{3}$	1	$\sqrt{3}$	tan 값은 증가

---

06 $\sin^2\theta+\cos^2\theta=1$이므로

$\sin^2\theta=1-\cos^2\theta=1-\left(-\dfrac{1}{3}\right)^2=\dfrac{8}{9}$

$\sin\theta\cdot\tan\theta=\sin\theta\times\dfrac{\sin\theta}{\cos\theta}$

$\qquad\qquad\quad =\dfrac{\sin^2\theta}{\cos\theta}=\dfrac{\dfrac{8}{9}}{-\dfrac{1}{3}}=-\dfrac{8}{3}$ 답 ②

유형따라잡기   pp. 50~54

기출유형 01

Act① 각 θ를 일반각으로 나타내었을 때 $\theta=360°\times n+70°$가 아닌 것을 찾는다.

① $790°=360°\times2+70°$

② $430°=360°\times1+70°$

③ $-300°=360°\times(-1)+60°$

④ $-650°=360°\times(-2)+70°$

⑤ $-1010°=360°\times(-3)+70°$

따라서 $\theta=360°\times n+70°$로 나타낼 수 없는 것은 ③이다.

답 ③

01 **Act①** θ가 제 3사분면의 각이므로

$360°\times n+180°<\theta<360°\times n+270°$ (n은 정수)임을 이용한다.

θ가 제3사분면의 각이므로

$360°\times n+180°<\theta<360°\times n+270°$ (n은 정수)

$\therefore 180°\times n+90°<\dfrac{\theta}{2}<180°\times n+135°$

(ⅰ) $n=2k$ (k는 정수)일 때

$\qquad 360°\times k+90°<\dfrac{\theta}{2}<360°\times k+135°$

$\qquad$ 따라서 제2사분면의 각이다.

(ⅱ) $n=2k+1$ (k는 정수)일 때

$\qquad 360°\times k+270°<\dfrac{\theta}{2}<360°\times k+315°$

$\qquad$ 따라서 제4사분면의 각이다.

(ⅰ), (ⅱ)에서 $\dfrac{\theta}{2}$를 나타내는 동경이 존재할 수 있는 사분면은 제2사분면 또는 제4사분면이다. 답 ④

02 **Act①** θ가 제1사분면의 각이므로

$360°\times n<\theta<360°\times n+90°$ (n은 정수)임을 이용한다.

θ가 제1사분면의 각이므로

$360°\times n<\theta<360°\times n+90°$ (n은 정수)

$\therefore 120°\times n<\dfrac{\theta}{3}<120°\times n+30°$

(ⅰ) $n=3k$ (k는 정수)일 때

$\qquad 360°\times k<\dfrac{\theta}{3}<360°\times k+30°$

(ⅱ) $n=3k+1$ (k는 정수)일 때

$\qquad 360°\times k+120°<\dfrac{\theta}{3}<360°\times k+150°$

(ⅲ) $n=3k+2$ (k는 정수)일 때

$\qquad 360°\times k+240°<\dfrac{\theta}{3}<360°\times k+270°$

이때 $210°$는 (ⅰ), (ⅱ), (ⅲ)의 범위에 속하지 않는다.

따라서 $\dfrac{\theta}{3}$의 크기가 될 수 없는 것은 ④이다. 답 ④

03 **Act①** $1°=\dfrac{\pi}{180}$라디안, 1라디안$=\dfrac{180°}{\pi}$임을 이용한다.

ㄱ. $150°=150\times\dfrac{\pi}{180}=\dfrac{5}{6}\pi$ (거짓)

ㄴ. $\dfrac{30°}{\pi}=\dfrac{30}{\pi}\times\dfrac{\pi}{180}=\dfrac{1}{6}$ (참)

ㄷ. $\pi=\pi\times\dfrac{180°}{\pi}=180°$ (거짓)

ㄹ. $\dfrac{7}{6}\pi=\dfrac{7}{6}\pi\times\dfrac{180°}{\pi}=210°$ (참)

따라서 옳은 것은 ㄴ, ㄹ이다.　　　　　　　　답 ③

04 **Act①** $1°=\dfrac{\pi}{180}$ 라디안, 1라디안$=\dfrac{180°}{\pi}$임을 이용한다.

① $30°=30\times\dfrac{\pi}{180}=\dfrac{\pi}{6}$

② $-135°=-135\times\dfrac{\pi}{180}=-\dfrac{3}{4}\pi$

③ $150°=150\times\dfrac{\pi}{180}=\dfrac{5}{6}\pi$

④ $\dfrac{5}{3}\pi=\dfrac{5}{3}\pi\times\dfrac{180°}{\pi}=300°$

⑤ $\dfrac{3}{2}\pi=\dfrac{3}{2}\pi\times\dfrac{180°}{\pi}=270°$

따라서 옳지 않은 것은 ④이다.　　　　　　답 ④

기출유형 02

Act① 두 각 α, β를 나타내는 동경이 일치하면 $\beta-\alpha=2n\pi$ (n은 정수)임을 이용한다.

θ와 7θ를 나타내는 동경이 일치하므로
$7\theta-\theta=2n\pi$ (n은 정수)

$6\theta=2n\pi$　　$\therefore \theta=\dfrac{n}{3}\pi$　　……㉠

$0<\theta<\pi$에서 $0<\dfrac{n}{3}\pi<\pi$　　$\therefore 0<n<3$

n은 정수이므로 $n=1$ 또는 $n=2$
이것을 ㉠에 대입하면
$\theta=\dfrac{\pi}{3}$ 또는 $\theta=\dfrac{2}{3}\pi$

$\therefore \dfrac{\pi}{3}+\dfrac{2}{3}\pi=\pi$　　　　　　　답 ②

05 **Act①** 두 각 α, β를 나타내는 동경이 일치하면 $\beta-\alpha=2n\pi$ (n은 정수)임을 이용한다.

8θ와 5θ를 나타내는 동경이 일치하므로
$8\theta-5\theta=2n\pi$ (n은 정수)

$3\theta=2n\pi$　　$\therefore \theta=\dfrac{2n}{3}\pi$　　……㉠

$\dfrac{\pi}{2}<\theta<\pi$에서 $\dfrac{\pi}{2}<\dfrac{2n}{3}\pi<\pi$　　$\therefore \dfrac{3}{4}<n<\dfrac{3}{2}$

n은 정수이므로 $n=1$
이것을 ㉠에 대입하면
$\theta=\dfrac{2}{3}\pi$　　　　　　　　　　答 ①

06 **Act①** 두 각 α, β를 나타내는 동경이 일직선 위에 있고 방향이 반대이면 $\beta-\alpha=(2n+1)\pi$ (n은 정수)임을 이용한다.

각 θ를 나타내는 동경과 각 7θ를 나타내는 동경이 일직선 위에 있고 방향이 반대이므로

$7\theta-\theta=(2n+1)\pi$ (n은 정수)

$6\theta=(2n+1)\pi$　　$\therefore \theta=\dfrac{2n+1}{6}\pi$　　……㉠

$0<\theta<\dfrac{\pi}{2}$에서 $0<\dfrac{2n+1}{6}\pi<\dfrac{\pi}{2}$이므로

$0<2n+1<3$　　$\therefore -\dfrac{1}{2}<n<1$

n은 정수이므로 $n=0$
이것을 ㉠에 대입하면 $\theta=\dfrac{\pi}{6}$　　　　답 ①

07 **Act①** 두 각 α, β를 나타내는 동경이 x축에 대하여 대칭이면 $\beta+\alpha=2n\pi$ (n은 정수)임을 이용한다.

각 θ의 동경과 각 4θ의 동경이 x축에 대하여 대칭이므로
$4\theta+\theta=2n\pi$ (n은 정수)

$5\theta=2n\pi$　　$\therefore \theta=\dfrac{2n\pi}{5}$　　……㉠

$\dfrac{\pi}{2}<\theta<\pi$에서 $\dfrac{\pi}{2}<\dfrac{2n\pi}{5}<\pi$이므로

$\dfrac{1}{2}<\dfrac{2n}{5}<1$　　$\therefore \dfrac{5}{4}<n<\dfrac{5}{2}$

n은 정수이므로 $n=2$
이것을 ㉠에 대입하면 $\theta=\dfrac{4}{5}\pi$　　　　答 ③

08 **Act①** 두 각 α, β를 나타내는 동경이 y축에 대하여 대칭이면 $\beta+\alpha=(2n+1)\pi$ (n은 정수)임을 이용한다.

각 2θ를 나타내는 동경과 각 3θ를 나타내는 동경이 y축에 대하여 대칭이므로
$3\theta+2\theta=(2n+1)\pi$ (n은 정수)

$5\theta=(2n+1)\pi$　　$\therefore \theta=\dfrac{2n+1}{5}\pi$　　……㉠

$\dfrac{\pi}{2}<\theta<\pi$에서 $\dfrac{\pi}{2}<\dfrac{2n+1}{5}\pi<\pi$이므로

$\dfrac{5}{2}<2n+1<5$, $\dfrac{3}{2}<2n<4$　　$\therefore \dfrac{3}{4}<n<2$

n은 정수이므로 $n=1$
이것을 ㉠에 대입하면 $\theta=\dfrac{3}{5}\pi$　　　　답 ①

기출유형 03

Act① 반지름의 길이가 r, 중심각의 크기가 θ(라디안)인 부채꼴의 호의 길이를 l, 넓이를 S라 하면 $l=r\theta$, $S=\dfrac{1}{2}rl=\dfrac{1}{2}r^2\theta$임을 이용한다.

$r=4$, $l=12$이므로
$l=4a=12$　　$\therefore a=3$

$b=\dfrac{1}{2}rl=\dfrac{1}{2}\times4\times12=24$

$\therefore a+b=27$　　　　　　　　　　답 ③

09 **Act①** 반지름의 길이가 r, 중심각의 크기가 θ(라디안)인 부채꼴의 호의 길이를 l, 넓이를 S라 하면 $l=r\theta$, $S=\dfrac{1}{2}rl=\dfrac{1}{2}r^2\theta$임을 이용한다.

$$S=\frac{1}{2}r^2\theta=\frac{1}{2}r^2\times 2=36 \qquad \therefore r=6\ (r>0)$$

$$\therefore l=6\times 2=12 \qquad\qquad\qquad\qquad\text{답 ④}$$

10 Act① 반지름의 길이가 r, 중심각의 크기가 θ(라디안)인 부채꼴의 호의 길이를 l, 넓이를 S라 하면 $l=r\theta$, $S=\frac{1}{2}rl=\frac{1}{2}r^2\theta$임을 이용한다.

$$S=\frac{1}{2}r^2\theta=\frac{1}{2}r^2\times 2=25,\ r=5$$

$$l=r\theta=5\times 2=10$$

부채꼴의 둘레의 길이는 $l+2r$이므로

$$d=10+2\times 5=20$$

$$\therefore r+d=25 \qquad\qquad\qquad\qquad\text{답 25}$$

11 Act① 반원의 중심을 O로 놓고 부채꼴 OBC의 중심각의 크기를 구한다.

반원의 중심을 O라 하면
$$\overline{OA}=\overline{OB}=\overline{OC}=6$$
부채꼴 OBC의 중심각의 크기를 θ라 하면 호 BC의 길이가 4π이므로

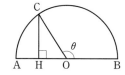

$$6\theta=4\pi \qquad \therefore \theta=\frac{2}{3}\pi$$

$\triangle CHO$에서 $\angle COH=\pi-\frac{2}{3}\pi=\frac{\pi}{3}$이므로

$$\overline{CH}=\overline{OC}\sin\frac{\pi}{3}=6\times\frac{\sqrt{3}}{2}=3\sqrt{3}$$

$$\therefore \overline{CH}^2=27 \qquad\qquad\qquad\qquad\text{답 27}$$

12 Act① 내접하는 원의 반지름의 길이를 r로 놓고 부채꼴의 반지름의 길이를 구한다.

내접하는 원의 반지름의 길이를 r라 하면 부채꼴의 반지름의 길이는 $3r$이므로

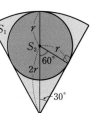

$$S_1=\frac{1}{2}\times(3r)^2\times\frac{\pi}{3}=\frac{3}{2}\pi r^2$$

$$S_2=\pi r^2$$

$$\therefore \frac{S_2}{S_1}=\frac{\pi r^2}{\frac{3}{2}\pi r^2}=\frac{2}{3} \qquad\text{답 ③}$$

기출유형 **04**

Act① $\sin\theta=\frac{y}{\overline{OP}}$, $\cos\theta=\frac{x}{\overline{OP}}$, $\tan\theta=\frac{y}{x}$임을 이용한다.

점 $P(3,\ 4)$를 y축에 대하여 대칭이동한 점 P_1의 좌표는
$P_1(-3,\ 4)$
점 $P(3,\ 4)$를 직선 $y=x$에 대하여 대칭이동한 점 P_2의 좌표는 $P_2(4,\ 3)$
동경 OP, OP$_1$, OP$_2$를 좌표평면에 나타내면 오른쪽 그림과 같다.

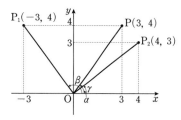

(i) $\overline{OP}=\sqrt{3^2+4^2}=5$이므로 $\sin\alpha=\frac{4}{5}$

(ii) $\overline{OP_1}=\sqrt{(-3)^2+4^2}=5$이므로 $\cos\beta=-\frac{3}{5}$

(iii) $\tan\gamma=\frac{3}{4}$

(i), (ii), (iii)에서

$$\sin\alpha+\cos\beta+\tan\gamma=\frac{4}{5}+\left(-\frac{3}{5}\right)+\frac{3}{4}=\frac{19}{20} \qquad\text{답 ⑤}$$

13 Act① $\sin\theta=\frac{y}{\overline{OP}}$, $\cos\theta=\frac{x}{\overline{OP}}$, $\tan\theta=\frac{y}{x}$임을 이용한다.

$\overline{OP}=\sqrt{5^2+(-12)^2}=13$이므로

$$\sin\theta=-\frac{12}{13},\ \cos\theta=\frac{5}{13},$$

$$\tan\theta=-\frac{12}{5}$$

$$\therefore 13(\sin\theta-\cos\theta)-10\tan\theta$$
$$=13\left(-\frac{12}{13}-\frac{5}{13}\right)-10\left(-\frac{12}{5}\right)$$
$$=-17+24=7 \qquad\qquad\qquad\text{답 7}$$

14 Act① $ab<0$이면 a와 b의 부호가 다르고, $ab>0$이면 a와 b의 부호가 같음을 이용한다.

(i) $\sin\theta\cos\theta<0$일 때
$\sin\theta$와 $\cos\theta$의 값의 부호가 서로 다르므로 θ는 제2사분면 또는 제4사분면의 각이다.

(ii) $\cos\theta\tan\theta>0$일 때
$\cos\theta$와 $\tan\theta$의 값의 부호가 서로 같으므로 θ는 제1사분면 또는 제2사분면의 각이다.

(i), (ii)에서 θ는 제2사분면의 각이다. 답 ①

15 Act① θ가 제2사분면의 각일 때 $\sin\theta>0$, $\cos\theta<0$, $\tan\theta<0$임을 이용한다.

θ가 제2사분면의 각일 때
$\sin\theta>0$, $\cos\theta<0$, $\tan\theta<0$이므로
$\cos\theta+\tan\theta<0$, $\sin\theta-\tan\theta>0$

$$\therefore \sqrt{\sin^2\theta}+\sqrt{\cos^2\theta}-|\cos\theta+\tan\theta|-|\sin\theta-\tan\theta|$$
$$=\sin\theta-\cos\theta+\cos\theta+\tan\theta-\sin\theta+\tan\theta$$
$$=2\tan\theta \qquad\qquad\qquad\qquad\text{답 ④}$$

16 Act① 근과 계수의 관계, 곱셈 공식의 변형을 이용하여 $\tan\theta=\frac{\alpha-\beta}{\alpha+\beta}$의 값을 구한다.

이차방정식의 근과 계수의 관계에서
$$\alpha+\beta=2\sqrt{3},\ \alpha\beta=2$$
곱셈 공식의 변형에 의하여
$$(\alpha-\beta)^2=(\alpha+\beta)^2-4\alpha\beta=12-8=4$$
이때 $\alpha>\beta$이므로 $\alpha-\beta=2$

$$\therefore \tan\theta=\frac{2}{2\sqrt{3}}=\frac{1}{\sqrt{3}}$$

$\tan\theta$의 값이 양수이므로 $-\frac{\pi}{2}<\theta<\frac{\pi}{2}$에서 $\theta=\frac{\pi}{6}$ 답 ①

Act① 주어진 식의 양변을 제곱하고 $\sin^2\theta+\cos^2\theta=1$임을 이용한다.

$\sin x+\cos x=\sqrt{2}$의 양변을 제곱하면

$\sin^2 x+2\sin x\cos x+\cos^2 x=2$

$1+2\sin x\cos x=2$

$\therefore\ \sin x\cos x=\dfrac{1}{2}$　　　　　　　　　　답 ④

17 **Act①** 주어진 식의 양변을 제곱하고 $\sin^2\theta+\cos^2\theta=1$임을 이용한다.

$\sin\theta-\cos\theta=\dfrac{1}{2}$의 양변을 제곱하면

$\sin^2\theta-2\sin\theta\cos\theta+\cos^2\theta=\dfrac{1}{4}$

$1-2\sin\theta\cos\theta=\dfrac{1}{4}$

$\sin\theta\cos\theta=\dfrac{3}{8}$

$\therefore\ \dfrac{1}{\sin\theta}\times\dfrac{1}{\cos\theta}=\dfrac{8}{3}$　　　　　답 ③

18 **Act①** 주어진 식의 양변을 제곱하고 $\sin^2\theta+\cos^2\theta=1$임을 이용한다.

$\sin\theta+\cos\theta=\sin\theta\cos\theta$의 양변을 제곱하면

$\sin^2\theta+2\sin\theta\cos\theta+\cos^2\theta=(\sin\theta\cos\theta)^2$

$1+2\sin\theta\cos\theta=(\sin\theta\cos\theta)^2$

$(\sin\theta\cos\theta)^2-2\sin\theta\cos\theta-1=0$

$\therefore\ \sin\theta\cos\theta=1-\sqrt{2}\ (\because\ -1<\sin\theta\cos\theta<1)$

따라서 $a=1$, $b=-1$이므로 $10a-b=11$　　　답 11

19 **Act①** 주어진 식의 양변을 제곱하고 $\sin^2\theta+\cos^2\theta=1$임을 이용한다.

$\sin\theta+\cos\theta=\dfrac{2}{3}$의 양변을 제곱하면

$\sin^2\theta+2\sin\theta\cos\theta+\cos^2\theta=\dfrac{4}{9}$

$1+2\sin\theta\cos\theta=\dfrac{4}{9}$

$\sin\theta\cos\theta=-\dfrac{5}{18}$

$\therefore\ \sin^3\theta+\cos^3\theta$

$=(\sin\theta+\cos\theta)^3-3\sin\theta\cos\theta(\sin\theta+\cos\theta)$

$=\left(\dfrac{2}{3}\right)^3-3\times\left(-\dfrac{5}{18}\right)\times\dfrac{2}{3}$

$=\dfrac{8}{27}+\dfrac{5}{9}=\dfrac{23}{27}$　　　　　　　　답 ⑤

20 **Act①** 주어진 식의 양변을 제곱하고 $\sin^2\theta+\cos^2\theta=1$, $\sin^2\theta-\cos^2\theta=(\sin\theta+\cos\theta)(\sin\theta-\cos\theta)$임을 이용한다.

$\sin\theta+\cos\theta=-\dfrac{1}{3}$의 양변을 제곱하면

$1+2\sin\theta\cos\theta=\dfrac{1}{9}$

$\sin\theta\cos\theta=-\dfrac{4}{9}$

$(\sin\theta-\cos\theta)^2=1-2\sin\theta\cos\theta=\dfrac{17}{9}$

이때 제2사분면의 각 θ에 대하여 $\sin\theta>0$, $\cos\theta<0$이고 $\sin\theta-\cos\theta>0$이므로

$\sin\theta-\cos\theta=\dfrac{\sqrt{17}}{3}$

$\therefore\ \sin^2\theta-\cos^2\theta=(\sin\theta+\cos\theta)(\sin\theta-\cos\theta)$

$=\left(-\dfrac{1}{3}\right)\times\dfrac{\sqrt{17}}{3}=-\dfrac{\sqrt{17}}{9}$　　　답 ①

VIT **V**ery **I**mportant **T**est　　　pp. 55~57

01. ④	**02.** ③	**03.** ②	**04.** ⑤	**05.** 22
06. ②	**07.** ②	**08.** ①	**09.** ①	**10.** ①
11. 10	**12.** ①	**13.** ②	**14.** ③	**15.** ⑤
16. ③	**17.** 4	**18.** 64		

01

④ $270°=360°\times(-1)+90°=2\pi\times(-1)+\dfrac{\pi}{2}$이므로 두 각의 동경은 일치한다.　　　　　　　　　　　　　답 ④

02

$5\theta+3\theta=2n\pi$ (n은 정수)이므로

$8\theta=2n\pi$, $\theta=\dfrac{n\pi}{4}$

이때 $0<\theta<\pi$이므로 $\theta=\dfrac{\pi}{4},\ \dfrac{\pi}{2},\ \dfrac{3\pi}{4}$

따라서 모든 θ의 값의 합은

$\dfrac{\pi}{4}+\dfrac{\pi}{2}+\dfrac{3\pi}{4}=\dfrac{3}{2}\pi$　　　　　　　　답 ③

03

θ의 동경과 6θ의 동경이 일직선 위에 있고 방향이 반대이므로

$6\theta-\theta=2n\pi+\pi$ (n은 정수)

$\therefore\ \theta=\dfrac{2n+1}{5}\pi$　　　……㉠

$0<\theta<\dfrac{\pi}{2}$에서 $0<\dfrac{2n+1}{5}\pi<\dfrac{\pi}{2}$이므로 $-\dfrac{1}{2}<n<\dfrac{3}{4}$

n은 정수이므로 $n=0$

이것을 ㉠에 대입하면 $\theta=\dfrac{\pi}{5}$

$\therefore\ \cos\left(\theta+\dfrac{2}{15}\pi\right)=\cos\left(\dfrac{\pi}{5}+\dfrac{2}{15}\pi\right)$

$=\cos\dfrac{\pi}{3}=\dfrac{1}{2}$　　　답 ②

04

반지름의 길이가 10, 호의 길이가 $\dfrac{4}{3}\pi$이므로

$$\frac{4}{3}\pi=10\theta \qquad \therefore \theta=\frac{2}{15}\pi$$

$$\therefore S=\frac{1}{2}\times10\times\frac{4}{3}\pi=\frac{20}{3}\pi$$

따라서 $a=\frac{2}{15}$, $b=\frac{20}{3}$이므로

$$a\times b=\frac{8}{9}$$　　　　　　　　　　　　　　　　답 ⑤

05

부채꼴의 호의 길이를 l, 넓이를 S라 하면 $l=80-2r$이므로

$$S=\frac{1}{2}rl=\frac{1}{2}r(80-2r)=-r^2+40r=-(r-20)^2+400$$

따라서 $r=20$일 때 넓이가 최대이며 중심각의 크기 θ는

$$\theta=\frac{l}{r}=\frac{80-2r}{r}=\frac{40}{20}=2$$

$$\therefore r+\theta=22$$　　　　　　　　　　　　　　답 22

06

부채꼴의 반지름의 길이를 r, 호의 길이를 l, 넓이를 S라 하면

$$S=\frac{1}{2}rl=\frac{1}{2}r\times6\pi=30\pi \qquad \therefore r=10$$

부채꼴로 만든 원뿔의 높이를 h, 밑면의 반지름의 길이를 a라 하면

$2\pi a=6\pi$에서 $a=3$

$h=\sqrt{10^2-3^2}=\sqrt{91}$

따라서 구하는 원뿔의 부피 V는

$$V=\frac{1}{3}\times(\pi\times3^2)\times\sqrt{91}=3\sqrt{91}\pi$$　　　　답 ②

07

$\overparen{AP}$의 길이가 r이므로 $r=r\theta$에서 $\theta=1$

$\overparen{AP}=\overparen{BQ}$이므로 $\angle AOP=\angle QOB=1$

$$\therefore \angle POQ=\pi-2$$　　　　　　　　　　　답 ②

08

θ가 제3사분면의 각일 때 $\sin\theta<0$, $\cos\theta<0$이므로

$\cos\theta+\sin\theta<0$

$$\therefore |\sin\theta+\sqrt{\cos^2\theta}+\sqrt{(\cos\theta+\sin\theta)^2}|$$
$$=|\sin\theta-\cos\theta-(\cos\theta+\sin\theta)|$$
$$=|-2\cos\theta|$$
$$=-2\cos\theta$$　　　　　　　　　　　답 ①

09

θ가 제4사분면의 각이므로 오른쪽 그림에서

$\sin\theta=-\frac{4}{5}$, $\cos\theta=\frac{3}{5}$

$$\therefore \frac{5\sin\theta+2}{15\cos\theta-6}=\frac{5\times\left(-\frac{4}{5}\right)+2}{15\times\frac{3}{5}-6}=-\frac{2}{3}$$

답 ①

10

$\sin^2\theta+\cos^2\theta=1$에서

$\cos^2\theta=1-\sin^2\theta$

$$\cos\theta=\pm\sqrt{1-\sin^2\theta}=\sqrt{1-\left(\frac{3}{5}\right)^2}=\pm\frac{4}{5}$$

그런데 θ가 제2사분면의 각이므로 $\cos\theta=-\frac{4}{5}$

$$\tan\theta=\frac{\sin\theta}{\cos\theta}=\frac{\frac{3}{5}}{-\frac{4}{5}}=-\frac{3}{4}$$이므로

$$5\cos\theta+4\tan\theta=5\times\left(-\frac{4}{5}\right)+4\times\left(-\frac{3}{4}\right)$$
$$=-4-3=-7$$　　　　　답 ①

11

직선 $x+3y=2$를 x축의 양의 방향으로 -2만큼 평행이동한 직선의 방정식은 $x+3y=0$

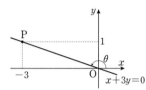

이때 직선 $x+3y=0$이 x축의 양의 방향과 이루는 각의 크기도 θ이므로 직선 $x+3y=0$ 위의 점 $P(-3, 1)$에 대하여

$\overline{OP}=\sqrt{(-3)^2+1^2}=\sqrt{10}$

$\sin\theta=\frac{1}{\sqrt{10}}$, $\cos\theta=-\frac{3}{\sqrt{10}}$, $\tan\theta=-\frac{1}{3}$

$$\therefore \sin\theta\cos\theta\tan\theta=\frac{1}{\sqrt{10}}\times\left(-\frac{3}{\sqrt{10}}\right)\times\left(-\frac{1}{3}\right)=\frac{1}{10}$$

$$\therefore \frac{1}{\sin\theta\cos\theta\tan\theta}=10$$　　　　답 10

12

$\sin^2\theta+\cos^2\theta=1$이므로

$$\cos^2\theta=1-\sin^2\theta=1-\frac{16}{25}=\frac{9}{25}$$

θ가 제4사분면의 각이므로 $\cos\theta=\frac{3}{5}$

$\tan\theta=\frac{\sin\theta}{\cos\theta}$이므로

$$\tan\theta=\frac{-\frac{4}{5}}{\frac{3}{5}}=-\frac{4}{3}$$

$$\therefore 15\cos\theta+15\tan\theta=-11$$　　　답 ①

13

$$(\sin\theta-\cos\theta)^2=1-2\sin\theta\cos\theta$$
$$=1-2\times\frac{1}{3}=\frac{1}{3}$$

$0<\theta<\frac{\pi}{4}$에서 $\sin\theta<\cos\theta$이므로

$$\sin\theta-\cos\theta=-\frac{1}{\sqrt{3}}$$

$$\therefore \sin^3\theta-\cos^3\theta$$
$$=(\sin\theta-\cos\theta)^3+3\sin\theta\cos\theta(\sin\theta-\cos\theta)$$
$$=\left(-\frac{1}{\sqrt{3}}\right)^3+3\times\frac{1}{3}\times\left(-\frac{1}{\sqrt{3}}\right)$$

$$= -\frac{1}{3\sqrt{3}} - \frac{1}{\sqrt{3}} = -\frac{4}{3\sqrt{3}} = -\frac{4\sqrt{3}}{9}$$ 답 ②

14

$\sin\theta + \cos\theta = \frac{1}{3}$의 양변을 제곱하면

$$\sin^2\theta + 2\sin\theta\cos\theta + \cos^2\theta = \frac{1}{9}$$

$$\sin\theta\cos\theta = -\frac{4}{9}$$

$$\therefore \tan\theta + \frac{1}{\tan\theta} = \frac{\sin\theta}{\cos\theta} + \frac{\cos\theta}{\sin\theta}$$

$$= \frac{\sin^2\theta + \cos^2\theta}{\cos\theta\sin\theta} = \frac{1}{\sin\theta\cos\theta}$$

$$= -\frac{9}{4}$$ 답 ③

15

$x^2 - 3ax - a^2 = 0$에서 이차방정식의 근과 계수의 관계에 의하여

$\sin\theta + \cos\theta = 3a$ ...... ㉠

$\sin\theta\cos\theta = -a^2$ ...... ㉡

㉠의 양변을 제곱하면

$1 + 2\sin\theta\cos\theta = 9a^2$ ...... ㉢

㉡을 ㉢에 대입하면

$1 - 2a^2 = 9a^2,\ a^2 = \frac{1}{11}$

$$\therefore a = \frac{\sqrt{11}}{11}\ (\because a > 0)$$ 답 ⑤

16

$5\theta - \theta = 2n\pi \pm \frac{\pi}{3}$ (단, n은 정수)이므로

$4\theta = 2n\pi + \frac{\pi}{3}$ 또는 $4\theta = 2n\pi - \frac{\pi}{3}$

$\theta = \frac{n\pi}{2} + \frac{\pi}{12}$ 또는 $\theta = \frac{n\pi}{2} - \frac{\pi}{12}$

(i) $\frac{\pi}{2} < \frac{n\pi}{2} + \frac{\pi}{12} < \pi$일 때

$\frac{5\pi}{12} < \frac{n\pi}{2} < \frac{11\pi}{12},\ \frac{5}{6} < n < \frac{11}{6}$

n은 정수이므로 $n = 1$

$\therefore \theta = \frac{\pi}{2} + \frac{\pi}{12} = \frac{7}{12}\pi$

(ii) $\frac{\pi}{2} < \frac{n\pi}{2} - \frac{\pi}{12} < \pi$일 때

$\frac{7\pi}{12} < \frac{n\pi}{2} < \frac{13\pi}{12},\ \frac{7}{6} < n < \frac{13}{6}$

n은 정수이므로 $n = 2$

$\therefore \theta = \pi - \frac{\pi}{12} = \frac{11}{12}\pi$

(i), (ii)에서

$\frac{7}{12}\pi + \frac{11}{12}\pi = \frac{18}{12}\pi = \frac{3}{2}\pi$ 답 ③

17

원 $(x-1)^2 + y^2 = 1$은 중심이 $(1,\ 0)$이고 반지름의 길이가 1인

원이므로 원둘레의 길이는 2π이다.
호 OQ의 길이를 l이라 하면 잘려진 두
원호의 비가 1 : 2이므로

$$l = \frac{1}{1+2} \times 2\pi = \frac{2}{3}\pi$$

반지름의 길이가 1이므로 부채꼴의 중
심각과 호의 길이에서

$\angle OPQ = \frac{2}{3}\pi$

△OPQ는 이등변삼각형이므로

$\angle QOP = \angle OQP = \frac{1}{6}\pi$

$m = \tan\frac{1}{6}\pi = \frac{1}{\sqrt{3}}$ $\therefore p + q = 4$ 답 4

18

$2x^2 + ax + 1 = 0$의 두 근이 $\sin\theta$, $\cos\theta$이므로 이차방정식의 근과 계수의 관계에 의하여

$\sin\theta + \cos\theta = -\frac{a}{2}$, $\sin\theta\cos\theta = \frac{1}{2}$

$\sin\theta + \cos\theta = -\frac{a}{2}$의 양변을 제곱하면

$\sin^2\theta + \cos^2\theta + 2\sin\theta\cos\theta = \frac{a^2}{4}$

$1 + 2 \times \frac{1}{2} = \frac{a^2}{4},\ a^2 = 8$

$\therefore a = 2\sqrt{2}\ (\because a > 0)$

$\therefore \sin\theta + \cos\theta = -\sqrt{2}$

또, $2x^2 + bx + c = 0$의 두 근이 $\frac{1}{\sin\theta}$, $\frac{1}{\cos\theta}$이므로 이차방정식의 근과 계수의 관계에 의하여

$$\frac{1}{\sin\theta} + \frac{1}{\cos\theta} = \frac{\sin\theta + \cos\theta}{\sin\theta\cos\theta}$$

$$= \frac{-\sqrt{2}}{\frac{1}{2}} = -2\sqrt{2} = -\frac{b}{2}$$

$\therefore b = 4\sqrt{2}$

$\frac{1}{\sin\theta} \times \frac{1}{\cos\theta} = \frac{1}{\frac{1}{2}} = 2 = \frac{c}{2}$

$\therefore c = 4$

$\therefore abc = 2\sqrt{2} \times 4\sqrt{2} \times 4 = 64$ 답 64

06 삼각함수의 그래프
p. 59

01. ⑤	02. ④	03. ③	04. ⑤	05. ④
06. 3				

01 주어진 함수의 주기를 각각 구하면

① $\frac{2\pi}{|\pi|} = 2$ ② $\frac{2\pi}{|3|} = \frac{2}{3}\pi$

③ $\frac{\pi}{\left|\frac{\pi}{2}\right|} = 2$ ④ $\frac{2\pi}{\left|\frac{\pi}{2}\right|} = 4$ ⑤ $\frac{\pi}{|\pi|} = 1$

따라서 $f(x+1)=f(x)$를 만족하는 함수는 ⑤ $f(x)=\tan \pi x$ 이다. 　　　　　　　　　　　　　　　　　답 ⑤

02 주어진 함수의 최댓값이 3, 최솟값이 -3이므로 $|a|=3$
$a>0$이므로 $a=3$
또, 주기가 $\dfrac{13}{6}\pi-\dfrac{\pi}{6}=2\pi$이므로 $\dfrac{2\pi}{|b|}=2\pi$
$b>0$이므로 $b=1$
따라서 주어진 함수의 식은 $y=3\cos(x-c)$이고 그래프가
점 $\left(\dfrac{\pi}{6},\ 3\right)$을 지나므로
$3=3\cos\left(\dfrac{\pi}{6}-c\right)$, $\cos\left(\dfrac{\pi}{6}-c\right)=1$
$0\le c<2\pi$이므로 $c=\dfrac{\pi}{6}$
$\therefore a+b+c=3+1+\dfrac{\pi}{6}=4+\dfrac{\pi}{6}$ 　　답 ④

03 $\sin\left(\dfrac{\pi}{2}+\theta\right)=\cos\theta$, $\cos(\pi+\theta)=-\cos\theta$,
$\cos\left(\dfrac{3}{2}\pi-\theta\right)=-\sin\theta$, $\sin(-\theta)=-\sin\theta$이므로
$\sin\left(\dfrac{\pi}{2}+\theta\right)+\cos(\pi+\theta)+\cos\left(\dfrac{3}{2}\pi-\theta\right)-\sin(-\theta)$
$=\cos\theta+(-\cos\theta)+(-\sin\theta)-(-\sin\theta)$
$=0$ 　　　　　　　　　　　　　　　　　답 ③

04 $y=-4\cos^2 x+4\sin x+3$
$=-4(1-\sin^2 x)+4\sin x+3$
$=4\sin^2 x+4\sin x-1$
$\sin x=t$라 하면
$-1\le t\le 1$이고
$f(t)=4t^2+4t-1=4\left(t+\dfrac{1}{2}\right)^2-2$
최댓값은 $M=f(1)=7$
최솟값은 $m=f\left(-\dfrac{1}{2}\right)=-2$
$\therefore M+m=7+(-2)=5$ 　　답 ⑤

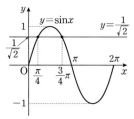

05 방정식 $\sqrt{2}\sin x=1$에서
$\sin x=\dfrac{1}{\sqrt{2}}$이므로 주어진 방정식의 해는 다음 그림과 같이
$y=\sin x$의 그래프와 직선 $y=\dfrac{1}{\sqrt{2}}$의 교점의 x좌표와 같다.

구하는 방정식의 해는 $x=\dfrac{\pi}{4}$ 또는 $x=\dfrac{3}{4}\pi$
$\therefore \alpha+\beta=\dfrac{\pi}{4}+\dfrac{3}{4}\pi=\pi$ 　　답 ④

06 $y=\sin x$와 $y=\cos x$의 그래프는 다음과 같다.

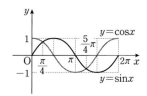

$\sin x=\cos x$를 만족하는 x의 값은 $x=\dfrac{\pi}{4}$ 또는 $x=\dfrac{5}{4}\pi$
$0\le x<2\pi$에서 부등식 $\sin x>\cos x$를 만족하는 x의 값의
범위는
$\dfrac{\pi}{4}<x<\dfrac{5}{4}\pi$
따라서 $\alpha=\dfrac{\pi}{4}$, $\beta=\dfrac{5}{4}\pi$이므로
$\dfrac{2}{\pi}(\alpha+\beta)=\dfrac{2}{\pi}\times\dfrac{3\pi}{2}=3$ 　　답 3

유형따라잡기 　　　　　　　　　pp. 60~65

기출유형 01 ⑤	01. ⑤	02. ⑤	03. 12	04. 9
기출유형 02 6	05. ②	06. 5	07. ⑤	08. ①
기출유형 03 ①	09. ①	10. ③	11. ①	12. ③
기출유형 04 ⑤	13. ⑤	14. 9	15. 1	16. 1
기출유형 05 6	17. ③	18. ④	19. 7	20. 7
기출유형 06 ②	21. ②	22. ③	23. ④	24. ②

기출유형 01

Act① $y=a\cos(bx+c)+d$의 최댓값은 $|a|+d$, 최솟값은
$-|a|+d$, 주기는 $\dfrac{2\pi}{|b|}$임을 이용한다.

$M=|-4|+5=9$, $m=-|-4|+5=1$, $p=\dfrac{2\pi}{|-2\pi|}=1$
$\therefore M+m+p=9+1+1=11$ 　　답 ⑤

01 **Act①** $f(x+p)=f(x)$를 만족시키는 양수 p의 최솟값이 함수
$f(x)$의 주기임을 이용한다.
각 함수의 주기를 구해 보면
① $\dfrac{2\pi}{|\pi|}=2$　　② $\dfrac{2\pi}{|\pi|}=2$　　③ $\dfrac{\pi}{\left|\dfrac{\pi}{2}\right|}=2$
④ $y=\sin \pi x$의 주기는 $\dfrac{2\pi}{|\pi|}=2$이고, $y=\tan \pi x$의 주기는
$\dfrac{\pi}{|\pi|}=1$이므로 $f(x)=\sin \pi x+\tan \pi x$의 주기는 2이다.
⑤ $y=\sin\dfrac{\pi}{2}x$의 주기는 $\dfrac{2\pi}{\left|\dfrac{\pi}{2}\right|}=4$이고, $y=\cos \pi x$의 주기
는 $\dfrac{2\pi}{|\pi|}=2$이므로 $f(x)=\sin\dfrac{\pi}{2}x+\cos \pi x$의 주기는 4이
다.
따라서 $f(x+2)=f(x)$를 만족하지 않는 것은 ⑤이다.
　　　　　　　　　　　　　　　　　　답 ⑤

02 Act① $y=a \sin (bx+c)+d$의 최댓값은 $|a|+d$, 최솟값은

$-|a|+d$, 주기는 $\dfrac{2\pi}{|b|}$임을 이용한다.

주어진 함수의 최댓값이 2이므로 $|a|=2$

$a>0$이므로 $a=2$

또, 주기가 2이므로 $\dfrac{2\pi}{\left|\dfrac{\pi}{2b}\right|}=2$

$b>0$이므로 $b=\dfrac{1}{2}$

$\therefore a+b=\dfrac{5}{2}$ 　　　　　　　　　답 ⑤

03 Act① $y=a \cos (bx+c)+d$의 최댓값은 $|a|+d$, 최솟값은

$-|a|+d$, 주기는 $\dfrac{2\pi}{|b|}$임을 이용한다.

$M=|3|+4=7$, $m=-|3|+4=1$, $p=\dfrac{2\pi}{|2a|}=\dfrac{\pi}{a}$

이때 주기가 $\dfrac{\pi}{4}$이므로

$\dfrac{\pi}{a}=\dfrac{\pi}{4}$, $a=4$

$\therefore M+m+a=7+1+4=12$ 　　　　　답 12

04 Act① 최댓값, 최솟값, 주기를 이용하여 주어진 구간에서 그래프를 그리고 y좌표가 정수인 점을 찾는다.

주어진 함수의 최댓값은 4, 최솟값은 -4이고 주기는 $\dfrac{2\pi}{\left|\dfrac{\pi}{2}\right|}=4$이므로 $0 \leq x \leq 2$에서의 그래프는 그림과 같다.

따라서 y좌표가 정수인 점의 개수는 9이다.

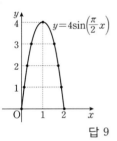

답 9

기출유형 02

Act① 주어진 삼각함수의 그래프에서 최댓값과 최솟값, 주기를 생각한다.

함수 $y=a \sin bx$의 최댓값이 3, 최솟값이 -3이므로

$|a|=3$

$a>0$이므로 $a=3$

또, 주기가 $\dfrac{5}{4}\pi-\dfrac{\pi}{4}=\pi$이므로 $\dfrac{2\pi}{|b|}=\pi$

$b>0$이므로 $b=2$

$\therefore ab=6$ 　　　　　　　　　　답 6

05 Act① 주어진 함수의 그래프에서 최댓값과 최솟값, 주기를 생각한다.

함수 $f(x)=a \cos \dfrac{\pi}{2b}x+1$의 최댓값이 4, 최솟값이 -2이므로

$|a|+1=4$, $-|a|+1=-2$

$a>0$이므로

$a+1=4$, $-a+1=-2$

$\therefore a=3$

또, 주기가 4이므로 $\dfrac{2\pi}{\left|\dfrac{\pi}{2b}\right|}=4$에서 $|b|=1$

$b>0$이므로 $b=1$

$\therefore a+b=3+1=4$ 　　　　　　　답 ②

06 Act① 주어진 함수의 그래프에서 최댓값과 최솟값, 주기를 생각한다.

함수 $y=a \sin bx+c$의 최댓값이 3, 최솟값이 -1이므로

$|a|+c=3$, $-|a|+c=-1$

$a>0$이므로

$a+c=3$, $-a+c=-1$

$\therefore a=2$, $c=1$

또, 주기가 π이므로 $\dfrac{2\pi}{|b|}=\pi$에서 $|b|=2$

$b>0$이므로 $b=2$

$\therefore a+b+c=2+2+1=5$ 　　　　답 5

07 Act① 주어진 삼각함수의 그래프에서 최댓값과 최솟값, 주기, 그래프가 지나는 점의 좌표를 생각한다.

주어진 함수의 최댓값이 2, 최솟값이 -2이므로 $|a|=2$

$a>0$이므로 $a=2$

또, 주기가 $\dfrac{5}{6}\pi-\left(-\dfrac{\pi}{6}\right)=\pi$이므로 $\dfrac{2\pi}{|b|}=\pi$

$b>0$이므로 $b=2$

따라서 주어진 함수의 식은 $y=2 \sin (2x-c)$이고

그래프가 점 $\left(\dfrac{\pi}{3},\ 0\right)$을 지나므로

$0=2 \sin \left(\dfrac{2}{3}\pi-c\right)$, $\sin \left(\dfrac{2}{3}\pi-c\right)=0$

$0<c<\pi$이므로 $c=\dfrac{2}{3}\pi$

$\therefore abc=2\times2\times\dfrac{2}{3}\pi=\dfrac{8}{3}\pi$ 　　　답 ⑤

08 Act① 주어진 삼각함수의 그래프에서 주기와 그래프가 지나는 점의 좌표를 생각한다.

주어진 함수의 주기가 $\dfrac{2}{3}\pi-\left(-\dfrac{\pi}{3}\right)=\pi$이므로 $\dfrac{2\pi}{|a|}=\pi$

$a>0$이므로 $a=2$

따라서 주어진 함수의 식은 $y=\cos 2(x+b)+1$이고 그래프가 점 $\left(\dfrac{2}{3}\pi,\ 2\right)$를 지나므로

$2=\cos \left(\dfrac{4}{3}\pi+2b\right)+1$, $\cos \left(\dfrac{4}{3}\pi+2b\right)=1$

$0<b<\pi$, $0<2b<2\pi$이므로 $2b=\dfrac{2}{3}\pi$, $b=\dfrac{1}{3}\pi$

$\therefore ab=\dfrac{2}{3}\pi$ 　　　　　　　답 ①

기출유형 03

Act① 각이 $\dfrac{n}{2}\pi\pm\theta$ 또는 $90°\times n\pm\theta$ (n은 정수) 꼴일 때, 각

삼각함수는 n이 짝수이면 그대로, n이 홀수이면 $\sin \to \cos$, $\cos \to \sin$, $\tan \to \dfrac{1}{\tan}$로 바꾼다.

$\sin(4\pi-\theta)+\cos\left(\dfrac{3}{2}\pi+\theta\right)-\sin\left(\dfrac{\pi}{2}+\theta\right)-\cos(\theta-\pi)$

$=-\sin\theta+\sin\theta-\cos\theta+\cos\theta$

$=0$ 답 ①

09 **Act①** 각이 $\dfrac{n}{2}\pi\pm\theta$ 또는 $90°\times n\pm\theta$ (n은 정수) 꼴일 때, 각 삼각함수는 n이 짝수이면 그대로, n이 홀수이면 $\sin \to \cos$, $\cos \to \sin$, $\tan \to \dfrac{1}{\tan}$로 바꾼다.

$\sin 210° \sin 230° \sin 250°$

$=\sin(270°-60°)\sin(270°-40°)\sin(270°-20°)$

$=(-\cos 60°)(-\cos 40°)(-\cos 20°)$

이므로

$\cos 20° \cos 40° \cos 60° + \sin 210° \sin 230° \sin 250°$

$=\cos 20° \cos 40° \cos 60°$

$\qquad\qquad\qquad +(-\cos 60°)(-\cos 40°)(-\cos 20°)$

$=0$ 답 ①

10 **Act①** 직선의 기울기에서 $\tan\theta$의 값을 구하고 주어진 식을 정리한 후 대입한다.

직선 $2x-y-5=0$, 즉 $y=2x-5$의 기울기는 2이므로 $\tan\theta=2$

$\dfrac{\cos\left(\dfrac{\pi}{2}+\theta\right)}{1+\cos\theta}+\dfrac{\sin(\pi-\theta)}{1+\cos(\pi+\theta)}$

$=\dfrac{-\sin\theta}{1+\cos\theta}+\dfrac{\sin\theta}{1-\cos\theta}$

$=\dfrac{-\sin\theta(1-\cos\theta)+\sin\theta(1+\cos\theta)}{(1+\cos\theta)(1-\cos\theta)}$

$=\dfrac{2\sin\theta\cos\theta}{\sin^2\theta}$

$=\dfrac{2}{\tan\theta}=1$ 답 ③

11 **Act①** 직선의 기울기인 $\tan\theta$의 값에서 $\sin\theta$, $\cos\theta$의 값을 구한다.

직선의 기울기는 $-\dfrac{4}{3}$이므로 $\tan\theta=-\dfrac{4}{3}$

$P(a,\,b)$는 제2사분면에 존재하므로 $\sin\theta>0$, $\cos\theta<0$이고 $\cos\theta<-\dfrac{3}{5}$, $\sin\theta=\dfrac{4}{5}$

$\sin(\pi-\theta)+\cos(\pi+\theta)$

$=\sin\theta-\cos\theta$

$=\dfrac{4}{5}-\left(-\dfrac{3}{5}\right)=\dfrac{7}{5}$ 답 ①

12 **Act①** $A(a,\,b)$라 하면 $\overline{OA}=1$이므로 삼각함수의 정의에 의하여 $\cos\theta=a$, $\sin\theta=b$임을 이용한다.

점 A의 좌표를 $A(a,\,b)$라 하면 $\overline{OA}=1$이므로

$\cos\theta=a$, $\sin\theta=b$

이때 $\cos(\pi-\theta)=-\cos\theta$이므로

$\cos(\pi-\theta)=-a$

그런데 점 A와 점 C는 원점에 대하여 대칭이므로 점 C의 좌표는 $C(-a,\,-b)$이다.

따라서 $\cos(\pi-\theta)$는 점 C의 x좌표와 같다. 답 ③

기출유형 04

Act① $\sin^2 x+\cos^2 x=1$임을 이용하여 주어진 식을 한 종류의 삼각함수의 식으로 정리한다.

$y=-2\sin^2 x+2\cos x+3$

$\quad=-2(1-\cos^2 x)+2\cos x+3$

$\quad=2\cos^2 x+2\cos x+1$

$\cos x=t$로 놓으면 $-1\le t\le 1$이고

$y=2t^2+2t+1=2\left(t+\dfrac{1}{2}\right)^2+\dfrac{1}{2}$

따라서 $t=1$일 때 최댓값 5, $t=-\dfrac{1}{2}$일 때 최솟값 $\dfrac{1}{2}$을 갖는다.

따라서 $M=5$, $m=\dfrac{1}{2}$이므로

$M+m=\dfrac{11}{2}$ 답 ⑤

13 **Act①** $\sin^2 x+\cos^2 x=1$임을 이용하여 주어진 식을 한 종류의 삼각함수의 식으로 정리한다.

$y=-4\cos^2 x+4\sin x+3$

$\quad=-4(1-\sin^2 x)+4\sin x+3$

$\quad=4\sin^2 x+4\sin x-1$

$\sin x=t$로 놓으면 $-1\le t\le 1$이고

$y=4t^2+4t-1=4\left(t+\dfrac{1}{2}\right)^2-2$

따라서 $t=1$일 때 최댓값은 7, $t=-\dfrac{1}{2}$일 때 최솟값 -2를 갖는다.

따라서 $M=7$, $m=-2$이므로

$M+m=5$ 답 ⑤

14 **Act①** $\sin^2 x+\cos^2 x=1$, $\dfrac{n}{2}\pi\pm\theta$ 꼴의 삼각함수를 이용하여 주어진 식을 정리한다.

$f(x)=\sin^2 x+\sin\left(x+\dfrac{\pi}{2}\right)+1$

$\qquad=1-\cos^2 x+\cos x+1$

$\qquad=-\cos^2 x+\cos x+2$

$\cos x=t$로 놓으면 $-1\le t\le 1$이고

$y=-t^2+t+2=-\left(t-\dfrac{1}{2}\right)^2+\dfrac{9}{4}$

따라서 $t=\dfrac{1}{2}$일 때 최댓값 $\dfrac{9}{4}$를 갖는다.

따라서 $M=\dfrac{9}{4}$이므로 $4M=9$ 답 9

15 Act❶ $\dfrac{n}{2}\pi \pm \theta$ 꼴의 삼각함수를 이용하여 주어진 식을 한 종류의 삼각함수의 식으로 정리한다.

$$\begin{aligned}
f(x) &= \cos^2\left(x+\frac{3}{2}\pi\right) - 3\cos^2(\pi-x) - 4\sin(x+2\pi) \\
&= \sin^2 x - 3\cos^2 x - 4\sin x \\
&= \sin^2 x - 3(1-\sin^2 x) - 4\sin x \\
&= 4\sin^2 x - 4\sin x - 3
\end{aligned}$$

$\sin x = t$로 놓으면 $-1 \le t \le 1$이고

$$f(t) = 4t^2 - 4t - 3 = 4\left(t-\frac{1}{2}\right)^2 - 4$$

따라서 $t=-1$일 때 최댓값 5, $t=\dfrac{1}{2}$일 때 최솟값 -4를 가진다.

따라서 $M=5$, $m=-4$이므로

$M+m=1$ 답 1

16 Act❶ $\sin^2 x + \cos^2 x = 1$임을 이용하여 주어진 식을 한 종류의 삼각함수의 식으로 정리한다.

$$\begin{aligned}
y &= \sin^2 x + 4\cos x + a \\
&= (1-\cos^2 x) + 4\cos x + a \\
&= -\cos^2 x + 4\cos x + a + 1
\end{aligned}$$

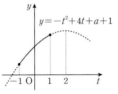

$\cos x = t$로 놓으면 $-1 \le t \le 1$이고

$$\begin{aligned}
y &= -t^2 + 4t + a + 1 \\
&= -(t-2)^2 + a + 5
\end{aligned}$$

따라서 $t=1$일 때 최댓값을 가지므로

$a+4=5$ $\therefore a=1$ 답 1

기출유형 05

Act❶ 주어진 방정식을 $\sin x = k$ 꼴로 변형하여 $y=\sin x$의 그래프와 $y=k$의 교점의 x좌표를 구한다.

$2\sin x = \sqrt{2}$에서 $\sin x = \dfrac{\sqrt{2}}{2}$

방정식 $\sin x = \dfrac{\sqrt{2}}{2}$의 해는 함수 $y=\sin x\ (0 \le x \le 4\pi)$의 그래프와 직선 $y=\dfrac{\sqrt{2}}{2}$가 만나는 점의 x좌표와 같다.

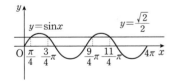

구하는 해는

$x=\dfrac{\pi}{4}$ 또는 $x=\dfrac{3}{4}\pi$ 또는 $x=\dfrac{9}{4}\pi$ 또는 $x=\dfrac{11}{4}\pi$

따라서 모든 실근의 합은 6π이고 $k=6$ 답 6

17 Act❶ 주어진 방정식을 $\sin x = k$ 꼴로 변형하여 $y=\sin x$의 그래프와 $y=k$의 교점의 x좌표를 구한다.

$1+\sqrt{2}\sin 2x = 0$에서 $\sin 2x = -\dfrac{1}{\sqrt{2}}$

$0 \le x \le \pi$에서 $0 \le 2x \le 2\pi$이므로 $2x=\dfrac{5}{4}\pi$ 또는 $2x=\dfrac{7}{4}\pi$

$\therefore x=\dfrac{5}{8}\pi$ 또는 $x=\dfrac{7}{8}\pi$

따라서 구하는 모든 해의 합은

$\dfrac{5}{8}\pi + \dfrac{7}{8}\pi = \dfrac{3}{2}\pi$ 답 ③

18 Act❶ $\sin^2 x + \cos^2 x = 1$임을 이용하여 한 종류의 삼각함수에 대한 방정식으로 고친다.

$\cos^2 x = \sin^2 x - \sin x$에서

$1-\sin^2 x = \sin^2 x - \sin x$

$2\sin^2 x - \sin x - 1 = 0$

$(2\sin x + 1)(\sin x - 1) = 0$

$\sin x = -\dfrac{1}{2}$ 또는 $\sin x = 1$

$0 \le x < 2\pi$에서

(i) $\sin x = -\dfrac{1}{2}$일 때, $x=\dfrac{7}{6}\pi$ 또는 $x=\dfrac{11}{6}\pi$

(ii) $\sin x = 1$일 때, $x=\dfrac{\pi}{2}$

(i), (ii)에서 구하는 모든 해의 합은

$\dfrac{7}{6}\pi + \dfrac{11}{6}\pi + \dfrac{\pi}{2} = \dfrac{7}{2}\pi$ 답 ④

19 Act❶ $\sin^2 x + \cos^2 x = 1$임을 이용하여 한 종류의 삼각함수에 대한 방정식으로 고친다.

$\cos^2 x - \sin x = 1$에서

$(1-\sin^2 x) - \sin x = 1$

$\sin^2 x + \sin x = 0$

$\sin x(\sin x + 1) = 0$

$\sin x = 0$ 또는 $\sin x = -1$

$0 < x < 2\pi$에서 $x=\pi$ 또는 $x=\dfrac{3}{2}\pi$

따라서 모든 실근의 합이 $\pi + \dfrac{3}{2}\pi = \dfrac{5}{2}\pi$이므로

$p+q=2+5=7$ 답 7

20 Act❶ 방정식 $f(x)=g(x)$의 서로 다른 실근의 개수는 $y=f(x)$와 $y=g(x)$의 그래프의 서로 다른 교점의 개수와 같음을 이용한다.

방정식 $\sin \pi x = \dfrac{3}{10}x$의 실근은 곡선 $y=\sin \pi x$의 그래프와 직선 $y=\dfrac{3}{10}x$의 교점의 x좌표와 같다.

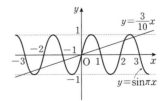

그림에서 두 그래프의 교점의 개수가 7이므로 구하는 실근의 개수는 7이다.   답 7

Act① 부등호를 등호로 바꾸어 방정식을 풀고, 그래프를 이용하여 주어진 부등식을 만족하는 미지수의 값의 범위를 구한다.

$2\sin x+1<0$에서 $\sin x<-\dfrac{1}{2}$

주어진 부등식의 해는 함수 $y=\sin x$의 그래프가 직선 $y=-\dfrac{1}{2}$보다 아래쪽에 있는 x의 값의 범위와 같다.

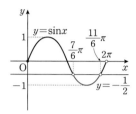

그림에서 구하는 부등식의 해는

$\dfrac{7}{6}\pi<x<\dfrac{11}{6}\pi$

따라서 $\alpha=\dfrac{7}{6}\pi$, $\beta=\dfrac{11}{6}\pi$이므로

$\cos(\beta-\alpha)=\cos\dfrac{2}{3}\pi=-\dfrac{1}{2}$ 답 ②

21 **Act①** $\sin^2 x+\cos^2 x=1$임을 이용하여 한 종류의 삼각함수에 대한 부등식으로 고친다.

$2\cos^2 x+5\sin x-4>0$에서

$2(1-\sin^2 x)+5\sin x-4>0$

$2\sin^2 x-5\sin x+2<0$

$(2\sin x-1)(\sin x-2)<0$

$-1\le\sin x\le1$이므로 $\sin x>\dfrac{1}{2}$

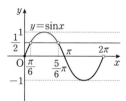

그림에서 구하는 부등식의 해는 $\dfrac{\pi}{6}<x<\dfrac{5}{6}\pi$

따라서 $\alpha=\dfrac{\pi}{6}$, $\beta=\dfrac{5}{6}\pi$이므로

$\cos(\beta-\alpha)=\cos\dfrac{2}{3}\pi=-\dfrac{1}{2}$ 답 ②

22 **Act①** $\sin^2 x+\cos^2 x=1$임을 이용하여 한 종류의 삼각함수에 대한 부등식으로 고친다.

$2\sin^2 x+5\cos <4$에서

$2(1-\cos^2 x)+5\cos x<4$

$2\cos^2 x-5\cos x+2>0$

$(2\cos x-1)(\cos x-2)>0$

$0\le x\le2\pi$에서 $\cos x-2<0$이므로

$2\cos x-1<0$ $\therefore \cos x<\dfrac{1}{2}$

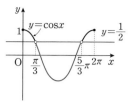

그림에서 부등식 $\cos x<\dfrac{1}{2}$의 해는

$\dfrac{\pi}{3}<x<\dfrac{5}{3}\pi$

따라서 $\alpha=\dfrac{\pi}{3}$, $\beta=\dfrac{5}{3}\pi$이므로

$\sin(\alpha+\beta)=\sin 2\pi=0$ 답 ③

23 **Act①** 부등식 $f(t)\ge0$이 항상 성립하려면 $(f(t)$의 **최솟값**$)\ge0$이어야 함을 이용한다.

$\cos\theta=t$로 놓으면 $-1\le t\le1$이고 주어진 부등식은

$t^2-3t-a+9\ge0$

$f(t)=t^2-3t-a+9$라 하면

$f(t)=\left(t-\dfrac{3}{2}\right)^2+\dfrac{27}{4}-a$

이때 $-1\le t\le1$에서 함수 $y=f(t)$의 그래프는 아래로 볼록한 포물선이므로 $t=1$일 때 최소이고, 최솟값 $f(1)\ge0$이어야 한다.

$f(1)=\left(1-\dfrac{3}{2}\right)^2+\dfrac{27}{4}-a=7-a\ge0$

$\therefore a\le7$ 답 ④

24 **Act①** 부등식 $f(t)<0$이 항상 성립하려면 $(f(t)$의 **최댓값**$)<0$이어야 함을 이용한다.

$\cos^2 x+(a+2)\sin x-2a>0$에서

$\sin^2 x-(a+2)\sin x+2a-1<0$

$\sin x=t$로 놓으면 $-1\le t\le1$이고

$t^2-(a+2)t+2a-1<0$

이때 $f(t)=t^2-(a+2)t+2a-1$이라 하면

$f(-1)<0$, $f(1)<0$이 성립해야 하므로

$1+(a+2)+2a-1<0$ $\therefore a<-\dfrac{2}{3}$

$1-(a+2)+2a-1<0$ $\therefore a<2$

$\therefore a<-\dfrac{2}{3}$

따라서 정수 a의 최댓값은 -1 답 ②

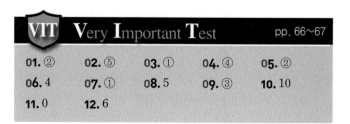

VIT **V**ery **I**mportant **T**est   pp. 66~67

01. ②	02. ⑤	03. ①	04. ④	05. ②
06. 4	07. ①	08. 5	09. ③	10. 10
11. 0	12. 6			

01

$y=-2\tan\left(\dfrac{x}{3}+\pi\right)+3$의 주기는 $\dfrac{\pi}{\left|\dfrac{1}{3}\right|}=3\pi$

① $\dfrac{2\pi}{\left|\dfrac{1}{3}\right|}=6\pi$ ② $\dfrac{2\pi}{\left|\dfrac{2}{3}\right|}=3\pi$ ③ π

④ $\dfrac{2\pi}{|\pi|}=2$ ⑤ $\dfrac{2\pi}{\left|\dfrac{\pi}{2}\right|}=4$

따라서 주어진 함수와 주기가 같은 것은 ②이다.　　　답 ②

02

$y=-3\sin\left(2x+\dfrac{\pi}{6}\right)+2$

　　$=-3\sin 2\left(x+\dfrac{\pi}{12}\right)+2$

이므로 $M=|-3|+2=5$, $p=\dfrac{2\pi}{|2|}=\pi$

$\therefore Mp=5\pi$　　　답 ⑤

03

함수 $f(x)=a\cos\left(x+\dfrac{\pi}{3}\right)+k$의 최댓값이 2이므로

$|a|+k=2$

$a>0$이므로 $a+k=2$　　……㉠

$f\left(\dfrac{\pi}{6}\right)=\dfrac{1}{2}$이므로 $a\cos\left(\dfrac{\pi}{6}+\dfrac{\pi}{3}\right)+k=\dfrac{1}{2}$

$a\cos\dfrac{\pi}{2}+k=\dfrac{1}{2}$　　$\therefore k=\dfrac{1}{2}$

이것을 ㉠에 대입하면

$a+\dfrac{1}{2}=2$　　$\therefore a=\dfrac{3}{2}$

따라서 $f(x)=\dfrac{3}{2}\cos\left(x+\dfrac{\pi}{3}\right)+\dfrac{1}{2}$이므로 $f(x)$의 최솟값은

$-\left|\dfrac{3}{2}\right|+\dfrac{1}{2}=-1$　　　답 ①

04

주어진 함수의 최댓값이 3, 최솟값이 -1이므로

$|a|+c=3$, $-|a|+c=-1$

$a>0$이므로 $a+c=3$, $-a+c=-1$

$a=2$, $c=1$

그래프에서 주기가 6이므로 $\dfrac{2\pi}{|b|}=6$

$b>0$이므로 $b=\dfrac{\pi}{3}$

$\therefore abc=2\times\dfrac{\pi}{3}\times1=\dfrac{2}{3}\pi$　　　답 ④

05

ㄱ. $\cos\left(\dfrac{\pi}{2}+\dfrac{\pi}{6}\right)=-\sin\dfrac{\pi}{6}=-\dfrac{1}{2}$

　　$\sin\left(\pi+\dfrac{\pi}{3}\right)=-\sin\dfrac{\pi}{3}=-\dfrac{\sqrt{3}}{2}$

ㄴ. $\sin\left(\dfrac{\pi}{2}-\theta\right)=\cos\theta$

　　$\cos(2\pi-\theta)=\cos\theta$

ㄷ. $\tan\theta\cdot\dfrac{1}{\tan\left(\dfrac{3}{2}\pi+\theta\right)}=\tan\theta(-\tan\theta)=-\tan^2\theta$　　　답 ②

06

$\sin^2 10°+\sin^2 20°+\cdots+\sin^2 80°$

$=\sin^2 10°+\sin^2 20°+\cdots+\sin^2(90°-20°)+\sin^2(90°-10°)$

$=\sin^2 10°+\cdots+\sin^2 40°+\cos^2 40°+\cdots+\cos^2 10°$

$=(\sin^2 10°+\cos^2 10°)+\cdots+(\sin^2 40°+\cos^2 40°)$

$=4$　　　답 4

07

직선 $x-2y+3=0$, 즉 $y=\dfrac{1}{2}x+\dfrac{3}{2}$의 기울기는 $\dfrac{1}{2}$이므로

$\tan\theta=\dfrac{1}{2}$이고 $\sin\theta=\dfrac{1}{\sqrt{5}}$

$\cos(\pi+\theta)+\sin\left(\dfrac{\pi}{2}-\theta\right)+\cos\left(\dfrac{\pi}{2}+\theta\right)\tan(-\theta)$

$=-\cos\theta+\cos\theta+(-\sin\theta)\times(-\tan\theta)$

$=\sin\theta\tan\theta$

$=\dfrac{1}{\sqrt{5}}\times\dfrac{1}{2}=\dfrac{\sqrt{5}}{10}$　　　답 ①

08

$y=4\sin x+\cos^2 x$

　$=4\sin x+1-\sin^2 x$

　$=-\sin^2 x+4\sin x+1$

$\sin x=t$로 놓으면 $0\le t\le1$이고

$y=-t^2+4t+1$

　$=-(t-2)^2+5$

따라서

$t=1$일 때 최댓값은 4,

$t=0$일 때 최솟값은 1

이므로

$M+m=4+1=5$　　　답 5

09

$2\cos^2 x-3\sin x=0$에서

$2(1-\sin^2 x)-3\sin x=0$, $2\sin^2 x+3\sin x-2=0$

$(2\sin x-1)(\sin x+2)=0$

$\therefore \sin x=\dfrac{1}{2}$ 또는 $\sin x=-2$

$0\le x<2\pi$에서 $-1\le\sin x\le1$이므로 $\sin x=\dfrac{1}{2}$

$\therefore x=\dfrac{\pi}{6}$ 또는 $x=\dfrac{5}{6}\pi$

따라서 방정식의 모든 실근의 합은

$\dfrac{\pi}{6}+\dfrac{5}{6}\pi=\pi$　　　답 ③

10

$2\cos^2 x-3\sin x+7-a\ge0$에서

$2(1-\sin^2 x)-3\sin x+7-a\ge0$

$2\sin^2 x+3\sin x-9+a\le0$

$\sin x=t\ (-1\le t\le1)$로 놓으면

$2t^2+3t-9+a\le0$

즉 함수 $f(t)=2t^2+3t-9+a$의 그래프가 그림과 같이

$-1 \le t \le 1$의 범위에서 t축의 아래에 있어야 한다.
이때 꼭짓점의 t좌표가 음수이므로 $f(1) \le 0$이면 된다.
즉 $f(1) = a - 4 \le 0$에서 $a \le 4$
따라서 조건을 만족하는 자연수의 합은
$1 + 2 + 3 + 4 = 10$

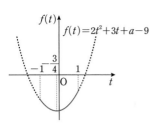

답 10

11

함수 $f(x)$의 주기가 $\dfrac{2\pi}{|2k|} = \dfrac{\pi}{k}$이므로

$\alpha + \beta = \dfrac{1}{2} \times \dfrac{\pi}{k}$, $\gamma + \delta = \left(\dfrac{1}{2} \times \dfrac{\pi}{k} + \alpha\right) + \left(\dfrac{\pi}{k} - \alpha\right) = \dfrac{3\pi}{2k}$

따라서 $\alpha + \beta + \gamma + \delta = \dfrac{2\pi}{k}$이므로

$f(\alpha + \beta + \gamma + \delta) = \sin\left(2k \times \dfrac{2\pi}{k}\right) = \sin 4\pi = 0$

답 0

12

$f(x) = \sqrt{1 - \sin^2 \pi x} = \sqrt{\cos^2 \pi x} = |\cos \pi x|$

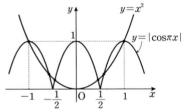

그림에서 $y = x^2$과 $y = |\cos \pi x|$의 그래프의 교점의 개수는 6이므로 방정식 $f(x) = g(x)$의 실근의 개수는 6이다.

답 6

07 사인법칙과 코사인법칙

p. 69

| 01. ① | 02. 4 | 03. ② | 04. 13 | 05. ① |
| 06. ① | | | | |

01
$A + B + C = 180°$, $A = 75°$, $B = 45°$이므로
$C = 180° - 75° - 45° = 60°$

사인법칙 $\dfrac{b}{\sin B} = \dfrac{c}{\sin C}$에서

$\dfrac{4}{\sin 45°} = \dfrac{c}{\sin 60°}$, $\dfrac{4}{\frac{\sqrt{2}}{2}} = \dfrac{c}{\frac{\sqrt{3}}{2}}$

$\therefore c = \overline{AB} = 2\sqrt{6}(\text{cm})$

답 ①

02
$\dfrac{4}{\sin 30°} = 2R$

$\therefore R = \dfrac{4}{\sin 30°} \times \dfrac{1}{2} = 4$

답 4

03
$A : B : C = 1 : 2 : 3$이므로

$A = 30°$, $B = 60°$, $C = 90°$ $(\because A + B + C = 180)$
$\sin 30° = \dfrac{1}{2}$, $\sin 60° = \dfrac{\sqrt{3}}{2}$, $\sin 90° = 1$이므로

$a : b : c = \sin 30° : \sin 60° : \sin 90°$

$= \dfrac{1}{2} : \dfrac{\sqrt{3}}{2} : 1 = 1 : \sqrt{3} : 2$

답 ②

04
코사인법칙에 의하여
$a^2 = b^2 + c^2 - 2bc \cos A = 8^2 + 7^2 - 2 \times 8 \times 7 \times \cos 120°$

$= 64 + 49 - 2 \times 56 \times \left(-\dfrac{1}{2}\right) = 169$

$\therefore a = 13$

답 13

05
코사인법칙에서 나머지 한 변의 길이를 구하면
$\overline{AB}^2 = 6^2 + 3^2 - 2 \times 6 \times 3 \times \cos 60°$

$= 36 + 9 - 2 \times 6 \times 3 \times \dfrac{1}{2} = 27$

$\therefore \overline{AB} = 3\sqrt{3}$

코사인법칙에서 $\cos A$의 값을 구하면

$\cos A = \dfrac{3^2 + (3\sqrt{3})^2 - 6^2}{2 \times 3 \times 3\sqrt{3}} = 0$

답 ①

06
$\overline{AC} = x$라 하면 코사인법칙에 의하여
$(\sqrt{19})^2 = 2^2 + x^2 - 2 \times 2 \times x \times \cos 120°$

$x^2 + 2x - 15 = 0$, $(x - 3)(x + 5) = 0$

$\therefore x = 3$ $(\because x > 0)$

$\therefore \triangle ABC = \dfrac{1}{2} \times 2 \times 3 \times \sin 120° = \dfrac{3\sqrt{3}}{2}$

답 ①

유형따라잡기
pp. 70~77

기출유형 01 ②	01. ③	02. ①	03. ③	04. 40
기출유형 02 ⑤	05. ③	06. ③	07. ④	08. ②
기출유형 03 ③	09. ①	10. ①	11. ④	12. ①
기출유형 04 ①	13. ①	14. ⑤	15. 50	16. 50
기출유형 05 ①	17. ②	18. ②	19. ①	20. ⑤
기출유형 06 ⑤	21. ②	22. ①	23. ④	24. ②
기출유형 07 ③	25. ⑤	26. 10	27. ③	28. ④
기출유형 08 ⑤	29. ⑤	30. 16	31. ⑤	32. ②

기출유형 01

Act① 삼각형의 내각의 합에서 A를 구한 다음 사인법칙을 이용한다.

삼각형의 한 외각은 이와 이웃하지 않는 두 내각의 합과 같으므로

$135° = A + 75°$, $A = 135° - 75° = 60°$

사인법칙에 의하여 $\dfrac{50}{\sin 60°} = \dfrac{\overline{AC}}{\sin 45°}$

$\therefore \overline{AC} = \dfrac{50}{\sin 60°} \times \sin 45° = \dfrac{50}{\frac{\sqrt{3}}{2}} \times \dfrac{\sqrt{2}}{2} = \dfrac{50\sqrt{6}}{3}$

답 ②

01 **Act①** 삼각형의 내각의 합에서 C를 구한 다음 사인법칙을 이용한다.

삼각형의 내각의 합에서
$C=180°-(75°+45°)=60°$
이므로 사인법칙에 의하여
$$\frac{6}{\sin 60°}=\frac{\overline{AC}}{\sin 45°}$$
$$\frac{\sqrt{3}}{2}\times\overline{AC}=6\times\frac{\sqrt{2}}{2}$$
$$\therefore \overline{AC}=\frac{6\sqrt{2}}{\sqrt{3}}=2\sqrt{6}(m)$$ 답 ③

02 **Act①** 사인법칙에서 $\sin B$의 값을 구하고 $\sin^2 B+\cos^2 B=1$임을 이용하여 $\cos B$의 값을 구한다.

사인법칙에 의하여 $\dfrac{2}{\sin B}=\dfrac{\sqrt{3}}{\sin 45°}$이므로
$$\sqrt{3}\sin B=2\times\frac{\sqrt{2}}{2}, \ \sin B=\frac{\sqrt{2}}{\sqrt{3}}$$
이때 $\cos B=\sqrt{1-\sin^2 B}=\sqrt{1-\dfrac{2}{3}}=\sqrt{\dfrac{1}{3}} \ (\because B$는 예각$)$
이므로
$$a=2\cos 45°+\sqrt{3}\cos B$$
$$=2\times\frac{\sqrt{2}}{2}+\sqrt{3}\times\frac{1}{\sqrt{3}}=1+\sqrt{2}$$ 답 ①

03 **Act①** $\overline{CD}=\overline{CA}=x$라 놓고 △ABC에서 사인법칙을 이용한다.

△ADC는 직각이등변삼각형이므로
$\overline{CD}=\overline{CA}=x$라 하면
△ABC에서 $A=60°$이므로
사인법칙에 의하여
$$\frac{100+x}{\sin 60°}=\frac{x}{\sin 30°}$$
$$(100+x)\sin 30°=x\sin 60°$$
$$\frac{1}{2}(100+x)=\frac{\sqrt{3}}{2}x, \ (\sqrt{3}-1)x=100$$
$$\therefore x=\frac{100}{\sqrt{3}-1}=50(\sqrt{3}+1)$$ 답 ③

04 **Act①** $\overline{BC}=x$라 놓고 $\overline{CD}$를 x로 나타낸 다음 △ADC에서 사인법칙을 이용한다.

$\overline{BC}=x$라 하면
△DBC에서 $\angle BCD=60°$이므로 $\overline{CD}=2x$
또, △ADC에서 삼각형의 한 외각의 크기는 이와 이웃하지 않는 두 내각의 크기의 합과 같으므로 $\angle ACD=10°$이고
사인법칙에 의하여
$$\frac{2x}{\sin 20°}=\frac{40}{\sin 10°}, \ \frac{2x}{0.34}=\frac{40}{0.17}$$
$$2x=\frac{0.34\times 40}{0.17}=80$$
$$\therefore x=40$$ 답 40

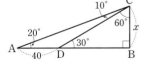

기출유형 02

Act① △ABC의 외접원의 반지름의 길이를 R라 할 때, $\dfrac{c}{\sin C}=2R$임을 이용한다.

△ABC의 외접원의 반지름의 길이가 3이므로 사인법칙에 의하여 $\dfrac{\overline{AB}}{\sin 60°}=6$
$$\therefore \overline{AB}=6\sin 60°=6\times\frac{\sqrt{3}}{2}=3\sqrt{3}$$ 답 ⑤

05 **Act①** △ABC의 외접원의 반지름의 길이를 R라 할 때, $\dfrac{a}{\sin A}=2R$임을 이용한다.

외접원의 반지름의 길이를 R라 하면 사인법칙에 의하여
$$\frac{3}{\sin 30°}=2R$$
$$\therefore R=\frac{1}{2}\times\frac{3}{\sin 30°}=3$$ 답 ③

06 **Act①** △ABC의 외접원의 반지름의 길이를 R라 할 때, $\dfrac{a}{\sin A}=2R$, $\sin(B+C)=\sin(180°-A)$임을 이용한다.

△ABC의 외접원의 반지름의 길이가 9이므로 사인법칙에 의하여
$$\frac{9\sqrt{3}}{\sin A}=18 \quad \therefore \sin A=\frac{\sqrt{3}}{2}$$
그런데 $B+C=180°-A$이므로
$$\sin(B+C)=\sin(180°-A)=\sin A=\frac{\sqrt{3}}{2}$$ 답 ③

07 **Act①** 원의 반지름의 길이를 R라 하고 사인법칙을 이용한다.

원의 반지름의 길이를 R라 하면 사인법칙에 의하여
$$\frac{6}{\sin 60°}=2R$$
$$R=6\times\frac{2}{\sqrt{3}}\times\frac{1}{2}=2\sqrt{3}$$
△ABD에서 $\angle BAD=30°$이므로 사인법칙에 의하여
$$\frac{\overline{BD}}{\sin 30°}=2R$$
$$\therefore \overline{BD}=2\times 2\sqrt{3}\times\frac{1}{2}=2\sqrt{3}$$ 답 ④

08 **Act①** 원주 위의 점 P를 잡고 삼각형 PAB의 외접원의 반지름의 길이를 R라 할 때, $\dfrac{\overline{AB}}{\sin P}=2R$임을 이용한다.

원의 넓이가 100π이므로 반지름의 길이는 10이다. 또, 호 AB의 길이는 반지름의 길이의 2배이므로
$$10\theta=20 \quad \therefore \theta=2$$
그림과 같이 원 위의 한 점을 P라 하면 원주각은 중심각의 $\dfrac{1}{2}$이므로
$$\angle APB=1$$
사인법칙에 의하여 $\dfrac{\overline{AB}}{\sin 1}=20$
$$\therefore \overline{AB}=20\sin 1$$ 답 ②

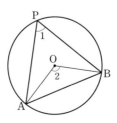

Act❶ $\sin A : \sin B : \sin C$는 △ABC의 세 변의 길이의 비 $a : b : c$와 같음을 이용한다.

$a+b=6k$, $b+c=7k$, $c+a=5k$ $(k>0)$라 하고 세 식을 각 변끼리 더하면

$2(a+b+c)=18k$

$\therefore a+b+c=9k$ ······ ㉠

㉠에서 각 식을 빼면

$a=2k$, $b=4k$, $c=3k$

$\therefore \sin A : \sin B : \sin C = a : b : c$

$\qquad\qquad\qquad\qquad = 2k : 4k : 3k$

$\qquad\qquad\qquad\qquad = 2 : 4 : 3$ 답 ③

09 **Act❶** $\sin A : \sin B : \sin C$는 △ABC의 세 변의 길이의 비 $a : b : c$와 같음을 이용한다.

$\dfrac{a+b}{4} = \dfrac{b+c}{5} = \dfrac{c+a}{3} = k\ (k>0)$라 하면

$a+b=4k$, $b+c=5k$, $c+a=3k$

세 식을 각 변끼리 더하면

$2(a+b+c)=12k$

$\therefore a+b+c=6k$ ······ ㉠

㉠에서 각 식을 빼면

$a=k$, $b=3k$, $c=2k$

$\therefore \sin A : \sin B : \sin C = a : b : c$

$\qquad\qquad\qquad\qquad = k : 3k : 2k$

$\qquad\qquad\qquad\qquad = 1 : 3 : 2$ 답 ①

10 **Act❶** $\sin A : \sin B : \sin C$는 △ABC의 세 변의 길이의 비 $a : b : c$와 같으므로 a, b를 c로 나타낸다.

$a-2b+c=0$ ······ ㉠

$a+b-2c=0$ ······ ㉡

㉠-㉡을 하면 $-3b+3c=0$ $\quad \therefore b=c$

㉠+2×㉡을 하면 $3a-3c=0$ $\quad \therefore a=c$

$\sin A : \sin B : \sin C = a : b : c$

$\qquad\qquad\qquad\qquad = c : c : c$

$\qquad\qquad\qquad\qquad = 1 : 1 : 1$ 답 ①

11 **Act❶** $A+B+C=\pi$이므로

$\sin(A+B) : \sin(B+C) : \sin(C+A)$

$=\sin(\pi-C) : \sin(\pi-A) : \sin(\pi-B)$임을 이용한다.

$A+B+C=\pi$이므로

$\sin(A+B) : \sin(B+C) : \sin(C+A)$

$=\sin(\pi-C) : \sin(\pi-A) : \sin(\pi-B)$

$=\sin C : \sin A : \sin B$

$=5 : 4 : 7$

$\therefore a : b : c = \sin A : \sin B : \sin C = 4 : 7 : 5$ 답 ④

12 **Act❶** $A=x$라 하면 $A+B+C=x+x+2x=\pi$임을 이용한다.

$A=x$라 하면 $A+B+C=\pi$이므로

$x+x+2x=180°$, $x=45°$

$\therefore A=45°$, $B=45°$, $C=90°$

$a : b : c = \sin A : \sin B : \sin C$

$\qquad\quad = \sin 45° : \sin 45° : \sin 90°$

$\qquad\quad = \dfrac{1}{\sqrt 2} : \dfrac{1}{\sqrt 2} : 1$

$\qquad\quad = 1 : 1 : \sqrt 2$ 답 ①

Act❶ 코사인법칙을 이용하여 나머지 한 변의 길이를 구하고 사인법칙을 이용하여 외접원의 반지름의 길이를 구한다.

△ABC에서 코사인법칙에 의하여

$\overline{BC}^2 = 6^2+8^2-2\times6\times8\times\cos 60°$

$\qquad = 36+64-96\times\dfrac{1}{2}=52$

$\therefore \overline{BC}=2\sqrt{13}$

△ABC의 외접원의 반지름의 길이를 R라 하면 사인법칙에 의하여 $\dfrac{\overline{BC}}{\sin 60°}=2R$, $\dfrac{2\sqrt{13}}{\dfrac{\sqrt 3}{2}}=2R$

$\therefore R=\dfrac{2\sqrt{39}}{3}$ 답 ①

13 **Act❶** 코사인법칙을 이용하여 나머지 한 변의 길이를 구한다.

△ACB에서 코사인법칙에 의하여

$\overline{AB}^2 = 10^2+12^2-2\times10\times12\times\cos 60°$

$\qquad = 100+144-120=124$

$\therefore \overline{AB}=\sqrt{124}=2\sqrt{31}$ (m) 답 ①

14 **Act❶** 코사인법칙을 이용하여 나머지 한 변의 길이를 구하고 사인법칙을 이용하여 외접원의 반지름의 길이를 구한다.

△ABC에서 코사인법칙에 의하여

$\overline{BC}^2 = 80^2+100^2-2\times80\times100\cos 60°=8400$

$\therefore \overline{BC}=20\sqrt{21}$ (m)

호수의 반지름의 길이를 R m라 하면 사인법칙에 의하여

$\dfrac{20\sqrt{21}}{\sin 60°}=2R$

$\therefore R=\dfrac{1}{2}\times\dfrac{20\sqrt{21}}{\sin 60°}=20\sqrt 7$ (m)

따라서 호수의 넓이는

$\pi R^2 = 2800\pi$ (m²) 답 ⑤

15 **Act❶** 코사인법칙을 이용하여 나머지 한 변의 길이를 구하고 사인법칙을 이용하여 외접원의 반지름의 길이를 구한다.

△ABC에서 코사인법칙에 의하여

$\overline{BC}^2 = 5^2+6^2-2\times5\times6\times\cos A$

$\qquad = 5^2+6^2-2\times5\times6\times\dfrac{3}{5}=25$

$\therefore \overline{BC}=5$

이때 $\sin A=\sqrt{1-\cos^2 A}=\sqrt{1-\left(\dfrac{3}{5}\right)^2}=\dfrac{4}{5}$

이므로 사인법칙에 의하여 $\dfrac{5}{\sin A}=2R$

$$R = \frac{1}{2} \times \frac{5}{\sin A} = \frac{25}{8}$$
$$\therefore 16R = 50 \hspace{3cm} \text{답 } 50$$

16 Act① △ABD에서 코사인법칙을 이용하여 $\overline{BD}$의 길이를 구하고, △BCD에서 사인법칙을 이용하여 외접원의 반지름의 길이를 구한다.

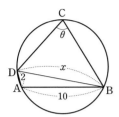

∠BCD$=\theta$, 선분 BD의 길이를 x라 하자.
사각형 ABCD가 원에 내접하므로
∠BAD$=\pi-\theta$
△ABD에서 코사인법칙에 의하여
$$x^2 = 2^2 + 10^2 - 2 \times 2 \times 10 \times \cos(\pi-\theta)$$
$$= 104 + 40\cos\theta$$
$$= 104 + 40 \times \frac{3}{5}$$
$$= 128$$
$$\therefore x = \sqrt{128} = 8\sqrt{2}$$

한편, $\cos(\angle BCD) = \frac{3}{5}$이므로
외접원의 반지름의 길이를 R라 할 때, △BCD에서 사인법칙에 의하여
$$\frac{8\sqrt{2}}{\sin\theta} = 2R \hspace{1cm} \therefore R = \frac{8\sqrt{2}}{\frac{4}{5}} \times \frac{1}{2} = 5\sqrt{2}$$

따라서 외접원의 넓이는 $\pi(5\sqrt{2})^2 = 50\pi$이므로 $a=50$

답 50

기출유형 05

Act① 코사인법칙을 이용하여 △ABD에서 $\cos B$의 값을 구한 다음, △ABC에서 $\overline{AC}$의 길이를 구한다.
△ABD에서 코사인법칙에 의하여
$$\cos B = \frac{7^2 + 6^2 - 5^2}{2 \times 7 \times 6} = \frac{5}{7}$$
△ABC에서 코사인법칙에 의하여
$$\overline{AC}^2 = 7^2 + 9^2 - 2 \times 7 \times 9 \times \cos B = 130 - 126 \times \frac{5}{7} = 40$$
$$\therefore \overline{AC} = 2\sqrt{10} \hspace{3cm} \text{답 } ①$$

17 Act① $\overline{AD} = x$라 놓고 코사인법칙을 이용하여 △ABC와 △ABD에서 구한 $\cos B$의 값이 같음을 이용하여 x^2의 값을 구한다.
△ABC에서 $\cos B = \dfrac{6^2 + 5^2 - 3^2}{2 \times 6 \times 5} = \dfrac{13}{15}$ ...... ㉠
△ABD에서 $\cos B = \dfrac{6^2 + 3^2 - x^2}{2 \times 6 \times 3} = \dfrac{45 - x^2}{36}$ ...... ㉡
㉠=㉡에서 $\dfrac{13}{15} = \dfrac{45 - x^2}{36}$, $\dfrac{13}{5} = \dfrac{45 - x^2}{12}$, $225 - 5x^2 = 156$

$$\therefore x^2 = \frac{69}{5} \hspace{3cm} \text{답 } ②$$

18 Act① 세 변의 길이를 비례상수 k를 이용하여 나타낸다.
$a : b : c = 2 : 3 : 4$이므로
$a = 2k$, $b = 3k$, $c = 4k$라 하면
코사인법칙에 의하여
$$\cos C = \frac{a^2 + b^2 - c^2}{2ab} = \frac{(2k)^2 + (3k)^2 - (4k)^2}{2 \times 2k \times 3k}$$
$$= \frac{-3k^2}{12k^2} = -\frac{1}{4} \hspace{2cm} \text{답 } ②$$

19 Act① 세 변의 길이를 비례상수 k를 이용하여 나타낸다.
사인법칙에 의하여
$a : b : c = \sin A : \sin B : \sin C = 5 : 6 : 7$이므로
$a = 5k$, $b = 6k$, $c = 7k$라 하면
$$\cos A = \frac{(6k)^2 + (7k)^2 - (5k)^2}{2 \times 6k \times 7k} = \frac{5}{7}$$
$$\cos C = \frac{(5k)^2 + (6k)^2 - (7k)^2}{2 \times 5k \times 6k} = \frac{1}{5}$$
$$\therefore \cos A \cos C = \frac{5}{7} \times \frac{1}{5} = \frac{1}{7} \hspace{1cm} \text{답 } ①$$

20 Act① 세 변의 길이를 비례상수를 이용하여 나타낸다.
$6\sin A = 2\sqrt{3}\sin B = 3\sin C = k$라 하면
$\sin A = \dfrac{k}{6}$, $\sin B = \dfrac{k}{2\sqrt{3}}$, $\sin C = \dfrac{k}{3}$이므로
$\sin A : \sin B : \sin C = \dfrac{k}{6} : \dfrac{k}{2\sqrt{3}} : \dfrac{k}{3} = 1 : \sqrt{3} : 2$
사인법칙에서 $\sin A : \sin B : \sin C = a : b : c$이므로
$a = m$, $b = \sqrt{3}m$, $c = 2m$이라 하면
코사인법칙에서
$$\cos A = \frac{(2m)^2 + (\sqrt{3}m)^2 - m^2}{2 \times 2m \times \sqrt{3}m} = \frac{\sqrt{3}}{2}$$
$$\therefore A = 30° \hspace{3cm} \text{답 } ⑤$$

기출유형 06

Act① 삼각형의 모양을 알아볼 때에는 사인법칙과 코사인법칙을 이용하여 세 변의 길이에 대한 관계식을 구해 모양을 판별한다.
삼각형 ABC의 외접원의 반지름의 길이를 R라 하면
사인법칙에 의하여
$$\sin A = \frac{a}{2R}, \ \sin B = \frac{b}{2R}, \ \sin C = \frac{c}{2R}$$
$\sin^2 A + \sin^2 B = \sin^2 C$에서
$$\frac{a^2}{4R^2} + \frac{b^2}{4R^2} = \frac{c^2}{4R^2} \hspace{1cm} \therefore a^2 + b^2 = c^2$$
따라서 삼각형 ABC는 $C = 90°$인 직각삼각형이다. 답 ⑤

21 Act① 삼각형의 모양을 알아볼 때에는 사인법칙과 코사인법칙을 이용하여 세 변의 길이에 대한 관계식을 구해 모양을 판별한다.
삼각형 ABC의 외접원의 반지름의 길이를 R라 하면
사인법칙에 의하여
$$\sin A = \frac{a}{2R}, \ \sin B = \frac{b}{2R}$$

$a \sin^2 A = b \sin^2 B$에서

$a \times \dfrac{a^2}{4R^2} = b \times \dfrac{b^2}{4R^2}$

$a^3 = b^3$ ∴ $a = b$

따라서 삼각형 ABC는 $a = b$인 이등변삼각형이다. 답 ②

22 Act① 삼각형의 모양을 알아볼 때에는 사인법칙과 코사인법칙을 이용하여 세 변의 길이에 대한 관계식을 구해 모양을 판별한다.

코사인법칙에 의하여

$\cos A = \dfrac{b^2 + c^2 - a^2}{2bc}$, $\cos C = \dfrac{a^2 + b^2 - c^2}{2ab}$

$a \cos C - c \cos A = b$에서

$a \times \dfrac{a^2 + b^2 - c^2}{2ab} - c \times \dfrac{b^2 + c^2 - a^2}{2bc} = b$

$a^2 + b^2 - c^2 - (b^2 + c^2 - a^2) = 2b^2$ ∴ $a^2 = b^2 + c^2$

따라서 삼각형 ABC는 $A = 90°$인 직각삼각형이다. 답 ①

23 Act① 삼각형의 모양을 알아볼 때에는 사인법칙과 코사인법칙을 이용하여 세 변의 길이에 대한 관계식을 구해 모양을 판별한다.

삼각형 ABC의 외접원의 반지름의 길이를 R라 하면
사인법칙에 의하여

$\sin A = \dfrac{a}{2R}$, $\sin C = \dfrac{c}{2R}$

코사인법칙에 의하여

$\cos B = \dfrac{c^2 + a^2 - b^2}{2ca}$

$2 \cos B \sin C = \sin A$에서

$2 \times \dfrac{c^2 + a^2 - b^2}{2ca} \times \dfrac{c}{2R} = \dfrac{a}{2R}$

$c^2 + a^2 - b^2 = a^2$, $b^2 = c^2$ ∴ $b = c$

따라서 삼각형 ABC는 $b = c$인 이등변삼각형이다. 답 ③

24 Act① 삼각형의 모양을 알아볼 때에는 사인법칙과 코사인법칙을 이용하여 세 변의 길이에 대한 관계식을 구해 모양을 판별한다.

삼각형 ABC의 외접원의 반지름의 길이를 R라 하면
사인법칙에 의하여

$\sin A = \dfrac{a}{2R}$, $\sin B = \dfrac{b}{2R}$

코사인법칙에 의하여

$\cos C = \dfrac{a^2 + b^2 - c^2}{2ab}$

$\sin A = \sin B \cos C$에서

$\dfrac{a}{2R} = \dfrac{b}{2R} \times \dfrac{a^2 + b^2 - c^2}{2ab}$

$2a^2 = a^2 + b^2 - c^2$ ∴ $a^2 + c^2 = b^2$

따라서 삼각형 ABC는 $B = 90°$인 직각삼각형이다. 답 ②

기출유형 07

Act① 사인법칙을 이용하여 a, b의 값을 구한 다음

$\triangle ABC = \dfrac{1}{2} ab \sin C$임을 이용한다.

사인법칙에 의하여

$\dfrac{a}{\sin 120°} = \dfrac{b}{\sin 30°} = 8$

이므로

$a = 8 \sin 120° = 4\sqrt{3}$,

$b = 8 \sin 30° = 4$

이때 $C = 180° - (120° + 30°) = 30°$이므로

$\triangle ABC = \dfrac{1}{2} ab \sin C = \dfrac{1}{2} \times 4\sqrt{3} \times 4 \sin 30° = 4\sqrt{3}$ 답 ③

25 Act① 코사인법칙을 이용하여 c의 값을 구한 다음

$\triangle ABC = \dfrac{1}{2} bc \sin A$임을 이용한다.

코사인법칙에 의하여

$5^2 = (3\sqrt{2})^2 + c^2 - 2 \times 3\sqrt{2} \times c \times \cos 45°$

$c^2 - 6c - 7 = 0$, $(c - 7)(c + 1) = 0$

$c > 0$이므로 $c = 7$

∴ $\triangle ABC = \dfrac{1}{2} bc \sin A = \dfrac{1}{2} \times 3\sqrt{2} \times 7 \times \dfrac{1}{\sqrt{2}} = \dfrac{21}{2}$ 답 ⑤

26 Act① 삼각형의 넓이에서 $\sin B$의 값, 코사인법칙에서 b의 값을 구해 $\dfrac{b}{\sin B} = 2R$에 대입한다.

삼각형의 넓이가 16이므로

$\dfrac{1}{2} ca \sin B = \dfrac{1}{2} \times 2\sqrt{2} \times 16 \times \sin B = 16$

$\sin B = \dfrac{1}{\sqrt{2}}$

$\cos B = \sqrt{1 - \sin^2 B} = \sqrt{1 - \dfrac{1}{2}} = \dfrac{1}{\sqrt{2}}$

코사인법칙에 의하여

$b^2 = (2\sqrt{2})^2 + 16^2 - 2 \times 2\sqrt{2} \times 16 \times \dfrac{1}{\sqrt{2}} = 200$

∴ $b = 10\sqrt{2}$

외접원의 반지름의 길이를 R라 하면 사인법칙에 의하여

$2R = \dfrac{b}{\sin B} = \dfrac{10\sqrt{2}}{\dfrac{1}{\sqrt{2}}} = 20$ ∴ $R = 10$ 답 10

27 Act① 내접원의 반지름의 길이를 r라 할 때,

$\dfrac{1}{2} ab \sin C = \dfrac{1}{2} r(a + b + c)$임을 이용하여 r의 값을 구한다.

$\triangle ABC$의 넓이를 S라 하면

$S = \dfrac{1}{2} \times 2 \times 4 \times \sin 60° = 2\sqrt{3}$ ······ ㉠

$\triangle ABC$에서 나머지 한 변의 길이를 x라 하면 코사인법칙에 의하여

$x^2 = 2^2 + 4^2 - 2 \times 2 \times 4 \times \cos 60°$

$= 4 + 16 - 16 \times \dfrac{1}{2} = 12$

∴ $x = 2\sqrt{3}$

$\triangle ABC$의 내접원의 반지름의 길이를 r라 하면

$S = \dfrac{1}{2} r(2 + 4 + 2\sqrt{3}) = (3 + \sqrt{3})r$ ······ ㉡

㉠, ㉡의 넓이가 같으므로

$(3 + \sqrt{3})r = 2\sqrt{3}$

$$\therefore r=\frac{2\sqrt{3}}{3+\sqrt{3}}=\sqrt{3}-1$$ 답 ③

28 Act① 내접원의 반지름의 길이를 r라 할 때,

$$\sqrt{s(s-a)(s-b)(s-c)}=\frac{1}{2}r(a+b+c)\left(\text{단, }s=\frac{a+b+c}{2}\right)$$

임을 이용하여 r의 값을 구한다.

$\triangle ABC$의 넓이를 S라 하면

$s=\dfrac{9+10+11}{2}=15$이므로

$$S=\sqrt{15(15-9)(15-10)(15-11)}=30\sqrt{2}\cdots\cdots\text{㉠}$$

내접원의 반지름의 길이를 r라 하면

$$S=\frac{1}{2}r(9+10+11)=15r \qquad\cdots\cdots\text{㉡}$$

㉠, ㉡의 넓이가 같으므로

$$30\sqrt{2}=15r \qquad\therefore r=2\sqrt{2}$$ 답 ④

기출유형 8

Act① 두 대각선의 길이가 a, b이고 그 끼인각의 크기가 θ인 사각형의 넓이 S는 $S=\dfrac{1}{2}ab\sin\theta$임을 이용한다.

$\triangle ABP$에서 코사인법칙에 의하여

$$\cos(\angle APB)=\frac{2^2+4^2-4^2}{2\times2\times4}=\frac{1}{4}$$

$0<\angle APB<\pi$이므로

$$\sin(\angle APB)=\sqrt{1-\frac{1}{16}}=\frac{\sqrt{15}}{4}$$

$$\therefore \square ABCD=\frac{1}{2}\times\overline{AC}\times\overline{BD}\times\sin(\angle APB)$$

$$=\frac{1}{2}\times8\times7\times\frac{\sqrt{15}}{4}=7\sqrt{15}$$ 답 ⑤

29 Act① 이웃하는 두 변의 길이가 a, b이고 그 끼인각의 크기가 θ인 평행사변형의 넓이 S는 $S=ab\sin\theta$임을 이용한다.

$\triangle ABC$에서 코사인법칙에 의하여

$$(\sqrt{7})^2=(\sqrt{3})^2+\overline{BC}^2-2\sqrt{3}\times\overline{BC}\times\cos30°$$

$$7=3+\overline{BC}^2-2\sqrt{3}\times\overline{BC}\times\frac{\sqrt{3}}{2}$$

$$\overline{BC}^2-3\overline{BC}-4=0,\ (\overline{BC}-4)(\overline{BC}+1)=0$$

$\overline{BC}>0$이므로 $\overline{BC}=4$

$$\therefore \square ABCD=\sqrt{3}\times4\times\sin30°=2\sqrt{3}$$ 답 ⑤

30 Act① 두 대각선의 길이가 a, b이고 그 끼인각의 크기가 θ인 사각형의 넓이 S는 $S=\dfrac{1}{2}ab\sin\theta$임을 이용한다.

등변사다리꼴의 두 대각선의 길이는 같으므로 $\overline{AC}=\overline{BD}$이고 넓이가 64이므로

$$\frac{1}{2}\times\overline{AC}^2\times\sin30°=64,\ \frac{1}{2}\times\overline{AC}^2\times\frac{1}{2}=64$$

$$\overline{AC}^2=256 \qquad\therefore \overline{AC}=16$$ 답 16

31 Act① 일반 사각형의 넓이는 사각형을 여러 개의 삼각형으로 나누어 각각의 넓이를 구하여 더한다.

원 O에 내접하는 사각형에서 대각의 크기의 합은 180°이므로

$$D=180°-45°=135°$$

$$\therefore \square ABCD$$

$$=\triangle ABC+\triangle ACD$$

$$=\frac{1}{2}\times6\times10\times\sin45°$$

$$\quad+\frac{1}{2}\times4\times5\times\sin135°$$

$$=\frac{1}{2}\times6\times10\times\frac{\sqrt{2}}{2}+\frac{1}{2}\times4\times5\times\frac{\sqrt{2}}{2}$$

$$=15\sqrt{2}+5\sqrt{2}=20\sqrt{2}$$ 답 ⑤

32 Act① 일반 사각형의 넓이는 사각형을 여러 개의 삼각형으로 나누어 각각의 넓이를 구하여 더한다.

$\triangle ABD$에서 코사인법칙에 의하여

$$\overline{BD}^2=5^2+3^2-2\times5\times3\times\cos120°=49$$

$$\therefore \overline{BD}=7$$

$\triangle BCD$에서 코사인법칙에 의하여

$$\cos C=\frac{3^2+8^2-7^2}{2\times3\times8}=\frac{1}{2}$$

$$\therefore C=60°\ (\because 0°<C<180°)$$

$$\therefore \square ABCD=\triangle ABD+\triangle BCD$$

$$=\frac{1}{2}\times5\times3\times\sin120°+\frac{1}{2}\times8\times3\times\sin60°$$

$$=\frac{15\sqrt{3}}{4}+6\sqrt{3}=\frac{39\sqrt{3}}{4}$$ 답 ②

VIT Very Important Test pp. 78~79

01. ③	02. ⑤	03. ③	04. ④	05. ①
06. ⑤	07. ①	08. ④	09. ④	10. ③
11. ②	12. ①			

01

삼각형의 내각의 크기의 합은 180°이므로

$$C=180°-(75°+45°)=60°$$

사인법칙에 의하여 $\dfrac{4}{\sin45°}=\dfrac{c}{\sin60°}$

$$\therefore c=\sin60°\times\frac{4}{\sin45°}=2\sqrt{6}$$ 답 ③

02

원 O의 반지름의 길이를 R라 하면 사인법칙에 의하여

$$\frac{a}{\sin A}=2R$$에서 $$\frac{9}{\sin60°}=2R,\ \frac{9}{\frac{\sqrt{3}}{2}}=2R$$

$$\therefore R=\frac{9}{\sqrt{3}}=3\sqrt{3}$$ 답 ⑤

03

사인법칙에 의하여 $\dfrac{a}{\sin60°}=12$

$$\therefore a=12\sin 60°=12\times\frac{\sqrt{3}}{2}=6\sqrt{3}$$ 답 ③

04

△ABC에서 사인법칙에 의하여
$$\sin A:\sin B:\sin C=\frac{a}{2R}:\frac{b}{2R}:\frac{c}{2R}$$
$$=a:b:c=2:5:3$$ 답 ④

05

$a-2b+c=0$ …… ㉠
$3a+b-2c=0$ …… ㉡

㉠, ㉡을 연립하여 a, b를 c로 나타내면 $a=\frac{3}{7}c$, $b=\frac{5}{7}c$

사인법칙에 의하여
$$\sin A:\sin B:\sin C=a:b:c$$
$$=\frac{3}{7}c:\frac{5}{7}c:c=3:5:7$$ 답 ①

06

$$a^2=b^2+c^2-2bc\cos A$$
$$=6^2+4^2-2\times6\times4\times\cos120°$$
$$=52-48\times\left(-\frac{1}{2}\right)=76$$ 답 ⑤

07

$3\sin A=4\sin B=6\sin C$에서 각 변을 12로 나누면
$$\frac{\sin A}{4}=\frac{\sin B}{3}=\frac{\sin C}{2}$$이므로
$$\sin A:\sin B:\sin C=4:3:2$$
이때 사인법칙에 의하여
$$\sin A:\sin B:\sin C=a:b:c$$이므로
$a=4k$, $b=3k$, $c=2k$로 놓으면
$$\cos B=\frac{(2k)^2+(4k)^2-(3k)^2}{2\times2k\times4k}=\frac{11}{16}$$ 답 ①

08

$\cos^2 A-\cos^2 B-\cos^2 C=-1$에서
$$1-\sin^2 A-1+\sin^2 B-1+\sin^2 C=-1$$
$$\therefore \sin^2 A=\sin^2 B+\sin^2 C$$
삼각형 ABC의 외접원의 반지름의 길이를 R라 하면 사인법칙에 의하여
$$\sin A=\frac{a}{2R},\ \sin B=\frac{b}{2R},\ \sin C=\frac{c}{2R}$$
$$\frac{a^2}{4R^2}=\frac{b^2}{4R^2}+\frac{c^2}{4R^2}$$
$$\therefore a^2=b^2+c^2$$
따라서 삼각형 ABC는 $A=90°$인 직각삼각형이다. 답 ④

09

$a^2=b^2+c^2-2bc\cos60°$에서
$$36=b^2+c^2-2bc\times\frac{1}{2}$$

$$=b^2+c^2-bc$$
$$=(b+c)^2-3bc$$
이때 $b+c=8$이므로
$$36=64-3bc,\ bc=\frac{28}{3}$$
$$\therefore S=\frac{1}{2}bc\sin A=\frac{1}{2}\times\frac{28}{3}\times\sin60°$$
$$=\frac{14}{3}\times\frac{\sqrt{3}}{2}=\frac{7\sqrt{3}}{3}$$ 답 ④

10

△DBC에서 $C=90°$이므로
$$\overline{BD}=\sqrt{4^2+3^2}=5$$
△ABD에서 헤론의 공식에 의하여
$$s=\frac{7+4+5}{2}=8$$
$$\therefore \triangle ABD=\sqrt{8(8-7)(8-4)(8-3)}$$
$$=4\sqrt{6}$$ 답 ③

11

△AHC에서 $\angle CAH=30°$, $\angle AHC=90°$이므로 $\angle ACH=60°$
또, $\angle CBH=180°-135°=45°$이므로 △BHC는 직각이등변삼각형이다.
$\overline{CH}=\overline{BH}=x$ m라 하면 △AHC에서 사인법칙에 의하여
$$\frac{x}{\sin30°}=\frac{6+x}{\sin60°}$$
$$\frac{x}{\frac{1}{2}}=\frac{6+x}{\frac{\sqrt{3}}{2}},\ \sqrt{3}x=6+x$$
$$(\sqrt{3}-1)x=6$$
$$\therefore x=\frac{6}{\sqrt{3}-1}=3\sqrt{3}+3(\text{m})$$ 답 ②

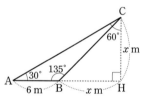

12

사각형 ABCD가 원에 내접하므로 $B=\theta$이면 $D=\pi-\theta$이다.
코사인법칙에 의하여 △ACD에서
$$\overline{AC}^2=3^2+4^2-2\times3\times4\times\cos(\pi-\theta) \quad\cdots\cdots ㉠$$
△ABC에서
$$\overline{AC}^2=1^2+2^2-2\times1\times2\times\cos\theta \quad\cdots\cdots ㉡$$
㉠, ㉡에 의하여
$$9+16+24\cos\theta=1+4-4\cos\theta$$
$$28\cos\theta=-20,\ \cos\theta=-\frac{5}{7}\left(\frac{\pi}{2}<\theta<\pi\right)$$
$$\therefore \sin\theta=\sqrt{1-\cos^2\theta}=\sqrt{1-\frac{25}{49}}=\frac{2\sqrt{6}}{7}$$
▭ABCD의 넓이는 △ABC, △ACD의 넓이의 합과 같으므로
$$\frac{1}{2}\times1\times2\times\sin\theta+\frac{1}{2}\times3\times4\times\sin(\pi-\theta)$$
$$=\sin\theta+6\sin\theta$$
$$=7\sin\theta$$
$$=7\times\frac{2\sqrt{6}}{7}=2\sqrt{6}$$ 답 ①

Ⅲ 수열

08 등차수열과 등비수열

p. 81

01 등차수열 $\{a_n\}$의 첫째항을 a, 공차를 d라 하면
$a_5=a+4d=5$, $a_{15}=a+14d=25$
두 식을 연립하여 풀면 $a=-3$, $d=2$
$\therefore a_{20}=a+19d=35$ 답 35

02 10은 $1-a$와 $2+2a$의 등차중항이므로
$10=\dfrac{(1-a)+(2+2a)}{2}$, $20=a+3$
$\therefore a=17$ 답 17

03 등차수열 $\{a_n\}$의 첫째항부터 제n항까지의 합을 S_n이라 하면
$S_{10}=\dfrac{10\times\{2\times3+(10-1)\times2\}}{2}=120$ 답 ⑤

04 등비수열 $\{a_n\}$의 공비를 r $(r>0)$라 하면
$\dfrac{a_7}{a_5}=r^2=4$ $\therefore r=2$
따라서 $a_n=2^{n-1}$이므로 $a_4=2^3=8$ 답 ②

05 세 수 $\dfrac{9}{4}$, a, 4가 이 순서대로 등비수열을 이루므로
$a^2=\dfrac{9}{4}\times4$, $a^2=9$
a는 양수이므로 $a=3$ 답 ②

06 등비수열 $\{a_n\}$의 첫째항을 a, 공비를 r라 하면
$S_3=\dfrac{a(1-r^3)}{1-r}=21$ ······ ㉠
$S_6=\dfrac{a(1-r^6)}{1-r}=\dfrac{a(1-r^3)(1+r^3)}{1-r}=189$ ······ ㉡
㉠을 ㉡에 대입하면
$21(1+r^3)=189$, $1+r^3=9$
$r^3=8$ $\therefore r=2$
이 값을 ㉠에 대입하면
$S_3=\dfrac{a(1-2^3)}{1-2}=7a=21$ $\therefore a=3$
$\therefore a_5=ar^4=3\times2^4=48$ 답 ②

[다른 풀이]
$S_3=a+ar+ar^2=21$
$S_6=a+ar+ar^2+r^3(a+ar+ar^2)$
$\quad=(1+r^3)(a+ar+ar^2)$
$\quad=21(1+r^3)$
$S_6=189$이므로
$21(1+r^3)=189$
$r^3=8$ $\therefore r=2$
이 값을 $S_3=a+ar+ar^2=21$에 대입하면
$S_3=a+2a+2^2a=7a=21$ $\therefore a=3$
$\therefore a_5=ar^4=3\times2^4=48$

기출유형 ①

Act① 항 사이의 관계가 주어진 등차수열의 일반항은 항의 관계를 첫째항 a와 공차 d에 대한 식으로 나타낸 후 두 식을 연립하여 일반항을 구한다.
공차를 d라 하면
$a_6-a_2=a_4$에서
$4d=a_1+3d$이므로 $a_1=d$ ······ ㉠
$a_1+a_3=20$에서
$2a_1+2d=20$
㉠을 대입하면
$4d=20$, $a_1=d=5$
$\therefore a_{10}=5+(10-1)\times5=50$ 답 ⑤

01 **Act①** 주어진 수열의 공차를 d라 하고 조건을 이용하여 방정식을 세운다.
공차를 d라 하면 $a_7+a_{11}=20$에서
$a_7=2+6d$, $a_{11}=2+10d$
이므로
$(2+6d)+(2+10d)=20$
$4+16d=20$, $d=1$
$\therefore a_{10}=2+9\times1=11$ 답 11

02 **Act①** 주어진 수열의 공차를 d라 하고 조건을 이용하여 방정식을 세운다.
공차를 d라 하면 $2(a_2+a_3)=a_9$에서

$a_2=2+d$, $a_3=2+2d$, $a_9=2+8d$
이므로
$2(2+d+2+2d)=2+8d$
$8+6d=2+8d$
$\therefore d=3$

답 3

03 [Act①] 주어진 수열의 첫째항과 공차를 a라 하고 조건을 이용하여 방정식을 세운다.
첫째항과 공차를 a라 하면
$a_2+a_4=(a+a)+(a+3a)=2a+4a=24$이므로 $a=4$
$\therefore a_5=a+4a=5a=20$

답 20

04 [Act①] 항 사이의 관계가 주어진 등차수열의 일반항은 항의 관계를 첫째항 a와 공차 d에 대한 식으로 나타낸 후 두 식을 연립하여 일반항을 구한다.
첫째항을 a, 공차를 d ($d>0$)라 하면
조건 (가)에서
$(a+5d)+(a+7d)=0$
$a=-6d$ ...... ㉠
조건 (나)에서 $|a_6|=|a_7|+3$이므로
$|a+5d|=|a+6d|+3$
㉠을 대입하면 $|-d|=3$
$d>0$이므로 $d=3$, $a=-18$
$\therefore a_2=a+d=-15$

답 ①

기출유형 02

[Act①] x는 3과 12의 등차중항이고 y는 12와 21의 등차중항임을 이용한다.
세 수 3, x, 12가 등차수열을 이루므로
$2x=3+12$ $\therefore x=\dfrac{15}{2}$
또 세 수 12, y, 21이 등차수열을 이루므로
$2y=12+21$ $\therefore y=\dfrac{33}{2}$
$\therefore x+y=24$

답 ⑤

05 [Act①] b는 1과 15의 등차중항인 동시에 a와 c의 등차중항임을 이용한다.
b는 1과 15의 등차중항이므로 $2b=1+15$, $b=8$
또 b는 a와 c의 등차중항이므로 $2b=a+c$
$\therefore a+b+c=(a+c)+b=3b=3\times8=24$

답 24

06 [Act①] $\left\{\dfrac{1}{a_n}\right\}$이 등차수열이므로 $\dfrac{1}{a_7}$, $\dfrac{1}{a_8}$, $\dfrac{1}{a_9}$은 이 순서대로 등차수열을 이룬다.
a_7과 a_9는 이차방정식 $8x^2-6x+1=0$의 두 근이므로 근과 계수의 관계에 의하여
$a_7+a_9=\dfrac{3}{4}$, $a_7a_9=\dfrac{1}{8}$
$\left\{\dfrac{1}{a_n}\right\}$이 등차수열이므로 $\dfrac{1}{a_7}$, $\dfrac{1}{a_8}$, $\dfrac{1}{a_9}$은 이 순서대로 등차수

열을 이룬다.
$\dfrac{2}{a_8}=\dfrac{1}{a_7}+\dfrac{1}{a_9}=\dfrac{a_7+a_9}{a_7a_9}=\dfrac{\frac{3}{4}}{\frac{1}{8}}=6$
$\therefore a_8=\dfrac{1}{3}$

답 ④

07 [Act①] $f(3^t+3)$은 $f(3)$과 $f(12)$의 등차중항임을 이용한다.
$\log 3$, $\log(3^t+3)$, $\log 12$는 이 순서대로 등차수열을 이루므로
$\log(3^t+3)=\dfrac{\log 3+\log 12}{2}$
$\qquad\qquad =\dfrac{\log 36}{2}=\log\sqrt{36}$
$3^t+3=\sqrt{36}=6$, $3^t=3$
$\therefore t=1$

답 ④

08 [Act①] $\log b$는 $\log a$와 $\log c$의 등차중항임을 이용한다.
$\log a$, $\log b$, $\log c$가 이 순서대로 등차수열을 이루므로
$\log b=\dfrac{\log a+\log c}{2}$, $2\log b=\log a+\log c$
$\log b^2=\log ac$, $b^2=ac$
$\log abc=15$에서
$\log b^3=15$, $3\log b=15$ $\therefore \log b=5$
이때 $\log abc=\log a+\log b+\log c=15$를 만족시키고 공차가 자연수인 등차수열 $\log a$, $\log b$, $\log c$의 순서쌍 $(\log a, \log b, \log c)$는 $(1, 5, 9)$, $(2, 5, 8)$, $(3, 5, 7)$, $(4, 5, 6)$이다.
$\log\dfrac{ac^2}{b}=\log\dfrac{ac}{b}+\log c=\log\dfrac{b^2}{b}+\log c$
$\qquad\quad =\log b+\log c=5+\log c$
따라서 $\log c=9$일 때, $\log\dfrac{ac^2}{b}$의 최댓값은
$5+\log c=5+9=14$

답 ④

기출유형 03

[Act①] 항 사이의 관계에서 첫째항과 공차를 구해 등차수열의 합 공식에 대입한다.
등차수열 $\{a_n\}$의 첫째항을 a, 공차를 d라 하면
$a_3+a_5=14$에서
$(a+2d)+(a+4d)=2a+6d=14$ ...... ㉠
$a_4+a_6=18$에서
$(a+3d)+(a+5d)=2a+8d=18$ ...... ㉡
㉠, ㉡을 연립하여 풀면 $a=1$, $d=2$
따라서 수열 $\{a_n\}$의 첫째항부터 제10항까지의 합은
$\dfrac{10(2+9\times2)}{2}=100$

답 100

09 [Act①] 항 사이의 관계에서 공차를 구해 등차수열의 합 공식에 대입한다.
등차수열 $\{a_n\}$의 공차를 d라 하면
$a_{100}-a_{98}=2d=6$에서 $d=3$

따라서 수열 $\{a_n\}$은 첫째항이 2, 공차가 3인 등차수열이다.

$\therefore a_1+a_2+a_3+\cdots+a_{10}=\dfrac{10\times(4+9\times3)}{2}=155$ 　답 ①

10 Act① 항 사이의 관계에서 공차를 구해 등차수열의 합 공식에 대입한다.

등차수열 $\{a_n\}$의 공차를 d라 하면

(가)에서 $(1+d)+(1+5d)+(1+9d)=8$

$\therefore d=\dfrac{1}{3}$

(나)에서 $\dfrac{n\left\{2+(n-1)\times\dfrac{1}{3}\right\}}{2}=25$

$n^2+5n-150=0$

$(n-10)(n+15)=0$

$\therefore n=10$ 　답 10

11 Act① 첫째항이 양수인 등차수열 $\{a_n\}$에서 S_n의 최댓값은 $a_n>0$인 모든 항의 합임을 이용한다.

등차수열 $\{a_n\}$의 첫째항을 a, 공차를 d라 하면

$a_3=a+2d=26$ 　……㉠

$a_9=a+8d=8$ 　……㉡

㉠, ㉡을 연립하여 풀면 $d=-3$, $a=32$

$\therefore a_n=32+(n-1)\times(-3)=-3n+35$

수열 $\{a_n\}$의 첫째항부터 제n항까지의 합이 최대가 되도록 하는 자연수 n은 $a_n=-3n+35>0$을 만족시켜야 하므로

$n<\dfrac{35}{3}$

따라서 구하는 자연수 n의 값은 11이다. 　답 ①

12 Act① 첫째항이 양수인 등차수열 $\{a_n\}$에서 S_n의 최댓값은 $a_n>0$인 모든 항의 합임을 이용한다.

등차수열 $\{a_n\}$의 첫째항을 a, 공차를 d라 하면

$a_2+a_4+a_6=24$에서

$(a+d)+(a+3d)+(a+5d)=24$

$3a+9d=24$, $a+3d=8$ 　……㉠

$a_3+a_6+a_9=12$에서

$(a+2d)+(a+5d)+(a+8d)=12$

$3a+15d=12$, $a+5d=4$ 　……㉡

㉠, ㉡을 연립하여 풀면 $d=-2$, $a=14$

$\therefore a_n=14+(n-1)\times(-2)=-2n+16$

등차수열의 합 S_n은 $a_n>0$인 모든 항을 더할 때 최대가 되므로 $-2n+16>0$에서 $n<8$

따라서 제7항까지의 합이 최대가 되므로 S_n의 최댓값은

$S_7=\dfrac{7\{2\times14+(7-1)\times(-2)\}}{2}=56$ 　답 ③

기출유형 **04**

Act① 항 사이의 관계에서 주어진 등비수열의 공비를 구한다.

등비수열 $\{a_n\}$의 공비를 r (r는 양수)라 하면

$\dfrac{3r^3\times3r^4}{3r\times3r^2}=16$, $r^4=16$, $r=2$

$\therefore a_6=3\times2^5=96$ 　답 96

13 Act① 항 사이의 관계에서 주어진 등비수열의 공비를 구한다.

등비수열 $\{a_n\}$의 공비를 r라 하면

$\dfrac{a_{16}}{a_{14}}+\dfrac{a_8}{a_7}=r^2+r=12$

$(r+4)(r-3)=0$

$r>0$이므로 $r=3$

$\therefore \dfrac{a_3}{a_1}+\dfrac{a_6}{a_3}=r^2+r^3=9+27=36$ 　답 36

14 Act① $a_3=4r^2$이므로 항 사이의 관계에서 r^2의 값을 구한다.

등비수열 $\{a_n\}$의 공비를 r라 하면

$3a_5=a_7$에서

$3\times4r^4=4r^6$, $r^2=3$

$\therefore a_3=4r^2=4\times3=12$ 　답 12

15 Act① $a_2\times a_5\times a_8=a_1{}^3r^{12}=(a_1r^4)^3$이므로 항 사이의 관계에서 a_1r^4의 값을 구한다.

등비수열 $\{a_n\}$의 공비를 r라 하면

$a_1\times a_9=8$에서

$a_1\times a_1r^8=8$, $(a_1r^4)^2=8$

$a_1r^4=2\sqrt{2}$

$\therefore a_2\times a_5\times a_8=a_1r\times a_1r^4\times a_1r^7$

$\qquad\qquad\qquad=a_1{}^3r^{12}=(a_1r^4)^3=16\sqrt{2}$ 　답 ④

16 Act① 5, a_2, a_3, a_4, 80이라 놓고 $a_5=5r^4=80$에서 공비 r를 구한다.

$a_1=5$, $a_5=80$, 공비를 r라 하고 다섯 개의 수를

5, a_2, a_3, a_4, 80이라 놓으면

$a_5=5r^4=80$, $r^4=16$

모든 항이 양수이므로 $r=2$

따라서 $a_2=5r=10$, $a_3=5r^2=20$, $a_4=5r^3=40$

이므로 세 수의 합은 70이다. 　답 ②

기출유형 **05**

Act① a는 $a+10$과 5의 등비중항임을 이용한다.

세 수 $a+10$, a, 5가 이 순서대로 등비수열을 이루므로

$a^2=5(a+10)$, $a^2-5a-50=(a-10)(a+5)=0$

a는 양수이므로 $a=10$ 　답 10

17 Act① 12는 a^2과 b^2의 등비중항임을 이용한다.

세 수 a^2, 12, b^2이 이 순서대로 등비수열을 이루므로

$12^2=a^2b^2=(ab)^2$

a, b는 양수이므로 $a\times b=12$ 　답 12

18 Act① a_3은 a_2와 a_4의 등비중항임을 이용한다.

a_3은 a_2와 a_4의 등비중항이므로

$a_3{}^2=a_2\times a_4=2\times18=36$

모든 항이 양수이므로

$a_3=6$ 답 ②

19 Act① $\overline{OR}$는 $\overline{OP}$와 $\overline{QR}$의 등비중항임을 이용한다.

$\overline{OP}$는 원 C_1의 반지름이므로
$\overline{OP}=1$ ...... ㉠
그림과 같이 원 C_2의 중심을 G
라 하면 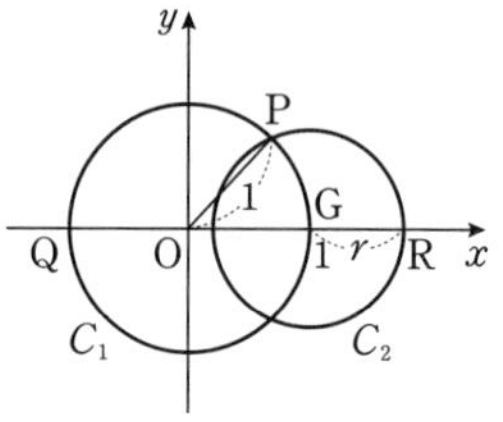
$\overline{OR}=\overline{OG}+\overline{GR}=1+r$ ...... ㉡
$\overline{QR}=\overline{QG}+\overline{GR}=2+r$ ...... ㉢
$\overline{OP}$, $\overline{OR}$, $\overline{QR}$가 이 순서대로
등비수열을 이루므로
$\overline{OR}^2=\overline{OP}\times\overline{QR}$ ...... ㉣
㉠, ㉡, ㉢을 ㉣에 대입하면
$(1+r)^2=1\times(2+r)$, $r^2+r-1=0$
$\therefore r=\dfrac{-1+\sqrt5}{2}$ $(\because 0<r<\sqrt2)$ 답 ④

20 Act① $f(b)$는 $f(a)$와 $f(12)$의 등비중항임을 이용한다.

$f(a)$, $f(b)$, $f(12)$가 이 순서대로 등비수열을 이루므로
$f(a)=\dfrac{k}{a}$, $f(b)=\dfrac{k}{b}$, $f(12)=\dfrac{k}{12}$에서
$\dfrac{k}{a}\times\dfrac{k}{12}=\left(\dfrac{k}{b}\right)^2$이므로 $b^2=12a$
a는 12보다 작은 자연수이고 $12a$는 제곱수이므로 $a=3$이다.
$b^2=12\times3=36$에서 $b=6$
또, $f(a)=\dfrac{k}{a}=3$에서 $k=9$
$\therefore a+b+k=3+6+9=18$ 답 ⑤

기출유형 06

Act① 주어진 조건을 첫째항 a와 공비 r에 대한 식으로 나타낸
후 두 식을 연립하여 푼다.

첫째항을 a, 공비를 r라 하고 첫째항부터 제n항까지의 합
을 S_n이라 하면
$S_3=\dfrac{a(r^3-1)}{r-1}=26$ ...... ㉠
$S_6=\dfrac{a(r^6-1)}{r-1}=\dfrac{a(r^3-1)(r^3+1)}{r-1}=728$ ...... ㉡
㉠, ㉡을 연립하여 풀면
$a=2$, $r=3$
$\therefore a_5=ar^4=2\times3^4=162$ 답 ①

21 Act① 주어진 조건을 첫째항 a와 공비 r에 대한 식으로 나타낸
후 두 식을 연립하여 푼다.

공비를 r라 하면
$a_1+a_4=a_1(1+r^3)=3$ ...... ㉠
$a_4+a_7=a_1r^3(1+r^3)=81$ ...... ㉡
㉠, ㉡을 연립하여 풀면 $a_1=\dfrac{3}{28}$, $r=3$
$\therefore S_5=\dfrac{\dfrac{3}{28}(3^5-1)}{3-1}=\dfrac{363}{28}$ 답 ③

22 Act① 주어진 조건을 첫째항 a와 공비 r에 대한 식으로 나타낸
후 두 식을 연립하여 푼다.

등비수열 $\{a_n\}$의 첫째항을 a, 공비를 r라 하면
$S_3=\dfrac{a(r^3-1)}{r-1}=7$ ...... ㉠
$S_6=\dfrac{a(r^6-1)}{r-1}=\dfrac{a(r^3-1)(r^3+1)}{r-1}=63$ ...... ㉡
㉠, ㉡을 연립하여 풀면 $a=1$, $r=2$
$\therefore a_7=2^{7-1}=2^6=64$ 답 64

23 Act① 주어진 조건을 첫째항 a와 공비 r에 대한 식으로 나타낸
후 두 식을 연립하여 푼다.

등비수열 $\{a_n\}$의 첫째항을 a, 공비를 r라 하면
$a_4=24$에서 $ar^3=24$ ...... ㉠
$a_8=384$에서 $ar^7=384$ ...... ㉡
㉠, ㉡을 연립하여 풀면 $a=-3$, $r=-2$
$\therefore S_8=\dfrac{-3\{1-(-2)^8\}}{1-(-2)}=255$ 답 ②

24 Act① 주어진 조건 $\dfrac{S_4}{S_2}=9$를 첫째항 a와 공비 r에 대한 식으로
나타내어 r^2의 값을 구한다.

등비수열 $\{a_n\}$의 첫째항을 a_1, 공비를 r라 하면
$S_2=a_1+a_2=a_1(1+r)$
$S_4=\dfrac{a_1(r^4-1)}{r-1}=\dfrac{a_1(r-1)(r+1)(r^2+1)}{r-1}$
$\quad=a_1(r+1)(r^2+1)$
이므로
$\dfrac{S_4}{S_2}=\dfrac{a_1(r+1)(r^2+1)}{a_1(r+1)}=r^2+1=9$
$r^2=8$
$\therefore \dfrac{a_4}{a_2}=\dfrac{a_1r^3}{a_1r}=r^2=8$ 답 ④

기출유형 07

Act① $a_1=S_1$, $a_n=S_n-S_{n-1}$ $(n\geq2)$임을 이용한다.
$a_{50}=S_{50}-S_{49}=50^2-49^2$
$\quad=(50-49)(50+49)=99$ 답 99

[다른 풀이]
$a_n=S_n-S_{n-1}$ $(n\geq2)$
$\quad=n^2-(n-1)^2$
$\quad=2n-1$
$\therefore a_{50}=99$

25 Act① $a_1=S_1$, $a_n=S_n-S_{n-1}$ $(n\geq2)$임을 이용한다.
$a_5=S_5-S_4$
$\quad=(5^2+6\times5)-(4^2+6\times4)$
$\quad=55-40=15$ 답 15

26 Act① $a_1=S_1$, $a_n=S_n-S_{n-1}$ $(n\geq2)$임을 이용한다.
$S_4-S_3=a_4=2$, $S_6-S_5=a_6=50$

a_5는 a_4와 a_6의 등비중항이므로
$a_5{}^2 = a_4 \times a_6 = 2 \times 50 = 100$
모든 항이 양수이므로 $a_5 = 10$ **답** 10

---

27 **Act①** $a_1 = S_1$, $a_n = S_n - S_{n-1}$ $(n \geq 2)$임을 이용한다.
공비를 r $(r > 0)$라 하면
$S_{10} - S_8 = a_{10} + a_9 = a_8(r^2 + r)$이므로
$$\frac{a_8}{S_{10} - S_8} = \frac{1}{r^2 + r} = \frac{4}{3}$$
$4r^2 + 4r = 3$에서 $r = \frac{1}{2}$
$\therefore a_2 = 5$ **답** ③

---

28 **Act①** $a_1 = S_1$, $a_n = S_n - S_{n-1}$ $(n \geq 2)$임을 이용한다.
$S_n = n^2 - 10n$에서
(i) $n = 1$일 때,
$a_1 = S_1 = 1^2 - 10 \times 1 = -9$
(ii) $n \geq 2$일 때,
$a_n = S_n - S_{n-1}$
$\quad = (n^2 - 10n) - \{(n-1)^2 - 10(n-1)\}$
$\quad = (n^2 - 10n) - (n^2 - 12n + 11)$
$\quad = 2n - 11$ ⋯⋯ ㉠
이때 $a_1 = -9$는 ㉠에 $n = 1$을 대입한 것과 같으므로
$a_n = 2n - 11$ $(n \geq 1)$
$a_n < 0$에서 $2n - 11 < 0$ $\quad \therefore n < \frac{11}{2}$
따라서 구하는 자연수 n의 개수는 1, 2, 3, 4, 5의 5이다.
답 ①

기출유형 08

Act① 처음 몇 개의 항을 나열하여 규칙성을 파악한다.
$\angle A_{10}OB = \frac{\pi}{2} - \angle A_{10}OA$이고
$\angle A_{10}OA = \frac{\pi}{6} + \frac{\pi}{6} \times \frac{1}{3} + \frac{\pi}{6} \times \left(\frac{1}{3}\right)^2 + \cdots + \frac{\pi}{6} \times \left(\frac{1}{3}\right)^9$
$\qquad = \frac{\pi}{4}\left(1 - \frac{1}{3^{10}}\right)$
이므로
$\angle A_{10}OB = \frac{\pi}{2} - \frac{\pi}{4}\left(1 - \frac{1}{3^{10}}\right) = \frac{\pi}{4}\left(1 + \frac{1}{3^{10}}\right)$ **답** ④

---

29 **Act①** 입사 후 19년까지의 연봉은 공비가 1.08인 등비수열이고 그 이후부터는 연봉이 일정함을 이용한다.
첫째항부터 제19항까지는 공비가 1.08인 등비수열이고,
제20항부터 제28항까지의 각 항은 $\frac{2}{3} \times 1.08^{18}a$이므로
28년 동안 연봉의 총합은
$a + 1.08a + 1.08^2a + \cdots + 1.08^{18}a + 9 \times \left(\frac{2}{3} \times 1.08^{18}a\right)$
$= \frac{a(1.08^{19} - 1)}{1.08 - 1} + 6 \times 1.08^{18}a$
$1.08^{18} = 4$로 계산하면

$\frac{3.32}{0.08}a + 24a = \frac{131}{2}a$ **답** ④

30 **Act①** S_n과 S_{n+1}은 닮은 도형이고 삼각형의 중점 연결 정리에 의하여 닮음비가 $2:1$임을 이용한다.
도형 S_1의 넓이는 12개의 합동인 작은 정삼각형의 넓이의 합과 같고, 작은 정삼각형의 한 변의 길이는 2이므로 S_1의 넓이는
$12 \times \frac{\sqrt{3}}{4} \times 2^2 = 12\sqrt{3}$
또한, S_n과 S_{n+1}은 닮은 도형이고 삼각형의 중점 연결 정리에 의하여 닮음비가 $2:1$이므로 넓이의 비는 $4:1$이다.
따라서 S_{10}의 넓이는
$12\sqrt{3} \times \left(\frac{1}{4}\right)^9 = 3\sqrt{3} \times \left(\frac{1}{4}\right)^8 = \frac{3\sqrt{3}}{2^{16}}$ **답** ④

VIT **V**ery **I**mportant **T**est pp. 90~91

01. ⑤	**02.** ③	**03.** ③	**04.** ④	**05.** ①
06. ②	**07.** ②	**08.** ③	**09.** 16	**10.** 254
11. 92	**12.** ⑤			

01
첫째항을 a, 공차를 d라 하면
$a_2 = a + d = 4$ ⋯⋯ ㉠
$a_7 = a + 6d = 29$ ⋯⋯ ㉡
㉠, ㉡을 연립하여 풀면 $a = -1$, $d = 5$
$\therefore a_{14} = -1 + 13 \times 5 = 64$ **답** ⑤

02
첫째항을 a, 공차를 d라 하면
$a_4 = a + 3d = 46$ ⋯⋯ ㉠
$a_{10} = a + 9d = 22$ ⋯⋯ ㉡
㉠, ㉡을 연립하여 풀면 $a = 58$, $d = -4$
따라서 일반항은
$a_n = 58 + (n-1) \times (-4) = -4n + 62$
이때 $a_n < 0$이므로
$-4n + 62 < 0$ $\quad \therefore n > 15.5$
따라서 n은 자연수이므로 처음으로 음수가 되는 항은 제16항이다. **답** ③

03
세 수 $2k-5$, k^2-1, $2k+3$이 이 순서대로 등차수열을 이루므로
$2(k^2 - 1) = (2k - 5) + (2k + 3)$
$2k^2 - 2 = 4k - 2$, $2k(k-2) = 0$
$\therefore k = 0$ 또는 $k = 2$
따라서 모든 실수 k의 값의 합은 2이다. **답** ③

04
공차를 d, 첫째항부터 제n항까지의 합을 S_n이라 하면

$S_n=\dfrac{n\{30+(n-1)d\}}{2}$에서 $S_5=S_{11}$이므로

$$\dfrac{5(30+4d)}{2}=\dfrac{11(30+10d)}{2}$$

따라서 $d=-2$이므로 제15항은

$$15+(15-1)\times(-2)=-13 \qquad\qquad \text{답 ④}$$

05

첫째항을 a, 공비를 r라 하면

$ar+ar^3=ar(1+r^2)=810$,

$ar^4+ar^6=ar^4(1+r^2)=30$이므로

두 식을 변끼리 나누면

$$\dfrac{ar^4(1+r^2)}{ar(1+r^2)}=\dfrac{30}{810},\ r^3=\dfrac{1}{27},\ r=\dfrac{1}{3}$$

따라서 $a=3^7$이므로

$$a_{10}=3^7\times\left(\dfrac{1}{3}\right)^{10-1}=\left(\dfrac{1}{3}\right)^2=\dfrac{1}{9} \qquad \text{답 ①}$$

06

첫째항을 a, 공비를 r라 하면

$\dfrac{a_5}{a_2}=2$에서 $\dfrac{ar^4}{ar}=r^3=2$

$a_4+a_7=12$에서

$ar^3+ar^6=ar^3(1+r^3)=12$이므로 $a=2$

$$\therefore a_{13}=ar^{12}=32 \qquad\qquad \text{답 ②}$$

07

$\{a_n\}$은 공차가 2인 등차수열이므로

$a_2=a_1+2$, $a_5=a_1+8$ ...... ㉠

a_1, a_2, a_5가 이 순서대로 등비수열을 이루므로

$a_2^{\,2}=a_1a_5$ ...... ㉡

㉠을 ㉡에 대입하면

$(a_1+2)^2=a_1(a_1+8)$, $a_1^{\,2}+4a_1+4=a_1^{\,2}+8a_1$

$4a_1=4$, $a_1=1$

$$\therefore a_1+a_2+a_5=1+(1+2)+(1+8)=13 \qquad \text{답 ②}$$

08

첫째항이 1, 공비가 $\dfrac{1}{2}$이므로 제n항까지의 합 S_n은

$$S_n=\dfrac{1-\left(\dfrac{1}{2}\right)^n}{1-\dfrac{1}{2}}=2\left\{1-\left(\dfrac{1}{2}\right)^n\right\}$$

$2-S_n=2\left(\dfrac{1}{2}\right)^n<\dfrac{1}{100}$에서

$\left(\dfrac{1}{2}\right)^n<\dfrac{1}{200}$, $2^n>200$

$2^7=128$, $2^8=256$이므로 $n=8$

따라서 차가 0.01보다 작아지는 항은 제8항이다.   답 ③

09

$n=1$일 때,

$a_1=S_1=1^2-3\times1=-2$ ...... ㉠

$n\geq2$일 때,

$a_n=S_n-S_{n-1}$
$=(n^2-3n)-\{(n-1)^2-3(n-1)\}$
$=2n-4$ ...... ㉡

㉡에 $n=1$을 대입하면 ㉠과 같으므로 이 수열의 일반항 a_n은

$a_n=2n-4$이다.

$$\therefore a_{10}=2\times10-4=16 \qquad\qquad \text{답 16}$$

10

$n=1$일 때,

$a_1=S_1=4$

$n\geq2$일 때,

$a_n=S_n-S_{n-1}$
$=(n^2+2n+1)-\{(n-1)^2+2(n-1)+1\}$
$=2n+1$

$\therefore a_1+a_3+a_5+\cdots+a_{21}$
$=4+\dfrac{10(2\times7+9\times4)}{2}=254$ 답 254

11

등차수열 $\{a_n\}$의 첫째항을 a, 공차를 d라 하면

$a_7=4$에서 $a+6d=4$ ...... ㉠

$a_{10}=-5$에서 $a+9d=-5$ ...... ㉡

㉠, ㉡을 연립하여 풀면 $a=22$, $d=-3$

$\therefore a_n=22+(n-1)\times(-3)=-3n+25$

제n항에서 처음으로 음수가 나온다고 하면

$-3n+25<0$에서 $3n>25$

$$\therefore n>\dfrac{25}{3}=8.3\times\times\times$$

즉 등차수열 $\{a_n\}$은 제9항부터 음수이므로 첫째항부터 제8항까지의 합이 최대이다.

따라서 구하는 최댓값은

$$S_8=\dfrac{8\{2\times22+7\times(-3)\}}{2}=92 \qquad \text{답 92}$$

12

매년 초에 적립해야 하는 금액을 a만 원이라 하면

$a\times1.1+a\times1.1^2+a\times1.1^3+\cdots+a\times1.1^{20}=10000$

$\dfrac{a\times1.1\times(1.1^{20}-1)}{1.1-1}=10000$

$62.7a=10000$, $a=159.\times\times\times$

따라서 매년 초에 159만 원씩 적립해야 한다.   답 ⑤

09 수열의 합

p. 93

01. ③   **02.** 220   **03.** ④   **04.** 2   **05.** ⑤

06. ②

01 $\displaystyle\sum_{k=1}^{5}(a_k+2)^2=\sum_{k=1}^{5}(a_k^{\,2}+4a_k+4)$

$$=\sum_{k=1}^{5}a_k{}^2+4\sum_{k=1}^{5}a_k+\sum_{k=1}^{5}4$$
$$=40+4\times12+5\times4$$
$$=108 \hspace{3cm} \text{답 ③}$$

02 $\displaystyle\sum_{k=1}^{10}(k+1)^2-\sum_{k=1}^{10}(k-1)^2$

$$=\sum_{k=1}^{10}\{(k+1)^2-(k-1)^2\}$$
$$=\sum_{k=1}^{10}4k=4\times\frac{10\times11}{2}$$
$$=220 \hspace{3cm} \text{답 } 220$$

03 $S_n=\dfrac{n\{2\times50+(n-1)\times(-4)\}}{2}$

$$=-2n^2+52n$$
$$=-2(n-13)^2+2\times13^2$$

이므로 S_n의 값은 $n=13$일 때 최대이다.

따라서 $\displaystyle\sum_{k=m}^{m+4}S_k$의 값은 $m=11$일 때 최대가 된다. 　　답 ④

04 수열의 합과 일반항 사이의 관계에서

$a_{10}=S_{10}-S_9=\displaystyle\sum_{k=1}^{10}a_k-\sum_{k=1}^{9}a_k$이므로

$a_{10}=\displaystyle\sum_{k=1}^{10}a_k-\sum_{k=1}^{9}a_k$

$$=(2\times10-1)-(2\times9-1)$$
$$=19-17=2 \hspace{2.5cm} \text{답 } 2$$

05 $\displaystyle\sum_{k=1}^{n}\frac{4}{k(k+1)}=\sum_{k=1}^{n}4\left(\frac{1}{k}-\frac{1}{k+1}\right)$

$$=4\left\{\left(1-\frac{1}{2}\right)+\left(\frac{1}{2}-\frac{1}{3}\right)+\cdots+\left(\frac{1}{n}-\frac{1}{n+1}\right)\right\}$$
$$=4\left(1-\frac{1}{n+1}\right)=\frac{4n}{n+1}$$

$\displaystyle\sum_{k=1}^{n}\frac{4}{k(k+1)}=\frac{15}{4}$에서 $\dfrac{4n}{n+1}=\dfrac{15}{4}$

$\therefore n=15$ 　　답 ⑤

06 $a_n=4+(n-1)\times1=n+3$이므로

$\displaystyle\sum_{k=1}^{12}\frac{1}{\sqrt{a_{k+1}}+\sqrt{a_k}}$

$$=\sum_{k=1}^{12}\frac{\sqrt{a_{k+1}}-\sqrt{a_k}}{(\sqrt{a_{k+1}}+\sqrt{a_k})(\sqrt{a_{k+1}}-\sqrt{a_k})}$$
$$=\sum_{k=1}^{12}\frac{\sqrt{a_{k+1}}-\sqrt{a_k}}{a_{k+1}-a_k}$$
$$=\sum_{k=1}^{12}(\sqrt{a_{k+1}}-\sqrt{a_k})$$
$$=(\sqrt{a_2}-\sqrt{a_1})+(\sqrt{a_3}-\sqrt{a_2})+\cdots+(\sqrt{a_{13}}-\sqrt{a_{12}})$$
$$=\sqrt{a_{13}}-\sqrt{a_1}=\sqrt{16}-\sqrt{4}$$
$$=2 \hspace{3cm} \text{답 ②}$$

기출유형 01

Act① 조건에 주어진 $\sum$ 안을 전개한 다음 $\sum$의 성질을 이용한다.

$\displaystyle\sum_{k=1}^{10}(a_k+1)^2=28$에서

$\displaystyle\sum_{k=1}^{10}\{(a_k)^2+2a_k+1\}=28$

$\displaystyle\sum_{k=1}^{10}(a_k)^2+2\sum_{k=1}^{10}a_k+\sum_{k=1}^{10}1=28$

$\displaystyle\sum_{k=1}^{10}(a_k)^2+2\sum_{k=1}^{10}a_k=18$ 　……　㉠

또, $\displaystyle\sum_{k=1}^{10}a_k(a_k+1)=16$에서

$\displaystyle\sum_{k=1}^{10}\{(a_k)^2+a_k\}=16$

$\displaystyle\sum_{k=1}^{10}(a_k)^2+\sum_{k=1}^{10}a_k=16$ 　……　㉡

$2\times㉡-㉠$을 하면

$\displaystyle\sum_{k=1}^{10}(a_k)^2=14$ 　　답 14

01 **Act①** 주어진 조건과 $\sum$의 성질을 이용할 수 있도록 식을 정리한다.

모든 자연수 n에 대하여 $a_n+b_n=10$이므로

$\displaystyle\sum_{k=1}^{10}(a_k+2b_k)=\sum_{k=1}^{10}(a_k+b_k)+\sum_{k=1}^{10}b_k=160$

$10\times10+\displaystyle\sum_{k=1}^{10}b_k=160$

$\therefore \displaystyle\sum_{k=1}^{10}b_k=60$ 　　답 ①

02 **Act①** 제m항부터의 수열의 합은 $\displaystyle\sum_{k=m}^{n}a_k=\sum_{k=1}^{n}a_k-\sum_{k=1}^{m-1}a_k$를 이용한다.

$\displaystyle\sum_{k=6}^{10}a_k=\sum_{k=1}^{10}a_k-\sum_{k=1}^{5}a_k$

$\quad=(10^2-2\times10)-(5^2-2\times5)=65$ 　　답 65

[다른 풀이]

$\displaystyle\sum_{k=1}^{n}a_k=n^2-2n$에서

(i) $n=1$일 때,

$\quad a_1=S_1=-1$

(ii) $n\geq2$일 때,

$\quad a_n=\displaystyle\sum_{k=1}^{n}a_k-\sum_{k=1}^{n-1}a_k$

$\quad=(n^2-2n)-\{(n-1)^2-2(n-1)\}$

$\quad=2n-3$

이때 $a_1=-1$은 $2n-3$에 $n=1$을 대입한 것과 같으므로
$a_n=2n-3=-1+2(n-1)\,(n\geq1)$
수열 $\{a_n\}$이 첫째항이 -1이고 공차가 2인 등차수열이므로
a_6, a_7, a_8, a_9, a_{10}은 등차수열을 이룬다.
$$\therefore \sum_{k=6}^{10}(2k-3)$$
$$=\frac{5\{(2\times6-3)+(2\times10-3)\}}{2}=65$$

03 **Act❶** 등차수열 $\{a_n\}$의 첫째항을 a_1, 공차를 d라 놓고 연립방정식을 푼다.

등차수열 $\{a_n\}$의 첫째항을 a_1, 공차를 d라 하면
$\dfrac{a_5+a_{13}}{2}=a_9$이므로 $a_9=0$에서
$a_1+8d=0$ ······ ㉠
또, $\displaystyle\sum_{k=1}^{18}a_k=\dfrac{18}{2}\times(a_1+a_{18})=9(2a_1+17d)=\dfrac{9}{2}$에서
$2a_1+17d=\dfrac{1}{2}$ ······ ㉡
㉠, ㉡을 연립하여 풀면 $a_1=-4$, $d=\dfrac{1}{2}$
$\therefore a_{13}=a_1+12d=-4+12\times\dfrac{1}{2}=2$ 　　　　답 ①

04 **Act❶** 이차방정식의 근과 계수의 관계에서 $a_3+a_8=14$이고 등차수열의 합 공식에서 $\displaystyle\sum_{n=3}^{8}a_n=\dfrac{6(a_3+a_8)}{2}$임을 이용한다.

$x^2-14x+24=0$의 두 근이 a_3, a_8이므로
이차방정식의 근과 계수의 관계에 의하여
두 근의 합은 $a_3+a_8=14$
$\therefore \displaystyle\sum_{n=3}^{8}a_n=\dfrac{6(a_3+a_8)}{2}=3\times14=42$ 　　답 ②

기출유형 02

Act❶ $\sum$의 성질을 이용하여 주어진 식을 간단히 하고 자연수의 거듭제곱의 합을 이용한다.

$$\sum_{k=1}^{10}\frac{k^3}{k+1}+\sum_{k=1}^{10}\frac{1}{k+1}$$
$$=\sum_{k=1}^{10}\frac{k^3+1}{k+1}$$
$$=\sum_{k=1}^{10}\frac{(k+1)(k^2-k+1)}{k+1}$$
$$=\sum_{k=1}^{10}(k^2-k+1)$$
$$=\sum_{k=1}^{10}k^2-\sum_{k=1}^{10}k+\sum_{k=1}^{10}1$$
$$=\frac{10\times11\times21}{6}-\frac{10\times11}{2}+1\times10$$
$$=385-55+10=340$$ 　　　　답 ①

05 **Act❶** 자연수의 거듭제곱의 합을 이용한다.

$$\sum_{k=1}^{6}(k^2+5)=\sum_{k=1}^{6}k^2+\sum_{k=1}^{6}5$$
$$=\frac{6\times7\times13}{6}+5\times6=121$$ 　　답 121

06 **Act❶** 나머지정리를 이용하여 일반항 a_n을 구한 후 자연수의 거듭제곱의 합을 이용한다.

나머지정리에서 $a_n=2n^2-3n+1$이므로
$$\sum_{n=1}^{7}(a_n-n^2+n)=\sum_{n=1}^{7}(n^2-2n+1)$$
$$=\sum_{n=1}^{7}(n-1)^2$$
$$=\sum_{k=1}^{6}k^2$$
$$=\frac{6\times7\times13}{6}=91$$ 　　답 91

07 **Act❶** 제m항부터의 수열의 합은 $\displaystyle\sum_{k=m}^{n}a_k=\sum_{k=1}^{n}a_k-\sum_{k=1}^{m-1}a_k$를 이용한다.

$$\sum_{k=2}^{m}a_{k+1}=\sum_{k=2}^{m}\{2(k+1)-3\}=\sum_{k=2}^{m}(2k-1)$$
$$=\sum_{k=1}^{m}(2k-1)-(2\times1-1)$$
$$=2\times\frac{m(m+1)}{2}-m-1$$
$$=m^2-1=48$$
$\therefore m=7$ 　　　　답 ④

08 **Act❶** 이차방정식의 근과 계수의 관계, $\sum$의 성질을 이용하여 주어진 식을 간단히 하고 자연수의 거듭제곱의 합을 이용한다.

이차방정식의 근과 계수의 관계에 의하여
두 근의 합은 $a_n+b_n=2n+1$
두 근의 곱은 $a_nb_n=n(n+1)$
$$\sum_{n=1}^{10}(1-a_n)(1-b_n)$$
$$=\sum_{n=1}^{10}\{1-(a_n+b_n)+a_nb_n\}$$
$$=\sum_{n=1}^{10}\{1-(2n+1)+n(n+1)\}$$
$$=\sum_{n=1}^{10}(n^2-n)$$
$$=\frac{10\times11\times21}{6}-\frac{10\times11}{2}=330$$ 　　답 330

기출유형 03

Act❶ 수열의 합과 일반항 사이의 관계에서 $a_6=\displaystyle\sum_{k=1}^{6}a_k-\sum_{k=1}^{5}a_k$임을 이용한다.

$$a_6=\sum_{k=1}^{6}a_k-\sum_{k=1}^{5}a_k$$
$$=(6^2+5\times6)-(5^2+5\times5)$$
$$=66-50=16$$ 　　　　답 ③

09 **Act❶** 수열의 합과 일반항 사이의 관계에서 $na_n=\displaystyle\sum_{k=1}^{n}ka_k-\sum_{k=1}^{n-1}ka_k\,(n\geq2)$임을 이용한다.

$$na_n=\sum_{k=1}^{n}ka_k-\sum_{k=1}^{n-1}ka_k$$
$$=\frac{n^2(n+1)}{2}-\frac{n(n-1)^2}{2}$$

$$=\frac{n(3n-1)}{2}\ (n\geq2)$$

이므로 $a_n=\dfrac{3n-1}{2}\ (n\geq2)$

$\therefore a_{15}=\dfrac{3\times15-1}{2}=22$ 답 22

10 **Act①** 수열의 합과 일반항 사이의 관계에서

$(2n-1)a_n=\displaystyle\sum_{k=1}^{n}(2k-1)a_k-\sum_{k=1}^{n-1}(2k-1)a_k\ (n\geq2)$임을 이용한다.

$\begin{aligned}(2n-1)a_n&=\sum_{k=1}^{n}(2k-1)a_k-\sum_{k=1}^{n-1}(2k-1)a_k\\&=n(n+1)(4n-1)-(n-1)n(4n-5)\\&=n(12n-6)\\&=6n(2n-1)\end{aligned}$

이므로 $a_n=6n\ (n\geq2)$

$\therefore a_{20}=6\times20=120$ 답 120

11 **Act①** 수열의 합과 일반항 사이의 관계에서

$na_n=\displaystyle\sum_{k=1}^{n}ka_k-\sum_{k=1}^{n-1}ka_k\ (n\geq2),\ a_1=\sum_{k=1}^{1}ka_k$임을 이용한다.

$\begin{aligned}na_n&=\sum_{k=1}^{n}ka_k-\sum_{k=1}^{n-1}ka_k\\&=n(n+1)(n+2)-(n-1)n(n+1)\\&=3n(n+1)\end{aligned}$

이므로 $a_n=3(n+1)\ (n\geq2)$

이때 $a_1=\displaystyle\sum_{k=1}^{1}ka_k=1\times2\times3=6=3\times(1+1)$이므로

$a_n=3(n+1)\ (n\geq1)$

$\begin{aligned}\therefore \sum_{k=1}^{10}a_k&=\sum_{k=1}^{10}3(k+1)\\&=3\Big(\frac{10\times11}{2}+10\Big)=3\times65=195\end{aligned}$ 답 ②

12 **Act①** 수열의 합과 일반항 사이의 관계에서

$a_n=\displaystyle\sum_{k=1}^{n}a_k-\sum_{k=1}^{n-1}a_k\ (n\geq2)$임을 이용한다.

$\begin{aligned}a_n&=\sum_{k=1}^{n}a_k-\sum_{k=1}^{n-1}a_k\\&=\log n-\log(n-1)\\&=\log\frac{n}{n-1}\ (n\geq2) \quad\cdots\cdots\ \text{㉠}\end{aligned}$

$10^{a_n}=1.04$에서

$a_n=\log1.04=\log\dfrac{26}{25} \quad\cdots\cdots\ \text{㉡}$

㉠, ㉡에서

$\log\dfrac{n}{n-1}=\log\dfrac{26}{25}\ (n\geq2)$

$\dfrac{n}{n-1}=\dfrac{26}{25} \quad\therefore n=26$ 답 ③

기출유형 04

Act① 분모가 다항식의 곱으로 표현된 수열의 합은

$\dfrac{1}{AB}=\dfrac{1}{B-A}\Big(\dfrac{1}{A}-\dfrac{1}{B}\Big)$을 이용하여 이웃한 항끼리 소거한다.

$\begin{aligned}\sum_{k=1}^{7}\frac{1}{(k+1)(k+2)}&=\sum_{k=1}^{7}\Big(\frac{1}{k+1}-\frac{1}{k+2}\Big)\\&=\Big(\frac{1}{2}-\frac{1}{3}\Big)+\Big(\frac{1}{3}-\frac{1}{4}\Big)+\cdots+\Big(\frac{1}{8}-\frac{1}{9}\Big)\\&=\frac{1}{2}-\frac{1}{9}=\frac{7}{18}\end{aligned}$ 답 ⑤

13 **Act①** 분모가 다항식의 곱으로 표현된 수열의 합은

$\dfrac{1}{AB}=\dfrac{1}{B-A}\Big(\dfrac{1}{A}-\dfrac{1}{B}\Big)$을 이용하여 이웃한 항끼리 소거한다.

$\begin{aligned}\sum_{k=1}^{9}\frac{2}{(2k-1)(2k+1)}&=\sum_{k=1}^{9}\Big(\frac{1}{2k-1}-\frac{1}{2k+1}\Big)\\&=\Big(1-\frac{1}{3}\Big)+\Big(\frac{1}{3}-\frac{1}{5}\Big)+\cdots+\Big(\frac{1}{15}-\frac{1}{17}\Big)+\Big(\frac{1}{17}-\frac{1}{19}\Big)\\&=1-\frac{1}{19}=\frac{18}{19}\end{aligned}$

따라서 $p=19,\ q=18$이므로

$p+q=37$ 답 37

14 **Act①** 분모가 다항식의 곱으로 표현된 수열의 합은

$\dfrac{1}{AB}=\dfrac{1}{B-A}\Big(\dfrac{1}{A}-\dfrac{1}{B}\Big)$을 이용하여 이웃한 항끼리 소거한다.

공차가 3인 등차수열이므로 $a_{2n+1}-a_{2n-1}=6$이고 일반항은

$a_n=1+(n-1)\times3=3n-2$이다.

$\begin{aligned}\therefore \sum_{n=1}^{10}\frac{1}{a_{2n-1}a_{2n+1}}&=\sum_{n=1}^{10}\frac{1}{a_{2n+1}-a_{2n-1}}\Big(\frac{1}{a_{2n-1}}-\frac{1}{a_{2n+1}}\Big)\\&=\frac{1}{6}\Big\{\Big(\frac{1}{a_1}-\frac{1}{a_3}\Big)+\Big(\frac{1}{a_3}-\frac{1}{a_5}\Big)+\cdots+\Big(\frac{1}{a_{19}}-\frac{1}{a_{21}}\Big)\Big\}\\&=\frac{1}{6}\Big(\frac{1}{a_1}-\frac{1}{a_{21}}\Big)\\&=\frac{1}{6}\times\Big(1-\frac{1}{61}\Big)=\frac{10}{61}\end{aligned}$ 답 ①

15 **Act①** 분모가 무리식인 수열의 합은 분모를 유리화하여 이웃한 항끼리 소거한다.

$\begin{aligned}\sum_{k=1}^{n}\frac{1}{f(k)}&=\sum_{k=1}^{n}\frac{1}{\sqrt{k+1}+\sqrt{k+2}}\\&=\sum_{k=1}^{n}\frac{\sqrt{k+1}-\sqrt{k+2}}{(\sqrt{k+1}+\sqrt{k+2})(\sqrt{k+1}-\sqrt{k+2})}\\&=\sum_{k=1}^{n}(\sqrt{k+2}-\sqrt{k+1})\\&=(\sqrt{3}-\sqrt{2})+(\sqrt{4}-\sqrt{3})+\cdots+(\sqrt{n+2}-\sqrt{n+1})\\&=\sqrt{n+2}-\sqrt{2}\end{aligned}$

즉 $\sqrt{n+2}-\sqrt{2}=2\sqrt{2}$이므로

$\sqrt{n+2}=3\sqrt{2},\ n+2=18 \quad\therefore n=16$ 답 16

16 **Act①** 분모가 무리식인 수열의 합은 분모를 유리화하여 이웃한 항끼리 소거한다.

직선 $x=n$과 두 곡선 $y=\sqrt{x},\ y=-\sqrt{x+1}$의 교점의 좌표는

$A_n(n,\ \sqrt{n}),\ B_n(n,\ -\sqrt{n+1})$

이므로

$$T_n=\frac{1}{2}n(\sqrt{n}+\sqrt{n+1})$$

$$\therefore \sum_{n=1}^{24}\frac{n}{T_n}=\sum_{n=1}^{24}\frac{2}{\sqrt{n}+\sqrt{n+1}}$$

$$=2\sum_{n=1}^{24}(\sqrt{n+1}-\sqrt{n})$$

$$=2\{(\sqrt{2}-\sqrt{1})+(\sqrt{3}-\sqrt{2})+\cdots+(\sqrt{25}-\sqrt{24})\}$$

$$=2\times(5-1)=8 \qquad\qquad 답 ④$$

VIT **V**ery **I**mportant **T**est   pp. 98~99

01. ②	02. ②	03. ④	04. 385	05. ⑤
06. ①	07. ④	08. ②	09. 29	10. 9
11. ④	12. ④			

01

$$\sum_{k=1}^{10}(2a_k+1)^2=\sum_{k=1}^{10}(4a_k^2+4a_k+1)$$

$$=4\sum_{k=1}^{10}a_k^2+4\sum_{k=1}^{10}a_k+\sum_{k=1}^{10}1$$

$$=4\times20+4\times6+10=114 \qquad 답 ②$$

02

$$\sum_{n=2}^{19}\log\left(1-\frac{1}{n^2}\right)=\sum_{n=2}^{19}\log\frac{n^2-1}{n^2}$$

$$=\sum_{n=2}^{19}\log\frac{(n-1)(n+1)}{n\times n}$$

$$=\log\frac{1\times3}{2\times2}+\log\frac{2\times4}{3\times3}+\cdots+\log\frac{18\times20}{19\times19}$$

$$=\log\left(\frac{1}{2}\times\frac{3}{2}\times\frac{2}{3}\times\frac{4}{3}\times\cdots\times\frac{18}{19}\times\frac{20}{19}\right)$$

$$=\log\left(\frac{1}{2}\times\frac{20}{19}\right)$$

$$=\log\frac{10}{19}=1-\log 19 \qquad 답 ②$$

03

$$\sum_{k=1}^{9}f(k+1)=f(2)+f(3)+\cdots+f(10)$$

$$\sum_{k=2}^{10}f(k-1)=f(1)+f(2)+\cdots+f(9)$$

$$\therefore \sum_{k=1}^{9}f(k+1)-\sum_{k=2}^{10}f(k-1)$$

$$=f(10)-f(1)=100-5=95 \qquad 답 ④$$

04

$$\sum_{k=1}^{10}(k+1)^2-2\sum_{k=1}^{10}(k+2)+\sum_{k=1}^{10}3$$

$$=\sum_{k=1}^{10}\{(k+1)^2-2(k+2)+3\}$$

$$=\sum_{k=1}^{10}k^2=\frac{10\times11\times21}{6}=385 \qquad 답 385$$

05

$$\sum_{k=1}^{12}k^2+\sum_{k=2}^{12}k^2+\sum_{k=3}^{12}k^2+\cdots+\sum_{k=12}^{12}k^2$$

$$=1\times1^2+2\times2^2+\cdots+12\times12^2$$

$$=1^3+2^3+3^3+\cdots+12^3$$

$$=\sum_{k=1}^{12}k^3$$

$$=\left\{\frac{12(12+1)}{2}\right\}^2=6084 \qquad 답 ⑤$$

06

공차를 d라 하면

$$a_4-a_2=2d=4,\ d=2$$

이므로

$$a_n=2+(n-1)\times2=2n$$

$$\therefore \sum_{k=11}^{20}a_k=\sum_{k=1}^{20}a_k-\sum_{k=1}^{10}a_k=\sum_{k=1}^{20}2n-\sum_{k=1}^{10}2n$$

$$=2\times\frac{20\times21}{2}-2\times\frac{10\times11}{2}=310 \qquad 답 ①$$

07

$$a_n=\sum_{k=1}^{n}a_k-\sum_{k=1}^{n-1}a_k$$

$$=(n^2+4n)-\{(n-1)^2+4(n-1)\}$$

$$=2n+3\ (n\geq2)$$

이때 $a_1=\sum_{k=1}^{1}a_k=1+4=5=2\times1+3$이므로

$$a_n=2n+3\ (n\geq1)$$

따라서 $a_{2k}=4k+3$이므로

$$\sum_{k=1}^{15}a_{2k}=\sum_{k=1}^{15}(4k+3)$$

$$=4\times\frac{15\times(15+1)}{2}+15\times3=525 \qquad 답 ④$$

08

$$a_n=\sum_{k=1}^{n}a_k-\sum_{k=1}^{n-1}a_k$$

$$=n^2+n-\{(n-1)^2+n-1\}$$

$$=2n\ (n\geq2)$$

이때 $a_1=\sum_{k=1}^{1}a_k=1+1=2=2\times1$이므로

$$a_n=2n\ (n\geq1)$$

따라서 $a_{2k-1}=2(2k-1)=4k-2$이므로

$$\sum_{k=1}^{10}a_{2k-1}=\sum_{k=1}^{10}(4k-2)$$

$$=4\times\frac{10\times11}{2}-2\times10=200 \qquad 답 ②$$

09

$$\sum_{k=1}^{14}\frac{1}{k(k+1)}=\sum_{k=1}^{14}\left(\frac{1}{k}-\frac{1}{k+1}\right)$$

$$=\left(\frac{1}{1}-\frac{1}{2}\right)+\left(\frac{1}{2}-\frac{1}{3}\right)+\cdots+\left(\frac{1}{14}-\frac{1}{15}\right)$$

$$=1-\frac{1}{15}=\frac{14}{15}$$

따라서 $p=15$, $q=14$이므로

$p+q=29$ 　　　　　　　　　　　　　　　　　　　　　　　답 29

10

$$\frac{1}{\sqrt{k}+\sqrt{k+1}}=\frac{\sqrt{k+1}-\sqrt{k}}{(\sqrt{k+1}+\sqrt{k})(\sqrt{k+1}-\sqrt{k})}=\sqrt{k+1}-\sqrt{k}$$

$$\therefore \sum_{k=1}^{99}\frac{1}{\sqrt{k}+\sqrt{k+1}}$$

$$=\sum_{k=1}^{99}(\sqrt{k+1}-\sqrt{k})$$

$$=(\sqrt{2}-\sqrt{1})+(\sqrt{3}-\sqrt{2})+(\sqrt{4}-\sqrt{3})$$

$$+\cdots+(\sqrt{99}-\sqrt{98})+(\sqrt{100}-\sqrt{99})$$

$$=\sqrt{100}-1=9$$ 　　　　　　　　　　　　　　답 9

11

$$\sum_{k=1}^{100}a_k=(-1)+(2\times2)+(-3)+(2\times4)+\cdots+(-99)+(2\times100)$$

$$=\{(-1)+(-3)+\cdots+(-99)\}+2(2+4+\cdots+100)$$

$$=-\frac{50(1+99)}{2}+2\times\frac{50(2+100)}{2}$$

$$=2600$$ 　　　　　　　　　　　　　　　　　답 ④

12

$$\sum_{n=1}^{10}\left(\frac{1}{\alpha_n}+\frac{1}{\beta_n}\right)=\sum_{n=1}^{10}\frac{\alpha_n+\beta_n}{\alpha_n\beta_n}$$

$$=\sum_{n=1}^{10}\frac{-4}{-(2n-1)(2n+1)}$$

$$=4\sum_{n=1}^{10}\frac{1}{2}\left(\frac{1}{2n-1}-\frac{1}{2n+1}\right)$$

$$=2\sum_{n=1}^{10}\left(\frac{1}{2n-1}-\frac{1}{2n+1}\right)$$

$$=2\left\{\left(\frac{1}{1}-\frac{1}{3}\right)+\left(\frac{1}{3}-\frac{1}{5}\right)+\cdots+\left(\frac{1}{19}-\frac{1}{21}\right)\right\}$$

$$=2\left(1-\frac{1}{21}\right)=\frac{40}{21}$$ 　　　　　　답 ④

10 수학적 귀납법

p. 101

01. ④	02. ⑤	03. 34	04. ②	05. ①
06. ③				

01 주어진 수열은 첫째항이 3, 공차가 5인 등차수열이므로

$$a_n=3+(n-1)\times5=5n-2$$

$$\therefore a_4=5\times4-2=18$$ 　　　　　　　　답 ④

02 모든 자연수 n에 대하여

$$a_{n+1}=3a_n,\ 즉\ \frac{a_{n+1}}{a_n}=3이므로$$

수열 $\{a_n\}$은 공비가 3인 등비수열이다.

$a_2=2이므로$

$$a_4=a_2\times3^2=2\times9=18$$ 　　　　　　답 ⑤

[다른 풀이]

$$a_3=3a_2=3\times2=6$$

$$a_4=3a_3=3\times6=18$$

03 $a_{n+1}=a_n+2n+3$에 n 대신 1, 2, 3, 4를 차례로 대입하면

$$a_2=a_1+2\times1+3$$

$$a_3=a_2+2\times2+3$$

$$a_4=a_3+2\times3+3$$

$$a_5=a_4+2\times4+3$$

위의 식을 각 변끼리 더하면

$$a_5=a_1+2(1+2+3+4)+3\times4$$

$$=2+20+12=34$$ 　　　　　　　답 34

04 $a_{n+1}=\dfrac{2n}{n+1}a_n$에 n 대신 1, 2, 3을 차례로 대입하면

$$a_2=2\times\frac{1}{2}a_1$$

$$a_3=2\times\frac{2}{3}a_2$$

$$a_4=2\times\frac{3}{4}a_3$$

위의 식을 각 변끼리 곱하면

$$a_4=2^3\times\frac{1}{2}\times\frac{2}{3}\times\frac{3}{4}\times a_1=2\times1=2$$ 　답 ②

[다른 풀이]

$a_{n+1}=\dfrac{2n}{n+1}a_n$에서 $(n+1)a_{n+1}=2na_n$이므로

$\{na_n\}$은 공비가 2인 등비수열이다.

$$\therefore na_n=(1\times a_1)\times2^{n-1}$$

$n=4$일 때, $4a_4=(1\times1)\times2^{4-1}$

$$\therefore a_4=2$$

05 주어진 식에 n 대신 1, 2, 3, …을 차례로 대입하면

$a_1=2이므로$

$$a_2=\frac{a_1}{2-3a_1}=\frac{2}{2-6}=-\frac{1}{2}$$

$$a_3=1+a_2=1-\frac{1}{2}=\frac{1}{2}$$

$$a_4=\frac{a_3}{2-3a_3}=\frac{\frac{1}{2}}{2-\frac{3}{2}}=1$$

$$a_5=1+a_4=1+1=2$$

$$\vdots$$

이때

$$a_n=a_{n+4}\ (n은\ 자연수)$$

이므로

$$a_1+a_2+a_3+a_4$$

$$=a_5+a_6+a_7+a_8$$

$$\vdots$$

$$=a_{37}+a_{38}+a_{39}+a_{40}$$

$$=3$$

$$\therefore \sum_{n=1}^{40}a_n=10\times3=30$$ 　　　　　　답 ①

06 (i) 홀수 중 가장 작은 수가 1이므로 $n=1$일 때, 즉 $p(1)$이 참임을 보인다.

(ii) 홀수는 $2k-1$ (k는 자연수) 꼴로 나타내어지고, $2k-1$ 다음 홀수가 $2k+1$이므로 $p(2k-1)$이 참이면 $p(2k+1)$이 참임을 보인다.

따라서 반드시 증명해야 하는 것은 ㄱ, ㄷ이다.　　답 ③

기출유형 01

Act① 이웃하는 두 항의 차가 일정한 수열은 등차수열임을 생각한다.

$a_{n+1}-a_n=4$이므로 수열 $\{a_n\}$은 공차가 4인 등차수열이다.
첫째항이 $a_1=3$이므로
$a_n=3+(n-1)\times4=4n-1$
이때 $a_k=39$에서
$4k-1=39$　　∴ $k=10$　　　　　　　　답 10

01 **Act①** 이웃하는 두 항의 차가 일정한 수열은 등차수열임을 생각한다.

$a_{n+1}-a_n=3$이므로 수열 $\{a_n\}$은 공차가 3인 등차수열이다.
첫째항이 $a_1=1$이므로
$a_n=1+(n-1)\times3=3n-2$
∴ $a_{30}=3\times30-2=88$　　　　　　　답 88

02 **Act①** 이웃하는 두 항의 차가 일정한 수열은 등차수열임을 생각한다.

$a_{n+1}-a_n=4$이므로 수열 $\{a_n\}$은 공차가 4인 등차수열이다.
첫째항이 $a_1=7$이므로
$\displaystyle\sum_{n=1}^{10}a_k=\dfrac{10\{2\times7+(10-1)\times4\}}{2}=250$　　답 ④

03 **Act①** $2a_{n+1}=a_n+a_{n+2}\Leftrightarrow a_{n+2}-a_{n+1}=a_{n+1}-a_n$이므로 등차수열임을 생각한다.

$2a_{n+1}=a_n+a_{n+2}$에서 $a_{n+2}-a_{n+1}=a_{n+1}-a_n$
즉 이웃하는 두 항의 차가 일정하므로 수열 $\{a_n\}$은 등차수열이다.
등차수열 $\{a_n\}$의 공차 d는
$d=a_3-a_2=2-(-1)=3$
이므로 첫째항 a_1은
$a_1=a_2-d=-1-3=-4$

따라서 등차수열 $\{a_n\}$의 첫째항부터 제10항까지의 합은
$\dfrac{10\{2\times(-4)+(10-1)\times3\}}{2}=5(-8+27)=95$　　답 ①

04 **Act①** $\dfrac{1}{a_{n+1}}$과 $\dfrac{1}{a_n}$의 관계를 생각한다.

$\dfrac{1}{a_{n+1}}=\dfrac{1}{a_n}+2$이고 $b_n=\dfrac{1}{a_n}$이라 하면
$b_1=-1$, $b_{n+1}=b_n+2$
즉 수열 $\{b_n\}$은 첫째항이 -1, 공차가 2인 등차수열이므로
$b_n=-1+(n-1)\times2=2n-3$
이때 $b_{10}=2\times10-3=17$이므로
$a_{10}=\dfrac{1}{b_{10}}=\dfrac{1}{17}$　　　　　　　　　답 ③

기출유형 02

Act① 이웃하는 두 항의 비가 일정한 수열은 등비수열임을 생각한다.

$a_{n+1}=2a_n$에서 $\dfrac{a_{n+1}}{a_n}=2$
즉 이웃하는 두 항의 비가 일정하므로 수열 $\{a_n\}$은 공비가 2인 등비수열이고 첫째항이 3이므로
$a_n=3\times2^{n-1}$
∴ $a_9=3\times2^8=3\times256=768$　　　　答 ③

05 **Act①** $a_{n+1}{}^2=a_n a_{n+2}\Leftrightarrow\dfrac{a_{n+2}}{a_{n+1}}=\dfrac{a_{n+1}}{a_n}$이므로 등비수열임을 생각한다.

$a_{n+1}{}^2=a_n a_{n+2}$에서 $\dfrac{a_{n+2}}{a_{n+1}}=\dfrac{a_{n+1}}{a_n}$
즉 이웃하는 두 항의 비가 일정하므로 수열 $\{a_n\}$은 등비수열이다.
공비를 r라 하면
$a_1=1$, $a_2=4$이므로 $r=\dfrac{a_2}{a_1}=\dfrac{4}{1}=4$
따라서 $a_n=4^{n-1}$이므로
$a_{10}=4^{10-1}=2^{18}$　　　　　　　　　답 ⑤

06 **Act①** $a_{n+1}{}^2=a_n a_{n+2}\Leftrightarrow\dfrac{a_{n+2}}{a_{n+1}}=\dfrac{a_{n+1}}{a_n}$이므로 등비수열임을 생각한다.

$a_{n+1}{}^2=a_n a_{n+2}$에서 $\dfrac{a_{n+2}}{a_{n+1}}=\dfrac{a_{n+1}}{a_n}$
즉 이웃하는 두 항의 비가 일정하므로 수열 $\{a_n\}$은 등비수열이다.
공비를 r라 하면
$a_1=2$, $a_2=4$이므로 $r=\dfrac{a_2}{a_1}=\dfrac{4}{2}=2$
따라서 $a_n=2\times2^{n-1}=2^n$이므로
$a_8=2^8=256$　　　　　　　　　　　답 256

07 **Act①** 이웃하는 두 항의 비가 일정한 수열은 등비수열임을 생각한다.

주어진 수열은 조건 (나)에 의하여
공비가 -2인 등비수열이므로
$a_2 = -2 \times a_1$
조건 (가)에서
$a_1 = a_2 + 3 = -2a_1 + 3$, $a_1 = 1$
따라서 $a_n = (-2)^{n-1}$이므로
$a_9 = (-2)^8 = 256$ 　　　　　　　　　　　 답 256

08 **Act❶** $\log a_n - 2\log a_{n+1} + \log a_{n+2} = 0$에서 a_{n+1}과 a_n의 관계를 생각한다.

$\log a_n - 2\log a_{n+1} + \log a_{n+2} = 0$에서
$2\log a_{n+1} = \log a_n + \log a_{n+2}$
$\log a_{n+1}^2 = \log a_n a_{n+2}$
$a_{n+1}^2 = a_n \times a_{n+2}$
따라서 $\{a_n\}$은 등비수열이다.
이때 $a_3 = 2a_2$이므로 공비는 2이고,
$a_4 = 8$에서 $a_1 \times 2^3 = 8$, $8a_1 = 8$ 　∴ $a_1 = 1$
따라서 $a_n = 1 \times 2^{n-1} = 2^{n-1}$이므로
$a_{10} = 2^9 = 512$ 　　　　　　　　　　　 답 512

기출유형 03

Act❶ $a_{n+1} = a_n + f(n)$ 꼴로 정의된 수열은 n 대신 1, 2, 3, $\cdots$, $n-1$을 차례로 대입하여 변끼리 더한다.

$a_{n+1} = a_n + n^2$에 $n = 1, 2, 3, \cdots, 11$을 차례로 대입하면
$a_2 = a_1 + 1^2$
$a_3 = a_2 + 2^2$
$a_4 = a_3 + 3^2$
$\vdots$
$a_{12} = a_{11} + 11^2$
위의 식을 각 변끼리 더하면
$a_{12} = a_1 + \sum_{k=1}^{11} k^2 = -1 + \dfrac{11 \times 12 \times 23}{6} = 505$ 　　 답 ②

09 **Act❶** $a_{n+1} = a_n + f(n)$ 꼴로 정의된 수열은 n 대신 1, 2, 3, $\cdots$, $n-1$을 차례로 대입하여 변끼리 더한다.

$a_{n+1} = a_n + 5n$에 $n = 1, 2, 3, \cdots, 7$을 차례로 대입하면
$a_2 = a_1 + 5 \times 1$
$a_3 = a_2 + 5 \times 2$
$a_4 = a_3 + 5 \times 3$
$\vdots$
$a_8 = a_7 + 5 \times 7$
위의 식을 각 변끼리 더하면
$a_8 = a_1 + \sum_{k=1}^{7} 5k = 1 + 5 \times \dfrac{7 \times 8}{2} = 141$ 　　 답 141

10 **Act❶** n 대신 1, 2, 3, $\cdots$, $n-1$을 차례로 대입하여 일반항 a_n을 구한 후 조건을 만족하는 k의 값을 구한다.

$a_{n+1} = a_n + 2^n$에 $n = 1, 2, 3, \cdots, n-1$을 차례로 대입하면
$a_2 = a_1 + 2^1$
$a_3 = a_2 + 2^2$
$a_4 = a_3 + 2^3$

$\vdots$
$a_n = a_{n-1} + 2^{n-1}$
위의 식을 각 변끼리 더하면
$a_n = a_1 + \sum_{k=1}^{n-1} 2^k = 1 + \dfrac{2(2^{n-1}-1)}{2-1} = 2^n - 1$
$a_k = 1023$에서 $2^k - 1 = 1023$
$2^k = 1024 = 2^{10}$ 　∴ $k = 10$ 　　　　 답 10

11 **Act❶** n 대신 1, 2, 3, $\cdots$, $n-1$을 차례로 대입하여 일반항 a_n을 구한 후 $\sum$의 성질을 이용하여 자연수의 거듭제곱의 합을 구한다.

$a_{n+1} = a_n + 2n + 3$에 $n = 1, 2, 3, \cdots, n-1$을 차례로 대입하면
$a_2 = a_1 + 2 \times 1 + 3$
$a_3 = a_2 + 2 \times 2 + 3$
$a_4 = a_3 + 2 \times 3 + 3$
$\vdots$
$a_n = a_{n-1} + 2(n-1) + 3$
위의 식을 각 변끼리 더하면
$a_n = a_1 + 2\{1 + 2 + 3 + \cdots + (n-1)\} + 3(n-1)$
$\quad = 3 + 2 \times \dfrac{n(n-1)}{2} + 3(n-1)$
$\quad = n^2 + 2n$
$\therefore \sum_{k=1}^{10} a_k = \sum_{k=1}^{10} (k^2 + 2k)$
$\quad = \dfrac{10 \times 11 \times 21}{6} + 2 \times \dfrac{10 \times 11}{2}$
$\quad = 495$ 　　　　　　　　　　　　　　 답 ②

12 **Act❶** 조건 (가)에서 n 대신 1, 2, 3, $\cdots$, 5를 차례로 대입하여 $a_2, a_3, \cdots, a_6$을 구하고 조건 (나)에서 $a_{n+6} = a_n$임을 이용하여 a_{50}의 값을 구한다.

조건 (가)에서
$a_2 = a_1 + 3 = 4$
$a_3 = a_2 + 3 = 7$
$a_4 = a_3 + 3 = 10$
$a_5 = a_4 + 3 = 13$
$a_6 = a_5 + 3 = 16$
조건 (나)에서
$a_{50} = a_{44} = a_{38} = \cdots = a_2 = 4$ 　　　　 답 ①

기출유형 04

Act❶ $a_{n+1} = a_n f(n)$ 꼴로 정의된 수열은 n 대신 1, 2, 3, $\cdots$, $n-1$을 차례로 대입하여 변끼리 곱한다.

$a_{n+1} = 2^n a_n$에 n 대신 1, 2, 3, $\cdots$, 9를 차례로 대입하면
$a_2 = 2a_1$
$a_3 = 2^2 a_2$
$a_4 = 2^3 a_3$
$\vdots$
$a_{10} = 2^9 a_9$
위의 식을 각 변끼리 곱하면

$a_{10}=2\times2^2\times2^3\times\cdots\times2^9\times a_1$
$=2^{1+2+3+\cdots+9}\times2=2^{46}$ 답 ⑤

13 **Act①** $a_{n+1}=a_nf(n)$ **꼴로 정의된 수열은** n **대신** $1, 2, 3, \cdots, n-1$**을 차례로 대입하여 변끼리 곱한다.**

$a_{n+1}=\frac{n+1}{n}a_n$에 n 대신 $1, 2, 3, \cdots, 11$을 차례로 대입하면

$a_2=\frac{2}{1}a_1$

$a_3=\frac{3}{2}a_2$

$a_4=\frac{4}{3}a_3$

$\vdots$

$a_{12}=\frac{12}{11}a_{11}$

위의 식을 각 변끼리 곱하면

$a_{12}=\frac{2}{1}\times\frac{3}{2}\times\frac{4}{3}\times\cdots\times\frac{12}{11}\times a_1$
$=12\times10=120$ 답 120

14 **Act①** $a_{n+1}=a_nf(n)$, **즉** $\frac{a_{n+1}}{a_n}=f(n)$ **꼴로 정의된 수열은** n **대신** $1, 2, 3, \cdots, n-1$**을 차례로 대입하여 변끼리 곱한다.**

$\frac{a_{n+1}}{a_n}=\frac{n+2}{n+1}$에 n 대신 $1, 2, 3, \cdots, n-1$을 차례로 대입하면

$\frac{a_2}{a_1}=\frac{3}{2}$

$\frac{a_3}{a_2}=\frac{4}{3}$

$\frac{a_4}{a_3}=\frac{5}{4}$

$\vdots$

$\frac{a_n}{a_{n-1}}=\frac{n+1}{n}$

위의 식을 각 변끼리 곱하면

$\frac{a_2}{a_1}\times\frac{a_3}{a_2}\times\cdots\times\frac{a_n}{a_{n-1}}=\frac{3}{2}\times\frac{4}{3}\times\frac{5}{4}\times\cdots\times\frac{n+1}{n}$

$\frac{a_n}{a_1}=\frac{n+1}{2}$이고 $a_1=1$이므로 $a_n=\frac{n+1}{2}$

$a_k=30$에서 $\frac{k+1}{2}=30$ $\quad\therefore k=59$ 답 ②

15 **Act①** $\frac{a_{n+1}}{a_n}=f(n)$**의** n **대신** $1, 2, 3, \cdots, n-1$**을 차례로 대입하여 변끼리 곱했을 때 약분이 쉽도록 우선 우변의** $f(n)$**을 변형한다.**

변끼리 곱했을 때 약분이 쉽도록 우변을 변형하면

$1-\frac{1}{(n+1)^2}=\frac{n^2+2n}{(n+1)^2}=\frac{n}{n+1}\times\frac{n+2}{n+1}$

$\frac{a_{n+1}}{a_n}=\frac{n}{n+1}\times\frac{n+2}{n+1}$에 n 대신 $1, 2, 3, \cdots, 9$를 차례로 대입하면

$\frac{a_2}{a_1}=\frac{1}{2}\times\frac{3}{2}$

$\frac{a_3}{a_2}=\frac{2}{3}\times\frac{4}{3}$

$\frac{a_4}{a_3}=\frac{3}{4}\times\frac{5}{4}$

$\vdots$

$\frac{a_{10}}{a_9}=\frac{9}{10}\times\frac{11}{10}$

위의 식을 각 변끼리 곱하면

$\frac{a_2}{a_1}\times\frac{a_3}{a_2}\times\cdots\times\frac{a_{10}}{a_9}$
$=\frac{1}{2}\times\frac{3}{2}\times\frac{2}{3}\times\frac{4}{3}\times\frac{3}{4}\times\frac{5}{4}\times\cdots\times\frac{9}{10}\times\frac{11}{10}$

$\frac{a_{10}}{a_1}=\frac{1}{2}\times\frac{11}{10}$

이때 $a_1=1$이므로 $a_{10}=\frac{11}{20}$

$\therefore 100a_{10}=100\times\frac{11}{20}=55$ 답 55

16 **Act①** $a_{n+1}=a_nf(n)$ **꼴로 정의된 수열은** n **대신** $1, 2, 3, \cdots, n-1$**을 차례로 대입하여 변끼리 곱한다.**

$\sqrt{n+1}\,a_{n+1}=\sqrt{n}\,a_n$에서 $a_{n+1}=\sqrt{\frac{n}{n+1}}a_n$

이 식에 n 대신 $1, 2, 3, \cdots, n-1$을 차례로 대입하면

$a_2=\sqrt{\frac{1}{2}}a_1$

$a_3=\sqrt{\frac{2}{3}}a_2$

$a_4=\sqrt{\frac{3}{4}}a_3$

$\vdots$

$a_n=\sqrt{\frac{n-1}{n}}a_{n-1}$

위의 식을 각 변끼리 곱하면

$a_n=\sqrt{\frac{1}{2}}\times\sqrt{\frac{2}{3}}\times\sqrt{\frac{3}{4}}\times\cdots\times\sqrt{\frac{n-1}{n}}\times a_1=\frac{1}{\sqrt{n}}$

$\therefore \sum_{k=1}^{10}(a_ka_{k+1})^2=\sum_{k=1}^{10}\left(\frac{1}{\sqrt{k}}\times\frac{1}{\sqrt{k+1}}\right)^2=\sum_{k=1}^{10}\frac{1}{k(k+1)}$
$=\sum_{k=1}^{10}\left(\frac{1}{k}-\frac{1}{k+1}\right)$
$=\left(1-\frac{1}{2}\right)+\left(\frac{1}{2}-\frac{1}{3}\right)+\cdots+\left(\frac{1}{10}-\frac{1}{11}\right)$
$=\frac{10}{11}$

따라서 $p=11$, $q=10$이므로 $p+q=21$ 답 21

기출유형 05

Act① n **대신** $1, 2, 3$**을 차례로 대입한다.**

$a_{n+1}=\frac{a_n+1}{3a_n-2}$에 n 대신 $1, 2, 3$을 차례로 대입하면

$a_2=\frac{a_1+1}{3a_1-2}=\frac{1+1}{3\times1-2}=2$

$a_3=\frac{a_2+1}{3a_2-2}=\frac{2+1}{3\times2-2}=\frac{3}{4}$

$a_4=\frac{a_3+1}{3a_3-2}=\frac{\frac{3}{4}+1}{3\times\frac{3}{4}-2}=7$ 답 ④

17 Act① n 대신 1, 2, 3, 4를 차례로 대입한다.

$a_{n+1}=a_n^2-n^2$에 n 대신 1, 2, 3, 4를 차례로 대입하면

$a_2=a_1^2-1^2=2^2-1^2=3$

$a_3=a_2^2-2^2=3^2-2^2=5$

$a_4=a_3^2-3^2=5^2-3^2=16$

$a_5=a_4^2-4^2=16^2-4^2=240$ 답 ④

18 Act① n 대신 1, 2, 3, 4를 차례로 대입한다.

$a_{n+1}+a_n=2n^2$에 n 대신 1, 2, 3, 4를 차례로 대입하면

$a_2+a_1=2\times1^2$이므로 $a_2=2-a_1$

$a_3+a_2=2\times2^2$이므로 $a_3=8-a_2=6+a_1$

$a_4+a_3=2\times3^2$이므로 $a_4=18-a_3=12-a_1$

$a_5+a_4=2\times4^2$이므로 $a_5=32-a_4=20+a_1$

이때 $a_3+a_5=26$에서

$(6+a_1)+(20+a_1)=26$, $a_1=0$

$\therefore a_2=2-a_1=2$ 답 ②

19 Act① n 대신 1, 2, 3, …을 차례로 대입하여 규칙성을 찾는다.

$a_1<2$이므로 $a_2=\sqrt[3]{2}\,a_1=\sqrt[3]{2}$

$a_2<2$이므로 $a_3=\sqrt[3]{2}\,a_2=\sqrt[3]{2^2}$

$a_3<2$이므로 $a_4=\sqrt[3]{2}\,a_3=\sqrt[3]{2^3}=2$

$a_4\geq2$이므로 $a_5=\dfrac{1}{2}a_4=1$

$\vdots$

따라서 수열 $\{a_n\}$은 1, $\sqrt[3]{2}$, $\sqrt[3]{2^2}$, 2가 계속적으로 반복된다.

$112=4\times28$이므로 $a_{112}=2$ 답 ⑤

20 Act① n 대신 1, 2, 3, …을 차례로 대입하여 규칙성을 찾는다.

주어진 식에 n 대신 1, 2, 3, …을 차례로 대입하면

$a_1=\dfrac{2}{5}$이므로

$a_2=2\times\dfrac{2}{5}=\dfrac{4}{5}$

$a_3=2\times\dfrac{4}{5}=\dfrac{8}{5}$

$a_4=-\dfrac{8}{5}+2=\dfrac{2}{5}$

$a_5=2\times\dfrac{2}{5}=\dfrac{4}{5}$

$\vdots$

$k=0, 1, 2, …$에 대하여

$a_{3k+1}=\dfrac{2}{5}$, $a_{3k+2}=\dfrac{4}{5}$, $a_{3(k+1)}=\dfrac{8}{5}$

임을 추론할 수 있다.

따라서 $a_4+a_{17}=a_{3\times1+1}+a_{3\times5+2}=\dfrac{2}{5}+\dfrac{4}{5}=\dfrac{6}{5}$ 답 ①

기출유형 06

Act① 수학적 귀납법을 이용한 등식의 증명 과정의 원리를 생각하며 빈칸에 알맞은 식을 구한다.

(i) $n=3$일 때, $a_3=4=\dfrac{8}{(3-1)(3-2)}$이므로 성립한다.

(ii) $n=k\ (k\geq3)$일 때, 성립한다고 가정하면

$a_k=\dfrac{8}{(k-1)(k-2)}$이다.

$k(k-2)a_{k+1}=\sum_{i=1}^{k}a_i=a_k+\sum_{i=1}^{k-1}a_i$

$=a_k+(k-1)(k-3)a_k$

$=a_k\times\boxed{(k-2)^2}$

$=\dfrac{8}{(k-1)(k-2)}\times\boxed{(k-2)^2}$

$=\dfrac{\boxed{8(k-2)}}{k-1}$

이다. 그러므로

$a_{k+1}=\dfrac{1}{k(k-2)}\times\dfrac{\boxed{8(k-2)}}{k-1}=\dfrac{8}{\boxed{k(k-1)}}$

이다. 따라서 $n=k+1$일 때 성립한다.

(i), (ii)에 의하여 $n\geq3$인 모든 자연수 n에 대하여

$a_n=\dfrac{8}{(n-1)(n-2)}$이다.

위의 과정에서 (가), (나), (다)에 알맞은 식은 각각

$f(k)=(k-2)^2$, $g(k)=8(k-2)$, $h(k)=k(k-1)$

이므로

$\dfrac{f(13)\times g(14)}{h(12)}=\dfrac{11^2\times(8\times12)}{12\times11}=88$ 답 ①

21 Act① 수학적 귀납법을 이용한 등식의 증명 과정의 원리를 생각하며 빈칸에 알맞은 식을 구한다.

(i) $n=1$일 때,

(좌변)$=(2\times1-1)\times2^0=1$,

(우변)$=(2\times1-3)\times2^1+3=1$이므로

(*)이 성립한다.

(ii) $n=m$일 때, (*)이 성립한다고 가정하면

$\sum_{k=1}^{m}(2k-1)2^{k-1}=(2m-3)2^m+3$이다.

$n=m+1$일 때, (*)이 성립함을 보이자.

$\sum_{k=1}^{m+1}(2k-1)2^{k-1}$

$=\sum_{k=1}^{m}(2k-1)2^{k-1}+(\boxed{2m+1})\times2^m$

$=(2m-3)2^m+3+(\boxed{2m+1})\times2^m$

$=(4m-2)2^m+3$

$=(\boxed{2m-1})\times2^{m+1}+3$

따라서 $n=m+1$일 때도 (*)이 성립한다.

(i), (ii)에 의하여 모든 자연수 n에 대하여 (*)이 성립한다.

위의 과정에서 (가), (나)에 알맞은 식은 각각

$f(m)=2m+1$, $g(m)=2m-1$이므로

$f(4)\times g(2)=9\times3=27$ 답 ⑤

기출유형 07

Act① 수학적 귀납법을 이용한 부등식의 증명 과정의 원리를 생각하며 빈칸에 알맞은 식을 구한다.

2 이상인 모든 자연수 n에 대하여

$a_n=\sum\limits_{k=1}^{n-1}\dfrac{n}{n-k}\cdot\dfrac{1}{2^{k-1}}=\dfrac{n}{n-1}+\dfrac{n}{n-2}\cdot\dfrac{1}{2}+\cdots+\dfrac{n}{2^{n-2}}$ 이라 하자.

$a_{n+1}=\sum\limits_{k=1}^{n}\dfrac{n+1}{n+1-k}\cdot\dfrac{1}{2^{k-1}}$

$\quad=\boxed{\dfrac{n+1}{n}}+\dfrac{n+1}{n-1}\cdot\dfrac{1}{2}+\dfrac{n+1}{n-2}\cdot\dfrac{1}{2^2}+\cdots+\dfrac{n+1}{2^{n-1}}$

$\quad=\boxed{\dfrac{n+1}{n}}+(n+1)\left(\dfrac{1}{n-1}\cdot\dfrac{1}{2}+\dfrac{1}{n-2}\cdot\dfrac{1}{2^2}+\cdots+\dfrac{1}{2^{n-1}}\right)$

$\quad=\dfrac{n+1}{n}+\dfrac{n+1}{2n}\left(\dfrac{n}{n-1}+\dfrac{n}{n-2}\cdot\dfrac{1}{2}+\cdots+\dfrac{n}{2^{n-2}}\right)$

이 식을 정리하면

$a_{n+1}=\boxed{\dfrac{n+1}{2n}}a_n+\dfrac{n+1}{n}\ (n\ge2)$

을 얻는다.

$a_2=2<4$, $a_3=3<4$이므로 (*)이 성립한다.

$n\ge3$일 때 $a_n<4$라 하자.

$a_{n+1}=\dfrac{n+1}{2n}a_n+\dfrac{n+1}{n}<\dfrac{n+1}{2n}\cdot4+\dfrac{n+1}{n}=3+\dfrac{3}{n}\le4$

따라서 2 이상인 모든 자연수 n에 대하여 (*)이 성립한다.

위의 과정에서 (가), (나)에 알맞은 식은 각각

$f(n)=\dfrac{n+1}{n}$, $g(n)=\dfrac{n+1}{2n}$이므로

$\dfrac{48g(10)}{f(5)}=48\times\dfrac{\frac{11}{20}}{\frac{6}{5}}=48\times\dfrac{11}{24}=22$ 　　답 ②

22 Act❶ 수학적 귀납법을 이용한 부등식의 증명 과정의 원리를 생각하며 빈칸에 알맞은 식을 구한다.

주어진 식 (*)의 양변을 $\dfrac{n(n+1)}{2}$로 나누면

$1+\dfrac{1}{2}+\dfrac{1}{3}+\cdots+\dfrac{1}{n}>\dfrac{2n}{n+1}$ 　　……㉠

이므로 $n\ge2$인 자연수 n에 대하여

(i) $n=2$일 때,

(좌변)$=\boxed{\dfrac{3}{2}}$, (우변)$=\dfrac{4}{3}$이므로 ㉠이 성립한다.

(ii) $n=k\ (k\ge2)$일 때, ㉠이 성립한다고 가정하면

$1+\dfrac{1}{2}+\dfrac{1}{3}+\cdots+\dfrac{1}{k}>\dfrac{2k}{k+1}$ 　　……㉡

이다. ㉡의 양변에 $\dfrac{1}{k+1}$을 더하면

$1+\dfrac{1}{2}+\dfrac{1}{3}+\cdots+\dfrac{1}{k}+\dfrac{1}{k+1}>\dfrac{2k+1}{k+1}$

이 성립한다.

한편, $\dfrac{2k+1}{k+1}-\boxed{\dfrac{2(k+1)}{k+2}}=\dfrac{k}{(k+1)(k+2)}>0$이므로

$1+\dfrac{1}{2}+\dfrac{1}{3}+\cdots+\dfrac{1}{k}+\dfrac{1}{k+1}>\boxed{\dfrac{2(k+1)}{k+2}}$이다.

따라서 $n=k+1$일 때도 ㉠이 성립한다.

(i), (ii)에 의하여 $n\ge2$인 모든 자연수 n에 대하여 ㉠이 성립하므로 (*)도 성립한다.

위의 과정에서 (가), (나)에 알맞은 수와 식은 각각

$p=\dfrac{3}{2}$, $f(k)=\dfrac{2(k+1)}{k+2}$이므로

$8p\times f(10)=8\times\dfrac{3}{2}\times\dfrac{22}{12}=22$ 　　답 ⑤

VIT **V**ery **I**mportant **T**est　pp.109~111

01. ①	02. ③	03. 8	04. ③	05. ④
06. 2	07. ③	08. ⑤	09. ⑤	10. ④
11. ④	12. ④	13. ③	14. ②	15. ③
16. 12	17. ③			

01

$a_{n+2}-a_{n+1}=a_{n+1}-a_n$이므로 수열 $\{a_n\}$은 등차수열이다. 즉 수열 $\{a_n\}$은 첫째항이 5, 공차가 $9-5=4$인 등차수열이므로

$a_n=5+(n-1)\times4=4n+1$

$\therefore a_{10}=4\times10+1=41$ 　　답 ①

02

$a_{n+1}=\dfrac{a_n+a_{n+2}}{2}$에서 수열 $\{a_n\}$은 등차수열이다. 즉 수열 $\{a_n\}$은 첫째항이 -5, 공차가 $-3-(-5)=2$인 등차수열이므로

$a_n=-5+(n-1)\times2=2n-7$

$\therefore \sum\limits_{n=1}^{10}a_n=\sum\limits_{n=1}^{10}(2n-7)=2\times\dfrac{10\times11}{2}-7\times10=40$ 　　답 ③

03

수열 $\{a_n\}$은 첫째항이 4, 공차가 3인 등차수열이므로

$a_n=4+(n-1)\times3=3n+1$

$a_k=25$에서 $3k+1=25$

$\therefore k=8$ 　　답 8

04

$\dfrac{a_{n+2}}{a_{n+1}}=\dfrac{a_{n+1}}{a_n}$이므로 수열 $\{a_n\}$은 등비수열이다.

$a_1=\dfrac{4}{3}$, $\dfrac{a_2}{a_1}=\dfrac{4}{\frac{4}{3}}=3$에서 수열 $\{a_n\}$은 첫째항이 $\dfrac{4}{3}$,

공비가 3인 등비수열이므로

$\sum\limits_{k=1}^{4}a_k=\dfrac{\frac{4}{3}(3^4-1)}{3-1}=\dfrac{2}{3}(3^4-1)=\dfrac{160}{3}$

따라서 $p=3$, $q=160$이므로

$p+q=163$ 　　답 ③

05

$a_{n+1}=a_n+2^{n-1}$에 n 대신 1, 2, 3, 4를 차례로 대입하면

$a_2=a_1+1$

$a_3=a_2+2$

$a_4=a_3+2^2$

$a_5=a_4+2^3$

위의 식을 각 변끼리 더하면

$a_5=a_1+(1+2+2^2+2^3)$

$=3+15=18$　　　　　　　　　　　　　　　　　답 ④

06

$a_{n+1}=\dfrac{n}{n+2}a_n$에 n 대신 1, 2, 3, 4를 차례로 대입하면

$a_2=\dfrac{1}{3}\times a_1$

$a_3=\dfrac{2}{4}\times a_2$

$a_4=\dfrac{3}{5}\times a_3$

$a_5=\dfrac{4}{6}\times a_4$

위의 식을 각 변끼리 곱하면

$a_5=\dfrac{1}{3}\times\dfrac{2}{4}\times\dfrac{3}{5}\times\dfrac{4}{6}\times a_1=\dfrac{1}{15}\times30=2$　　　답 2

07

$a_{n+1}=\dfrac{n}{n+3}a_n$에 n 대신 1, 2, 3, 4를 차례로 대입하면

$a_2=\dfrac{1}{4}\times a_1$

$a_3=\dfrac{2}{5}\times a_2$

$a_4=\dfrac{3}{6}\times a_3$

$a_5=\dfrac{4}{7}\times a_4$

위의 식을 각 변끼리 곱하면

$a_5=\dfrac{1}{4}\times\dfrac{2}{5}\times\dfrac{3}{6}\times\dfrac{4}{7}\times a_1=\dfrac{1}{35}\times20=\dfrac{4}{7}$　　답 ③

08

$a_1=1$이고, $a_{n+1}=2na_n+1$에 n 대신 1, 2, 3을 차례로 대입하면
$a_2=2\times1\times a_1+1=2\times1+1=3$
$a_3=2\times2\times a_2+1=4\times3+1=13$
$a_4=2\times3\times a_3+1=6\times13+1=79$　　　　답 ⑤

09

$a_1=1$이고, $a_{n+1}=\dfrac{a_n}{1+2a_n}$에 n 대신 1, 2, 3, 4를 차례로 대입하면

$a_2=\dfrac{a_1}{1+2a_1}=\dfrac{1}{1+2\times1}=\dfrac{1}{3}$

$a_3=\dfrac{a_2}{1+2a_2}=\dfrac{\dfrac{1}{3}}{1+2\times\dfrac{1}{3}}=\dfrac{1}{5}$

$a_4=\dfrac{a_3}{1+2a_3}=\dfrac{\dfrac{1}{5}}{1+2\times\dfrac{1}{5}}=\dfrac{1}{7}$

$a_5=\dfrac{a_4}{1+2a_4}=\dfrac{\dfrac{1}{7}}{1+2\times\dfrac{1}{7}}=\dfrac{1}{9}$　　　　답 ⑤

10

$a_1=15$이고, 주어진 식에 n 대신 1, 2, 3, 4, 5를 차례로 대입하면
$n=1$은 홀수이므로
$a_2=a_1+3=15+3=18$
$n=2$는 짝수이므로
$a_3=a_2-2=18-2=16$
$n=3$은 홀수이므로
$a_4=a_3+3=16+3=19$
$n=4$는 짝수이므로
$a_5=a_4-4=19-4=15$
$n=5$는 홀수이므로
$a_6=a_5+3=15+3=18$　　　　　　　　　　답 ④

11

(가)에서 $p(1)$이 참이므로 (나)에서 $p(3)$, $p(5)$, $p(9)$, $p(15)$, $p(25)$, …이 참이다.
즉 $n=3^l5^m$ (l, $m=0$, 1, 2, 3, …)이면 $p(n)$이 참이다.
① $120=2\times3\times4\times5$
② $144=3^2\times4^2$
③ $196=2^2\times7^2$
④ $243=3^5$
⑤ $256=2^8$
따라서 참인 것은 ④이다.　　　　　　　　　답 ④

12

$f(k)=\dfrac{2k-1}{k}$, $g(k)=k+1$이므로

$f(5)g(9)=\dfrac{9}{5}\times10=18$　　　　　　　　답 ④

13

$n=k$ ($k\geq6$)일 때 성립한다고 가정하면

$\left(\dfrac{k+1}{2}\right)^{k+1}$

$=\dfrac{k+1}{2^{k+1}}\times\dfrac{(k+1)^k}{k^k}\times k^k$

$=\dfrac{k+1}{2}\times\left(1+\dfrac{1}{k}\right)^k\times\boxed{\left(\dfrac{k}{2}\right)^k}$

그런데 $\left(1+\dfrac{1}{k}\right)^k>2$이고 $\left(\dfrac{k}{2}\right)^k>k!$이므로

$\left(\dfrac{k+1}{2}\right)^{k+1}>\dfrac{k+1}{2}\times\boxed{2k!}=\boxed{(k+1)!}$

따라서 $f(k)=\left(\dfrac{k}{2}\right)^k$, $g(k)=2k!$, $h(k)=(k+1)!$이므로

$f(4)+\dfrac{g(5)}{h(4)}=\left(\dfrac{4}{2}\right)^4+\dfrac{2\times5!}{(4+1)!}$

$\qquad\qquad=16+2=18$　　　　　　　　답 ③

14

먼저 조건식을 이용하여 a_1의 값을 구하면
$4a_1=a_2+3$　　　　　　　……㉠
$a_{n+1}=a_n+3n$에서 $a_2=a_1+3$　　　……㉡

⊙, ⓒ에서 $a_1=2$

$a_{n+1}=a_n+3n$에 n 대신 1, 2, 3, …, 9를 차례로 대입하면

$a_2=a_1+3\times1$

$a_3=a_2+3\times2$

  ⋮

$a_{10}=a_9+3\times9$

위의 식을 각 변끼리 더하면

$a_{10}=a_1+3(1+2+3+\cdots+9)$

$=2+3\sum_{k=1}^{9}k=2+3\times\dfrac{9\times10}{2}=137$ 답 ②

$\therefore a_{10}+a_{18}=a_{3\times4-2}+a_{3\times6}$

$=\dfrac{2}{5}+\dfrac{8}{5}=2$ 답 ③

15

$3a_na_{n+1}=a_n-a_{n+1}$의 양변을 a_na_{n+1}로 나누면

$3=\dfrac{1}{a_{n+1}}-\dfrac{1}{a_n}$

수열 $\left\{\dfrac{1}{a_n}\right\}$은 첫째항이 1, 공차가 3인 등차수열이므로

$\dfrac{1}{a_n}=1+(n-1)\times3=3n-2$

따라서 $a_n=\dfrac{1}{3n-2}$이므로 $a_{15}=\dfrac{1}{43}$ 답 ③

16

$a_1=\dfrac{1}{2}$이고, $a_{n+1}=\dfrac{1}{1-a_n}$에 n 대신 1, 2, 3, …을 차례로 대입

하면

$a_2=\dfrac{1}{1-a_1}=\dfrac{1}{1-\dfrac{1}{2}}=2$

$a_3=\dfrac{1}{1-a_2}=\dfrac{1}{1-2}=-1$

$a_4=\dfrac{1}{1-a_3}=\dfrac{1}{1-(-1)}=\dfrac{1}{2}$

  ⋮

따라서 수열 $\{a_n\}$은 $\dfrac{1}{2}$, 2, -1이 반복된다.

$a_1+a_2+a_3=\dfrac{1}{2}+2+(-1)=\dfrac{3}{2}$이고

$6=\dfrac{3}{2}\times4$이므로 $k=3\times4=12$ 답 12

17

주어진 정의에 따라 a_1부터 순서대로 구하면

$a_1=\dfrac{2}{5}\leq1$

$a_2=2\times\dfrac{2}{5}=\dfrac{4}{5}\leq1$

$a_3=2\times\dfrac{4}{5}=\dfrac{8}{5}\geq1$

$a_4=-\dfrac{8}{5}+2=\dfrac{2}{5}\leq1$

$a_5=2\times\dfrac{2}{5}=\dfrac{4}{5}\leq1$

  ⋮

이므로 자연수 n에 대하여

$a_{3n-2}=\dfrac{2}{5}$, $a_{3n-1}=\dfrac{4}{5}$, $a_{3n}=\dfrac{8}{5}$

memo

조금이라도 달라지고 싶다면
지금 이 순간부터 변해야 한다.
- 프레드 스미스

당신이 친구들이 보고 싶으면
친구들이 당신에게 관심을 가지게 하려 하지 말고
당신이 먼저 친구들에게 관심을 가져라.
- 데일 카네기

좋은 기회를 만나지 못한 사람은 아무도 없다.
다만 그것을 붙잡지 못했을 뿐이다.
- 앤드류 카네기

memo

조금이라도 달라지고 싶다면
지금 이 순간부터 변해야 한다.
-프레드 스미스

당신이 친구들이 보고 싶으면
친구들이 당신에게 관심을 가지게 하려 하지 말고
당신이 먼저 친구들에게 관심을 가져라.
- 데일 카네기

좋은 기회를 만나지 못한 사람은 아무도 없다.
다만 그것을 붙잡지 못했을 뿐이다.
- 앤드류 카네기